DU MÊME AUTEUR

Aux Éditions Grasset

MORTS IMAGINAIRES, 2003 (Prix Medicis de l'essai).

Aux Éditions Gallimard

BLESSURES DE MÉMOIRE, *Connaissance de l'inconscient*, 1980.
VOLEURS DE MOTS, *Connaissance de l'inconscient*, 1985.
GLENN GOULD, PIANO SOLO, *L'un et l'autre*, 1988 (prix
   Femina de l'essai), 1989.
BLEU PASSÉ, récit, 1990.
UN RÊVE DE PIERRE, Le Radeau de la Méduse, Géricault,
   1991.
JE CRAINS DE LUI PARLER LA NUIT, roman, 1991.
MAMAN, *L'un et l'autre*, 1999.
SCHUMANN, Les voix intérieures, *Découvertes*, 2006.

Aux Éditions du Seuil

LA TOMBÉE DU JOUR, SCHUMANN, *La Librairie du XX siècle*,
   1989.
LA COMÉDIE DE LA CULTURE, 1993.
BAUDELAIRE, LES ANNÉES PROFONDES, *La Librairie du
   XX siècle*, 1995.

Aux Éditions Odile Jacob

MUSIQUES DE NUIT, 2001.
PRIMA DONNA, Opéra et inconscient, 2001.
BIG MOTHER, Psychopathologie de la vie politique, 2002.

MARILYN
DERNIÈRES SÉANCES

Collection littéraire dirigée par
MARTINE SAADA

Delphine Coulin, *Les Traces*
Michel Manière, *Une femme distraite*
Pierre Lepape, *La Disparition de Sorel*
Pascal Quignard, *Les Ombres errantes*
Pascal Quignard, *Sur le jadis*
Pascal Quignard, *Abîmes*
Pascal Quignard, *Les Paradisiaques*
Pascal Quignard, *Sordidissimes*
Michel Schneider, *Morts imaginaires*
Jacques Tournier, *A l'intérieur du chien*
Alain Veinstein, *La Partition*

MICHEL SCHNEIDER

MARILYN
DERNIÈRES SÉANCES

roman

BERNARD GRASSET
PARIS

ISBN (10) : 2-246-70371-9
ISBN : 978-2-246-70371-6

Il y a toujours deux côtés dans une histoire.

Marilyn Monroe

À Marilyn

New York, avril 1955. L'écrivain Truman Capote assiste avec Marilyn Monroe à un enterrement.

— J'ai besoin d'une teinture, dit-elle. Et je n'ai pas eu le temps de m'en occuper.

Elle lui montre une trace sombre à la ligne de séparation de ses cheveux.

— Pauvre innocent que je suis. Moi qui t'ai toujours crue une vraie blonde cent pour cent.

— Je suis une vraie blonde. Mais personne ne l'est naturellement *comme ça. Et d'ailleurs, je t'emmerde.*

Comme les cheveux de Marilyn, ce roman – ces romans emmêlés – est vraiment faux. Contrairement à l'avertissement désuet des vieux films, il s'inspire de faits réels et ses personnages apparaissent sous leur vrai nom, sauf exceptions visant à respecter la vie privée de personnes vivantes. Les lieux sont exacts, les dates vérifiées. Les citations tirées de leurs récits, notes, lettres, articles, entretiens, livres, films, etc., sont leurs propres mots.

À peine si le faussaire que je suis n'hésite pas à imputer aux uns ce que d'autres ont dit, vu ou vécu, à leur attribuer un journal intime qu'on n'a pas retrouvé, des articles ou notes inventés et à leur prêter des rêves et des pensées qu'aucune source n'atteste.

Dans cette histoire d'amour sans amour entre deux personnages réels, Marilyn Monroe et Ralph Greenson, son dernier psychanalyste, attachés l'un à l'autre par les fils du destin, on ne cherchera pas le vrai ni le vraisemblable. Je les regarde être ce qu'ils furent et accueille l'étrangeté de l'une et de l'autre figure comme si elle me parlait de la mienne.

Seule la fiction donne accès au réel. Mais ce qu'on atteint à la fin d'un récit comme à celle d'une vie n'est pas la vérité des êtres. Celui qui écrit, et qui n'est pas moi, pas plus que mes personnages ne sont Marilyn et Ralph, regarde comme celle d'un autre sa main qui rebrousse le temps mot à mot. Elle écrit de gauche à droite, mais on peut lire ce qu'elle laisse sur le papier comme une image inversée dans un miroir, jusqu'à ce que tremble dans l'obscurité de l'écran le message NO SIGNAL.

J'aimerais que ce jeu de paroles secrètes et d'actes visibles, cette suite d'images brisées parcourue de reflets à contresens, ne s'achève que sur un point d'interrogation lorsque les personnages se fondront dans l'incertain et que s'ouvrira la main de l'auteur, vide comme celle d'un enfant à l'abandon.

Los Angeles, Downtown, West 1st Street, août 2005

REWIND. Remettre la bande à zéro. Recommencer toute l'histoire. Repasser la dernière séance de Marilyn. C'est toujours par la fin que les choses commencent. J'aime les films qui s'ouvrent sur une voix *off*. À l'image, presque rien : une piscine où flotte un corps, la cime des palmiers agitée d'un tremblement, une femme nue sous un drap bleu, des éclats de verre dans la pénombre. Et quelqu'un qui parle. À lui-même. Pour ne pas être tout seul. Un homme en fuite, un privé, un médecin – ou un psychanalyste, pourquoi pas – qui raconte sa vie depuis l'autre bord. Parlant de ce qui le fait mourir, il évoque ce par quoi il a vécu. Sa voix semble dire : « Ecoute-moi, parce que je suis toi. » C'est la voix qui fait l'histoire, pas ce qu'elle raconte.

Je vais essayer de raconter cette histoire. Notre histoire. Mon histoire. Ce serait une vilaine histoire, même si on pouvait en supprimer la fin. Une femme déjà un peu morte traînant une petite fille triste par la main. Elle l'emmène voir le docteur de la tête, le docteur des mots. Il la prend, la jette. Avec amour et abjection, il l'écoute, deux ans et demi. Il n'entend rien et la perd. Ce serait une histoire triste, sinistre, dont rien ne rachèterait la

13

mélancolie, même pas ce sourire par lequel Marilyn semblait s'excuser d'être si belle.

Sous le titre REWIND souligné trois fois, on pouvait lire ce bref morceau d'un récit inachevé. Ecrites à la main à une date inconnue, ces lignes furent retrouvées dans ses papiers à la mort du Dr Ralph Greenson, le dernier psychanalyste de Marilyn Monroe. C'était sa voix qu'avait entendue l'officier de police Jack Clemmons, de veille au commissariat de West Los Angeles la nuit du 4 au 5 août 1962, lorsqu'un appel venant du quartier de Brentwood avait retenti à quatre heures vingt-cinq du matin. « Marilyn Monroe est morte d'une surdose », avait déclaré une voix d'homme éteinte. Et lorsque le policier abasourdi avait demandé : « Quoi ? », la même voix, forcée et presque emphatique, avait répété : « Marilyn Monroe est morte. Elle s'est tuée. »

REWIND. En août, la ville sue encore un peu plus qu'au printemps. La pollution jette un voile rose et les rues prennent en plein midi un flou qui rappelle la vapeur sépia des vieux films. Los Angeles est encore plus irréelle en 2005 que quarante ans avant. Plus métallique. Plus nue. Plus nulle. L'effluve lourd et oppressant de *Downtown* fatigue les yeux. Dans les locaux du *Los Angeles Times*, 202 West 1st Street, John Miner entre dans le bureau du journaliste Forger W. Backwright. Grand et voûté, il regarde sans cesse alentour comme un homme égaré. Un vieil homme (il a quatre-vingt-six ans) venu raconter une vieille histoire.

Adjoint au chef du service de médecine légale du District Attorney, il était présent lors de l'autopsie menée sur le corps de Marilyn Monroe par le Dr. Thomas Noguchi. Ce jour-là, il assista au prélèvement de muqueuses de la bouche, du vagin et de l'anus. Ce même coroner devait six ans plus tard autopsier le corps de Robert Kennedy, mort lui aussi à Los Angeles, et qui avait été soupçonné d'avoir été l'un des organisateurs du meurtre de Marilyn. La principale conclusion était la présence énigmatique dans le sang de l'actrice de 4,5 % d'un barbiturique, le Nembutal, dont on ne trouva pas trace d'injection ni d'ingestion orale. Le rapport concluait par une phrase que Miner n'avait cessé de remâcher pendant toutes ces années : *suicide probable*. Tels étaient les termes du dernier procès-verbal d'enquête. Les premiers constats parlaient de *suicide*, tout court, ou de *possible suicide*. Probable, en effet, à s'en tenir à l'aspect psychologique des choses, pensait Miner depuis ce jour. Cela n'excluait pas que la star ait mis trente-six ans à l'accomplir, ni qu'elle ait utilisé pour cela une main criminelle. Il cherchait d'autres expressions pour dire ce qui s'était passé : *a foul play*, un jeu à mort, ou bien comme avait dit le Dr Litman de l'« Equipe de prévention des suicides » : *a gamble with death*, un jeu mortel.

REWIND. John Miner, depuis longtemps retraité, aurait aimé pouvoir presser la touche d'un magnétophone où serait insérée une des bandes que Marilyn avait enregistrées à l'intention de son psychanalyste

15

fin juillet ou dans les premiers jours d'août 1962. Sur ces bandes Ralph Greenson avait collé une étiquette : MARILYN DERNIÈRES SÉANCES. Miner les avait écoutées et retranscrites, quarante-trois ans plus tôt, mais il ne les avait jamais possédées ni réentendues depuis. Elles avaient disparu du vivant de l'analyste. Ou après sa mort, comment savoir ? Il n'en restait que ce que Miner en avait résumé d'une minutieuse écriture de légiste.

Saluant le journaliste, le vieil homme tenait d'une main tremblotante une liasse de papiers jaunis et froissés. Backwright le pria de s'asseoir, lui tendit un verre d'eau réfrigérée.

— Qu'est-ce qui vous amène à vous confier à la presse après tant d'années ?

— Ralph Greenson était un homme de bien. Je l'ai connu bien avant la mort de sa patiente. Quand j'étudiais la médecine avant de me consacrer au droit pénal, j'ai suivi ses cours de psychiatrie à l'UCLA (University of California, Los Angeles). Je le respectais et le respecte encore. Il me fascinait. Deux jours après la mort de Marilyn Monroe, il m'avait demandé de l'interroger parce qu'il voulait revenir sur ses premières déclarations à la police. Il était très inquiet d'être présenté dans les journaux comme " l'étrange psychiatre " ou " le dernier homme à avoir vu Marilyn vivante et le premier à l'avoir vue morte ". Il tenait à me faire entendre deux bandes magnétiques qu'il avait reçues d'elle le dernier jour, samedi 4 août 1962. Il me les laissa pour que je les transcrive, à condition que je n'en divulgue pas le contenu, même au District Attorney ou au coroner. Après l'autopsie, j'avais trop de questions sans réponses pour refuser ce témoignage, si difficile qu'il me parût de le conserver secret.

— Comment l'avez-vous rencontré ? Quand ?

— J'ai passé des heures avec le psychiatre, le mercredi 8 août, jour des obsèques de l'actrice, auxquelles il venait d'assister.

— Vous n'avez jamais parlé de cet entretien ?

— Je me souviens de sa déclaration dès qu'il est devenu la cible de rumeurs, dit Miner d'une voix tremblante : «Je ne peux m'expliquer ou me défendre sans évoquer des choses que je ne veux pas révéler. C'est une position extrêmement inconfortable de dire que je ne peux pas en parler, mais il ne m'est absolument pas possible de raconter toute l'histoire. » Je n'ai pas dévoilé le contenu des bandes par respect pour ce secret. Ce n'est que lorsque des biographes ont recommencé à l'accuser de violences ou même de meurtre que je me suis décidé à parler. D'abord à un journaliste anglais, Matthew Smith. Il en a fait un livre. Mais j'ai refréné mon désir de dire toute la vérité. J'ai voulu obtenir l'accord de la veuve, Hildi Greenson, avant de reprendre mes notes d'autrefois et de les porter à votre connaissance.

Forger Backwright lui rappela qu'Hildegarde Greenson avait assuré au *Los Angeles Times* n'avoir jamais entendu son mari parler de bandes magnétiques et ignorer tout de leur existence. Miner répondit que Greenson avait une déontologie stricte quant aux propos tenus par ses patients dans le cadre du secret médical.

17

— C'est vis-à-vis de Greenson que j'ai gardé le secret. Si je le romps aujourd'hui, c'est parce qu'il est mort depuis plus de vingt-cinq ans et que j'ai promis à sa veuve de ne pas laisser sans réponse les James Hall, Robert Slatzer, Don Wolfe, Marvin Bergman, tous ceux qui ont mis en cause le dernier analyste de Marilyn Monroe. D'autres, comme Donald Spoto, ont parlé de « négligences criminelles ». C'est pour répondre à ces accusations salissant un homme que j'estimais, que j'ai décidé de faire état de ces bandes.

REWIND. Dans la touffeur moite de l'été californien, durant un autre mois d'août, devant un autre magnétophone, Miner, d'une voix à la fois hésitante et véhémente, raconta au journaliste sa visite chez le Dr Greenson en août 1962. Dans son cabinet de consultations au rez-de-chaussée de sa villa face au Pacifique, il avait vu un homme bouleversé, mal rasé, qui s'exprimait librement, comme avec un interlocuteur de confiance. Le psychanalyste le pria de s'asseoir et sans préambule lui fit entendre une cassette de quarante minutes. Marilyn parlait. Sa voix sur la bande. Rien d'autre. Pas trace de quelqu'un qui l'écouterait ou d'un dialogue. Elle, et uniquement elle. Sa voix posée comme au bord des mots, pas fragile, juste discrète ; les laissant se débrouiller tout seuls pour être entendus, ou pas. Cette voix d'au-delà qui pénétrait en vous avec la présence incalculable des voix entendues en rêve.

Il ne s'agissait pas d'une séance de thérapie, car, précisa Miner, le psychiatre n'enregistrait pas ses patients. C'était Marilyn qui avait acheté un magnéto-phone quelques semaines plus tôt pour transmettre à son analyste une parole libre saisie par la machine hors des séances.

Ce jour-là, Miner avait pris des notes *verbatim* très détaillées. Il avait quitté le bureau de Greenson per-suadé qu'il était très improbable que Marilyn se fût suicidée.

— Entre autres choses, dit-il, il était clair qu'elle avait des projets d'avenir et l'espoir que des choses se réalisent à court terme.

— Et le Dr Greenson ? demanda Backwright. Pen-chait-il pour la thèse du suicide ou du meurtre ?

— C'est un aspect sur lequel je ne peux me pro-noncer. Tout ce que je puis dire, c'est que, dans le rap-port que j'ai ensuite été chargé de faire à mon supérieur, j'affirmais que le psychiatre ne croyait pas que sa patiente s'était tuée. J'ai écrit à peu près ceci (de mémoire) : Suite à votre requête je me suis entre-tenu avec le Dr Greenson du décès de son ancienne patiente, Marilyn Monroe. Nous avons examiné cette question pendant plusieurs heures, et en conclusion de ce que m'a confié le Dr Greenson et de ce que révèlent les enregistrements qu'il m'a fait écouter, je pense pouvoir affirmer qu'il ne s'agissait pas d'un sui-cide. J'ai envoyé cette note. Elle n'a pas provoqué la moindre réaction. Dix jours plus tard, le 17 août, l'affaire fut classée. Ma note a aujourd'hui disparu.

REWIND. Après un deuxième gobelet d'eau glacée, Miner reprit son récit :

— Une question me reste, à laquelle le Dr Greenson n'a pas répondu de façon précise ce jour-là : pourquoi avait-il parlé de suicide au début, s'il était convaincu que ce n'était pas ça ? La réponse est simple et j'ai mis des années à la trouver : parce qu'il avait parlé de suicide *au téléphone*, depuis l'appartement de la morte et qu'il savait toutes les pièces truffées de micros.

— Greenson n'était sans doute pas un assassin ni un complice, relança Backwright, mais il a peut-être contribué à couvrir un meurtre en suicide pour des raisons qu'on ignore ?

Miner ne répondit rien.

— Qui a tué Marilyn, si ce n'était pas elle ? insista le journaliste.

— Ce n'est pas la question que je pose. Je ne me demande pas *qui* ? Je me demande : *qu'est-ce* qui a tué Marilyn ? Le cinéma, la maladie mentale, la psychanalyse, l'argent, la politique ?

Miner prit congé. En quittant Backwright, il posa sur son bureau deux enveloppes bulle froissées, jaunies.

— Je ne peux vous laisser de preuves de rien. Ses mots, je les ai entendus. Sa voix, comment la dire ? Je l'ai perdue. Toute trace est un effacement ou un mensonge couvrant une autre trace. Mais je peux vous laisser quelque chose. Une chose qui ne prouve rien non plus. Des images.

Le journaliste attendit pour ouvrir les plis d'être seul devant son ordinateur. Il devait écrire la nuit même un article précisant les conditions dans lesquelles lui était parvenu le texte des bandes publié dans l'édition du lendemain. La première enveloppe contenait une seule photo, prise sur une table de morgue. Blanc sur blanc, une femme nue, marquée, blonde. Le visage est méconnaissable. La seconde renfermait six images prises quelques jours plus tôt au Cal-Neva Lodge, un hôtel de luxe à la frontière entre Californie et Nevada. Marilyn, à quatre pattes, prise par un homme qui rit en regardant la caméra et soulève la masse des cheveux masquant le côté gauche du visage.

REWIND. Miner, voûté, descendit les escaliers du *Los Angeles Times*, et ne trouvant pas la sortie se perdit quelques instants dans un sous-sol qui sentait l'encre vieillie. Aujourd'hui, quarante-trois ans après la mort de Marilyn, vingt-trois ans après que le District Attorney du Comté de Los Angeles, malgré un réexamen des faits et des archives, eut confirmé la version du rapport d'enquête de l'époque, Miner ne voulait plus laisser la mémoire de l'actrice au culte des fans du monde entier qui chaque jour venaient se recueillir devant la plaque et la crypte du Westwood Village Memorial Park. Il n'avait jamais cru que Marilyn s'était supprimée, mais il n'avait jamais dit non plus le contraire. Amertume, frustration, maintenant que les années avaient passé, il ne voulait pas mourir sans réparer quelque chose. Cette chose était l'image que les bandes lui avaient révélée. Celle d'une femme pleine de vie, d'humour, de désirs, tout sauf une dépressive ou une suicidaire. Miner savait pourtant d'expérience que souvent des personnes pleines d'entrain et d'espoir l'instant d'avant se donnaient la mort avec résolution et efficacité. Que l'on peut vouloir cesser de vivre sans désirer mourir. Que désirer mourir n'est parfois que désirer mettre fin à la peine de vivre plus qu'à la vie elle-même. Mais il ne voulait pas croire à cette contradiction dans le cas de Marilyn. Quelque chose dans les bandes lui disait qu'elle n'avait pu qu'être tuée.

Ce n'était pas cela qui lui tenait le plus à cœur. Les diverses hypothèses de meurtre l'avaient convaincu qu'on n'aurait jamais de certitude sur les auteurs et les mobiles de cette exécution dont il ne doutait plus depuis longtemps. Ce qui l'amenait à parler et à laisser parler les enregistrements, c'était le rôle de Greenson la nuit du meurtre. Taraudé par des questions qu'il n'osait se formuler, Miner restait hanté par le silence du psychanalyste, sa face atterrée, son regard détourné vers la baie vitrée et la piscine de sa villa de Santa Monica dans le soir d'un pourpre fluorescent, lorsqu'il lui avait posé la question :

— Pardonnez-moi, mais qu'est-ce qu'elle était pour vous, une simple patiente ? Qu'étiez-vous pour elle ?

— Elle était devenue mon enfant, ma douleur, ma sœur, ma déraison, avait-il répondu dans un murmure, comme si lui revenait une citation.

REWIND. Miner n'était pas venu voir Forger Backwright pour lui livrer la clef d'un complot et lui donner la réponse à cette interrogation qui tourmente l'agent du FBI Dale Cooper dans la série *Twin Peaks* de David Lynch : « Qui a tué Marilyn Monroe ? » Il était venu pour faire taire une question : « que s'était-il passé dans ces trente mois où Greenson et Marilyn avaient été pris dans la folie passionnelle d'une psychanalyse sortie de ses limites ? »

Los Angeles, West Sunset Boulevard, janvier 1960

À l'extrême fin de sa vie, le Dr Greenson se souvenait encore de ce jour où Marilyn Monroe l'avait fait venir en urgence à son chevet. « Au commencement, nous nous regardions comme des animaux si dissemblables qu'ils se tourneraient vite le dos, constatant qu'ils n'ont rien à faire ensemble. Elle, si belle ; moi plutôt ingrat. La blonde vaporeuse et le docteur des noirceurs, quel couple... Aujourd'hui je vois que ce n'était que l'apparence : j'étais une bête de scène, je me servais de la psychanalyse pour satisfaire mon besoin de plaire, et elle une intellectuelle qui se protégeait de la souffrance de penser par une voix d'enfant et une bêtise affichée. »

Marilyn s'adressa à celui qui allait être son dernier psychanalyste alors qu'elle devait commencer *Let's Make Love* (*Le Milliardaire*) sous la direction de George Cukor. Elle avait Yves Montand pour partenaire et pour amant. Les difficultés qu'elle rencontrat n'étaient qu'un nouvel épisode dans le pénible accomplissement de son travail d'actrice à Hollywood. Le divan du psychanalyste lui paraissait être un recours obligé dans les crises lors de chaque tournage. Pour surmonter les troubles, inhibitions et angoisses qui la paralysaient sur les plateaux, elle avait commencé sa première cure cinq ans auparavant à New York. Elle avait eu recours successivement aux soins de deux psychanalystes, Margaret Hohenberg et Marianne Kris. À l'automne 1956, lors du tournage du *Prince et la danseuse* sous la direction de Laurence Olivier, elle avait même eu quelques séances à Londres avec Anna, la propre fille de Freud.

En ce début de 1960, sa détresse était revenue devant les caméras de la 20th Century Fox, qui l'avait mal payée et maltraitée. Elle devait par contrat un dernier film. Le tournage du *Milliardaire* ne parvenait pas à démarrer. Marilyn avait du mal à jouer le personnage d'Amanda Dell, une danseuse et chanteuse qui tombe amoureuse d'un milliardaire sans savoir qui il est et en se moquant de l'argent et de la renommée. Pendant que l'équipe attendait qu'elle s'éveille, assommée de barbituriques, et arrive enfin sur le tournage avec plusieurs heures de retard, sa doublure lumière, Evelyn Moriarty, jouait le jeu. Elle prenait place sur le plateau pour permettre les réglages, les tests de prises de vues et même les premières répétitions de texte avec les autres acteurs. Au début des prises, Montand avait confié à Marilyn sa propre peur de ne pas y arriver et cette angoisse commune les rapprocha très vite. Le film n'avançait pas, bloqué par les récritures du scénario et les hésitations de la production. Une atmosphère de désastre planait sur le studio paralysé par le laisser-aller élégant et distrait du metteur en scène. Bien qu'elle ne soit pas seule en cause dans les retards pris, la production mit Marilyn en demeure de faire quelque chose pour ne pas compromettre l'achèvement du film.

Elle n'avait pas d'analyste attitré à Los Angeles. Elle appela à l'aide le Dr Marianne Kris, qui la suivait depuis trois ans à New York. Kris donna le nom de Ralph R. Greenson, l'un des thérapeutes les plus en vue à Hollywood, non sans lui avoir demandé s'il se chargerait d'un cas difficile. « Une femme en désarroi total, menacée d'autodestruction par son abus des drogues et des médicaments. Sous une anxiété paroxystique, elle révèle une personnalité fragile », avait précisé Kris. Le Dr Greenson accepta de devenir le quatrième psychanalyste de Marilyn Monroe.

La première séance eut lieu au Beverly Hills Hotel. Pour des raisons de discrétion et d'état physique de l'actrice, l'entretien se déroula dans le bungalow tendu de moquette vert pomme qu'elle occupait. Le psychanalyste n'avait pas réussi à la faire venir à son cabinet. Le premier contact fut bref. Après quelques questions portant plus sur son état médical que son passé psychique, Greenson lui proposa de la recevoir par la suite à son cabinet, non loin de l'hôtel. Durant les presque six mois du tournage, Marilyn quittera le plateau tous les après-midi pour se rendre à Beverly

Hills chez son analyste, North Roxbury Drive, à mi-chemin entre le studio de la Fox sur Pico Boulevard et l'hôtel sur Sunset.

L'architecture du Beverly Hills Hotel est comme ses clients. Façade rose, avenante, fausse. Structure délabrée, néo-quelque chose, désaxée. Couleurs criardes des films colorisés. Marilyn partageait avec son mari, Arthur Miller, le bungalow n° 21. Yves Montand occupait le n° 20 avec sa femme, Simone Signoret. La Fox payait les notes des acteurs logés dans cette résidence style *Mediterranean revival* des films d'avant-guerre. Marilyn riait de ce mot : *revival.* Comme si quelque chose pouvait jamais revivre. Comme si on pouvait reconstruire ce qui n'avait pas existé. Pourtant, elle faisait venir régulièrement en avion de San Diego une vieille dame qui, trente ans auparavant sur les plateaux de la MGM, avait décoloré les cheveux de la star des Années folles, Jean Harlow. Elle envoyait chercher Pearl Porterfield en limousine et l'accueillait avec champagne et caviar. La coloriste employait la vieille technique de l'eau oxygénée et Marilyn n'en voulait pas d'autre. Elle aimait surtout entendre les récits sur la star, sa vie brûlée, sa mort froide. Peut-être les histoires étaient-elles aussi fausses que le platinum de ses cheveux et que la coiffeuse elle-même. On était dans le cinéma, et Marilyn se regardait sur l'écran aux souvenirs.

Hollywood, Sunset Boulevard, 1960

Los Angeles, la cité des anges, était devenue la fabrique des rêves. La rencontre de Roméo Greenschpoon devenu Ralph Greenson, et de Norma Jeane Baker alias Marilyn Monroe, ne pouvait avoir lieu qu'à Hollywood. Deux personnes aussi dissemblables dans leurs histoires respectives, ne devaient se croiser que dans *Tinseltown*, la ville des spots, des paillettes, des guirlandes, autour des Studios aux plateaux suréclairés où les acteurs exposaient la pénombre de leurs âmes.

C'est là que la psychanalyse et le cinéma vécurent leur liaison fatale. Leur rencontre fut celle de deux étrangers qui se découvrent plus que des affinités, des pulsions semblables, et qui ne tiennent ensemble que par le malentendu. Des psychanalystes tentaient d'interpréter les films – et parfois y réussissaient –, des cinéastes mettaient en scène des thérapeutes interprétant l'inconscient. Riches, vulnérables, névrosés, insécurisés, les uns et les autres étaient malades et se soignaient à fortes doses de « cure par la parole ». Ben Hecht – le scénariste de *Spellbound* (*La Maison du Dr. Edwards*) d'Alfred Hitchcock, et qui devait dix ans après servir de nègre à Marilyn pour écrire son autobiographie – publia en 1944 un roman : *Je hais les acteurs*. Il y montre les gens de cinéma à l'âge d'or sous tous les angles de la pathologie mentale : psychose, névrose, perversions. « Il y a une chose qui pend au nez de tout le monde à Hollywood, c'est d'être, un jour ou l'autre, la proie d'une dépression nerveuse. J'ai connu des producteurs de films qui n'avaient pas eu une seule idée en dix ans, et qui néanmoins se sont un beau matin ou un beau soir brusquement effondrés, tels des génies surmenés. C'est probablement chez les acteurs que le pourcentage de dépression est le plus ahurissant. »

Mais quand Marilyn et Ralph se trouvèrent, au début de 1960, Hollywood amorçait son déclin. L'usine à films avait connu son apogée lorsque Marilyn était née trente-trois ans plus tôt dans la ville de nulle part. Aujourd'hui, les grands Studios de cinéma sont des déserts hantés par des fantômes d'acteurs dont les touristes débarqués par cars dans les rues de carton ne connaissent plus les noms. Aujourd'hui, Sunset Boulevard n'est plus arpenté que par des prostituées hispaniques postées devant des épiceries coréennes aux vitrines étoilées par les tentatives de casses. Aujourd'hui, la psychanalyse n'est plus « une option » pour quiconque veut régler son récepteur de vibrations de l'être sur le « nouvel âge », sans parler de chercher un sens à sa vie. Aujourd'hui, on a peine à imaginer ce que furent les noces de la psychanalyse et du cinéma dans les grandes années. Noces de pensée et d'artifice, d'argent toujours, de gloire souvent, de sang parfois, les gens de l'image et les gens de mots avaient fait alliance pour le meilleur et pour le pire. La psychanalyse a non seulement guéri les âmes de la communauté d'Hollywood, mais elle a bâti la cité des rêves sur celluloïd.

La rencontre de Roméo et de Marilyn fut la répétition de celle de la psychanalyse et du cinéma : chacun avait partagé la folie de l'autre. Comme toutes les rencontres parfaites et les unions durables, celle-là reposait sur une erreur : les psychanalystes cherchaient l'écoute de l'invisible ; les cinéastes mettaient à l'écran ce que les mots ne peuvent dire. Le cinéma avait mis la psychanalyse hors d'elle-même. Cette histoire dura une vingtaine d'années. Elle finit avec Hollywood, mais les fantômes survécurent, et le cinéma, comme les patients en analyse, souffrit longtemps de réminiscences.

Los Angeles, Madison Avenue,
septembre 1988

Au fronton de la salle en fête de la célèbre agence de publicité Chiat-Day de Los Angeles, en lettres de néon : BEAUCOUP DE PROFESSIONNELS SONT DES CINGLÉS. En forme de caverne, la voûte en bois exotique et acier brossé est décorée de ballons gonflés à l'hélium, les murs tapissés de parasols en crépon, les tables envahies de gadgets criards style Main Street de Disneyland. Rien que du beau monde dans le comité organisateur du gala : Candice Bergen, Jack Lemmon, Sophia Loren, Walter Matthau, Milton Rudin, qui fut l'avocat de Marilyn et le beau-frère de Ralph Greenson. Frank Gehry, le célèbre architecte, auteur de la restructuration de cette ancienne usine de tissage, converse avec l'élite des plasticiens de Californie devant une charrette à hot-dogs. Patty Davis, la fille du président en exercice et ancien acteur Ronald Reagan, s'ennuie à mourir. Le rocker Jackson Browne discute avec l'acteur Peter Falk et les musiciens Henry Mancini et Quincy Jones échangent des banalités mondaines avec les réalisateurs Sydney Pollack et Mark Rydell. Flanqué de sa femme, l'actrice Julie Andrews, le metteur en scène Blake Edwards en blouson de cuir, s'ennuie comme tout le monde et se tait. Cette *party* lui rappelle le film où il montrait une réception toute semblable dans les milieux du cinéma. Depuis, il a tourné deux films sur des scénarios de Milton Wexler, son analyste depuis des années : *The Man who Loved Women* (*L'homme qui aimait les femmes*) et *That's Life* (*C'est la vie*).

Tous n'ont d'yeux que pour Jennifer Jones, la star sans âge qui cherche un endroit pas trop éclairé par les flashes pour continuer sa dispute avec son fils, Robert Walker Jr. En 1962, elle avait prêté son visage à la patiente schizophrène du psychanalyste Dick Diver dans le film tiré du roman de Scott Fitzgerald *Tendre est la nuit*. Après avoir distribué quelques baisers, se souvenant de Nicole subjuguée par Dick, Jennifer s'approche du héros du soir, un homme grand, à la chevelure d'argent, en cardigan et pantalon blancs, arborant une cravate sang de bœuf. Milton Wexler n'est pas une vedette de l'écran ni un producteur en vue. On ne fête pas un film ni une star : le plus en vue des psychanalystes d'Hollywood célèbre ses quatre-vingts ans. L'analyste des stars et la star des analystes, comme on l'appelle.

Si tous ceux qui sont là ne sont pas cinglés et si quelques cinglés notoires d'Hollywood ne sont pas là, la plupart des invités ont été, ne serait-ce que durant quelques séances, les patients de Wexler. Jennifer

Jones détient le record : en analyse depuis près de cinquante ans, elle s'est même mise à traiter des patients par la cure de parole. Elle travaillera les dernières années de sa vie comme thérapeute au Southern California Counselling Center de Beverly Hills. Elle a épousé treize ans plus tôt non l'un de ses analystes mais son producteur, David O. Selznick, avec qui d'ailleurs elle partageait le divan de sa thérapeute, May Romm.

En 1951, le premier mari de Jennifer Jones, l'acteur Robert Walker, était mort à trente-deux ans. Les circonstances annonçaient étrangement celles où Marilyn mourut. Même quartier de Brentwood, même mois d'août, même décès causé par une surdose de médicaments et d'alcool. En fait, Walker était mort d'une injection d'Amytal de sodium faite par son psychanalyste, Frederick Hacker, arrivé en pleine nuit à son chevet. Jennifer elle-même avait ensuite été soignée par Milton Wexler à la suite d'une tentative de suicide. Elle s'était jetée dans une déferlante au nord de la plage de Malibu. Après avoir pris une chambre de motel sous le nom de Phyllis Walker, elle avala une poignée de comprimés de Seconal puis appela son médecin et lui dit vouloir mourir. Elle raccrocha, roula jusqu'à une falaise déserte qui surplombait Point Dume, grimpa et se jeta d'un surplomb sur la plage. Le médecin, après avoir alerté la police de Malibu, la découvrit inconsciente sur le sable gris. C'était sa troisième tentative de suicide. Elle devint l'une des femmes les plus en vue d'Hollywood et les plus actives dans les affaires du cinéma. Le psychanalyste continua de la soigner quand elle traversa de nouvelles crises, entre autres le suicide de sa fille de vingt et un ans, Mary Jennifer Selznick, qui plongea du haut d'un gratte-ciel de Los Angeles en 1976.

Tout comme il avait fait avec ses patients schizo-phrènes à la Menninger Clinic de Topeka, Wexler prenait un rôle très actif dans la conduite de ses cures à Hollywood et ne se contentait pas de s'asseoir derrière eux pour les écouter en silence dans le style freudien conventionnel. En amour comme en affaires, il n'hésitait pas à leur ordonner ce qu'ils devaient faire. Ce type d'approche était précisément ce que des personnalités fragiles comme Jennifer semblaient désirer.

Le maître des lieux fait visiter l'accrochage de pho-tos retraçant sa carrière : Wexler, toujours Wexler, au côté d'artistes et d'écrivains : tous ceux qui comptent dans les années soixante à Los Angeles. Une photo le fait sourciller : la scénariste Lilian Hellman recroque-villée sur son divan. Aucune de Ralph Greenson. Un jeune collègue lui demande pourquoi. « Moi, répond Wexler, j'ai fait un film comique sur l'amour entre psychanalyste et patiente : *L'homme qui aimait les femmes*. Romi, lui, a joué sans le savoir le rôle de *L'homme qui tuait les femmes*. À force d'amour, et pour leur bien, entendez-moi. Je ne sais pas si je dois vous donner les détails, mais vous savez qu'une autre patiente de Romi est morte dans des circonstances

34

inexpliquées, quelques années après Marilyn ? Mimétisme entre femmes ou acteur ayant répété son rôle de thérapeute fatal ? Je vous raconterai ça un autre jour. Ce soir c'est ma fête. » Puis il tourne les talons.

Le gigantesque gâteau d'anniversaire arrive enfin, précédé d'Elaine May, ancienne actrice comique qui avait défrayé la chronique de la psychanalyse new-yorkaise en se mariant avec son thérapeute, David Rubinfine. « Certains d'entre vous savent que Milton n'est pas seulement un scénariste respecté mais aussi un psychanalyste », lance May. *Respecté* était un rien flatteur. Les deux films dont Wexler avait écrit des scénarios avaient été de retentissants échecs. « Peut-être un ou deux d'entre vous ne sont pas des patients de Milton, mais tous ceux qui l'ont rencontré s'en sont trouvés bien. »

À cette dernière phrase, Wexler se crispa. Il repensait à ce mois de mai 1962 où, quelques semaines avant de mourir, Marilyn lui avait été confiée par son collègue Greenson, un peu comme un animal domestique qu'on place chez des voisins pour partir tranquille en vacances. « Parfois je me demande si je vais pouvoir continuer avec elle, avait dit Ralph désemparé. Je suis devenu le prisonnier de cette cure. Je pensais que ma méthode lui convenait. Elle ne me convient pas à moi. » Sacré Roméo. Il l'a bien perdue, sa Juliette, pensa Wexler. Puis, après un léger temps d'hésitation et sous un fracas d'applaudissements et de rythmes afro-cubains, le fringant octogénaire se décida à trancher dans l'immense profiterole spécialement dessinée pour l'occasion par le plasticien Claes Oldenburg.

Hollywood, Beverly Hills, North Roxbury Drive, janvier 1960

Norma Jeane et Ralph. Tout opposait la fille pauvre et sans diplôme de Los Angeles et l'intellectuel aisé de la côte Est. Lui, bourgeois élevé dans les livres ; elle, fille de prolétaires grandie parmi les images. Pourtant, ils se reconnurent au premier instant. Chacun regarda l'autre comme un ami perdu dont le sourire retenait un appel. Mais quelque chose jetait une ombre, quelque chose que chacun se refusait à voir dans l'autre. Un message du destin : voici que ta mort entre en scène.

Lors de son premier rendez-vous au cabinet de son dernier psychanalyste après une journée de tournage laborieux, Marilyn arriva avec une demi-heure de retard. Le Dr Greenson remarqua qu'elle portait un pantalon ample. Sur le fauteuil qu'il lui désigna, elle se tenait très droite, assise comme si elle attendait quelqu'un dans le hall d'un hôtel.

— Vous êtes en retard, lança-t-il.

Joueur d'échecs, il aimait les ouvertures qui déséquilibrent l'autre joueur.

— Je suis en retard parce que je suis en retard avec tout le monde, à tous mes rendez-vous. Il n'y a pas que vous que je fais attendre, répondit Marilyn touchée à vif.

Plus tard, se remémorant ces mots, Greenson pensait : la première séance, il faut toujours la prendre comme une dernière séance. Tout ce qui sera important par la suite s'y trouve déjà dit, même si c'est parfois entre les mots. Elle continuait, d'une voix où la colère se mêlait à la tristesse :

— Depuis le début du tournage, George Cukor a comptabilisé trente-neuf heures de perdues pour la production. Je suis toujours en retard. Les gens s'imaginent que c'est par arrogance. C'est exactement le contraire. Je connais des tas de gens qui sont parfaitement capables d'être à l'heure, mais c'est pour ne rien faire sinon rester assis à se raconter leur vie ou toutes sortes de conneries. C'est ça que vous attendez?

L'analyste, qui avait déjà soigné des actrices folles, fut frappé par la manière de parler inarticulée, terne, et par l'absence d'affects. Elle disait sans douleur des choses douloureuses. Elle avait dû se bourrer de calmants, car elle réagissait peu. Elle semblait lointaine, ne comprenait pas le plus simple trait d'esprit et tenait des propos incohérents. Elle voulut s'allonger tout de suite sur le divan pour une séance d'analyse freudienne comme celles auxquelles elle avait été habituée à New York. Alarmé par son état, l'analyste n'envisageait pas le divan et proposa une thérapie de soutien en face à face.

— Comme vous voudrez, dit-elle. Je vous dirai ce que je peux. Comment répondre à ce qui vous engloutit?

Lors de cette séance il l'interrogea sur les événements de sa vie quotidienne. Elle se plaignit du rôle qu'on lui faisait jouer dans ce film qu'elle détestait. De Paula Strasberg, la femme de son professeur de théâtre de New York, qu'elle avait imposée comme coach sur le tournage et qui lui préférait sa propre fille Susan. De Cukor, qui visiblement ne l'aimait pas et l'avait rabrouée.

— « On se figure être quelqu'un d'original, il m'a dit, doucereux ; on croit que tout est singulier et différent en nous. Mais c'est incroyable à quel point on est l'écho des autres, de sa famille et de la façon dont l'enfance nous a donné forme et contours. » Forme et contours, tu parles ! Ce vieux pédé. Qu'est-ce qu'il connaît de ce corps où il me faut vivre ?

Après un long silence, Marilyn fit état de son insomnie chronique pour justifier sa consommation de drogues. Elle révéla qu'elle changeait de médecin fréquemment, consultant les uns à l'insu des autres. Elle montra des connaissances ahurissantes en psychopharmacologie. Greenson découvrit qu'elle prenait régulièrement du Demerol, analgésique narcotique analogue à la morphine, du Penthotal de sodium, dépresseur du système nerveux utilisé aussi en anesthésie, du Phenobarbital, un barbiturique, et enfin de l'Amytal, autre barbiturique. Souvent, elle se les administrait par voie intraveineuse. Il s'indigna du comportement des médecins et lui conseilla instamment de n'avoir désormais qu'un seul médecin traitant, Hyman Engelberg, auquel il confierait les aspects corporels de sa maladie.

— Vous êtes tous les deux des personnalités narcissiques et je pense que vous allez vous entendre.

Enfin, il lui recommanda de ne plus prendre des médicaments par voie intraveineuse et de renoncer au Demerol, aux conséquences catastrophiques en cas d'abus.

— Laissez-moi faire et décider ce dont vous aurez besoin.

Décidément, ce médecin la déroutait : il l'écoutait mais résistait à sa demande d'être calmée, chérie, remplie. Ils se séparèrent.

Rentrée chez elle, le soir, Marilyn repensa à l'homme calme et doux qui l'avait examinée avec une certaine froideur. Ses yeux masquaient sous le défi une douceur fatale. Quand elle lui avait demandé si elle allait faire avec lui une vraie analyse, allongée sur le divan comme chez le Dr Kris, il avait répondu qu'il ne valait mieux pas. « Il faut être modeste. Nous ne visons pas à des changements profonds, puisque vous allez bientôt repartir pour New York, retrouver votre mari et reprendre votre cure là-bas. » Le mot *modeste* l'avait blessée. Elle avait pleuré. L'analyste répondit que ce n'était pas un reproche qu'il lui faisait mais un objectif qu'il se fixait à lui-même. C'est étrange, tout de même, repensait Marilyn, étrange qu'il ne m'ait pas proposé de m'allonger. Ça m'étonne toujours qu'un homme ne veuille pas me voir horizontale. Voir mon cul quand je lui tourne le dos. Un verre en main, regardant le blanc du mur et le noir de la tenture qui occultait son bungalow, elle continua à se remémorer leur séance. Le Dr Greenson n'a pas d'arrière-pensées, je crois. Ça tombe bien qu'il ne m'ait pas proposé de m'étendre. Il avait peut-être peur. De moi ? De lui ? C'est mieux ainsi. Moi, j'avais peur. Pas de lui. Ce n'était pas une peur sexuelle. *Let's Make Love* (Faisons l'amour), ce n'est pas seulement le titre du film. Avec Yves, j'ai pris ce titre à la lettre. Avec le docteur, il ne s'agira pas d'amour. En fait, elle n'aimait pas qu'on lui demande de se coucher, elle avait peur de la nuit, peur de la commencer, peur qu'elle ne finisse pas. L'amour, souvent, elle le faisait debout, de jour.

Brooklyn, Brownsville, Miller Avenue, septembre 1911

Ralph Greenson n'avait pas cinquante ans lorsqu'il commença la thérapie de Marilyn Monroe. Né en 1911, à Brooklyn dans le quartier de Brownsville, Roméo Greenschpoon était le jumeau d'une sœur prénommée Juliette, qui deviendra une brillante pianiste concertiste. Lui-même pratiquait le violon à ses moments perdus. Juifs russes, les parents étaient des immigrants parvenus à une certaine aisance, grâce à l'énergie d'une mère intelligente et ambitieuse. Elle avait embauché son mari comme on recrute un salarié. Un jour, Kathryn, qui possédait une pharmacie, fit passer une annonce : « Cherche pharmacien acceptant salaire modique et horaires exigeants. » Joel Greenschpoon répondit et fut engagé. Impressionnée par sa capacité fulgurante de diagnostic des maladies de ses clients, l'épouse convainquit aussitôt son commis aux potions d'entreprendre des études médicales. Le père de Roméo devint donc médecin sur le tard, quand ses deux premiers-nés eurent trois ans.

Kathryn, excellente pianiste elle-même, encouragea ses quatre enfants à jouer de la musique. Elle avait des visées culturelles. Elle abandonna les pilules et se lança dans l'art. Devenue agent artistique, associée au célèbre imprésario new-yorkais Sol Hurok, elle gagna à ses soirées l'élite de la scène et du chant. Roméo (au violon) et Juliette (au piano) faisaient à eux deux une belle affiche, mais ils jouaient aussi en quatuor avec leur jeune sœur, Elisabeth, et le petit frère, Irving. Divas et solistes se pressaient dans le salon de Madame Greenschpoon, comme plus tard à Los Angeles dans celui de son fils. L'appel des planches, déjà : Roméo se voyait sous les projecteurs et vivait une passion imaginaire et romantique avec la Pavlova, ballerine au faîte de sa renommée. Parfois, il rêvait d'écran noir et de silhouettes nimbées de fumée dans la grande salle baroque du principal cinéma de Brooklyn. Regardant des actrices au teint diaphane survivre à leurs amours décomposées, il passait là des moments volés aux quatuors classiques et aux tragiques grecs.

Dès l'école, on lui avait appris à réciter : « Nous sommes Roméo et Juliette et nous sommes jumeaux. » « Où il crèche, ce Roméo ? » Ce cri moqueur résonnait souvent dans Miller Avenue et incitait le jeune Greenschpoon à rester cloîtré chez lui et à faire sagement ses gammes. Lorsqu'il eut douze ans, il décida de changer son prénom et demanda que les registres de l'école soient rectifiés en ce sens. C'est en 1937, lors de son internat de médecine au Cedars of Lebanon Hospital de Los Angeles, qu'il changea son nom de famille. Il dit un jour que son nom et son prénom avaient longtemps été des plaies sur son visage et que ce traumatisme avait été à l'origine de son intérêt précoce pour la psychanalyse. Ses amis continuèrent de l'appeler Roméo, ou plus souvent, Romi. Sur sa plaque, il garda le R après son nouveau prénom, Ralph. Marilyn lui donnait du « Cher Docteur » mais en son absence elle caressait son petit nom, qu'elle prononçait plaintivement. Un peu comme une question.

Ralph Greenson racontait avoir grandi dans une belle villa de Williamsburg, un quartier riche. Il décrivait cette maison comme « une demeure coloniale qui trônait majestueusement derrière une grille et reflétait la prospérité grandissante de la famille ». En réalité, ils restèrent dans leur modeste maison de Brownsville jusqu'à leur départ pour Los Angeles en 1933.

À la fin de ses études médicales poursuivies depuis 1931 à Berne, en Suisse, il rencontra Hildegarde Troesh, qu'il épousa peu avant son retour en Amérique. Elle fut séduite par son intelligence et sa capacité d'adaptation. Il avait appris l'allemand en deux mois pour pouvoir lire Freud dans le texte. Son diplôme de médecin en poche, au début de 1933, Ralph se rendit à Vienne et se fit analyser par Wilhelm Stekel, un des premiers disciples et fondateurs de la Société psychanalytique de Vienne, celui que Freud traitera ensuite de « porc » et de « traître menteur ». Greenson approcha Freud lui-même. C'est en parlant avec lui de la tragédie et des personnages pathologiques à la scène, qu'il comprit que Roméo et Juliette étaient chez Shakespeare des amants maudits scellés par la mort. Toute sa vie il garda pour Freud moins la dévotion d'un disciple que la fidélité d'un camarade de combat. En privé, il l'appelait « l'homme qui écoutait parler les femmes ».

À vingt-six ans, Greenson s'installa à Los Angeles comme psychiatre et psychanalyste – les deux ne se distinguaient pas dans les mœurs psychanalytiques américaines. Il voulut aussitôt devenir une figure de proue de la société de psychanalyse locale. Son leader, Ernst Simmel, se montra hostile à la candidature d'un disciple du renégat Stekel. Greenson eut l'intelligence ou l'opportunisme d'effacer son origine impure par une deuxième analyse : quatre ans de divan chez Otto Fenichel, un ponte plus que légitime, émigré de Berlin à Los Angeles en 1938.

Après la guerre, Greenson éprouva le besoin d'une nouvelle analyse. Son troisième thérapeute ne sera ni médecin ni homme. Il choisit Frances Deri, un imposant dragon au cheveu court, serrant perpétuellement entre ses dents un long fume-cigarette à la Marlene. Emigrée à Los Angeles en 1936, elle avait fait carrière en Allemagne comme sage-femme et était devenue analyste dans l'équipe constituée par Ernst Simmel autour du freudo-marxisme à la clinique de Schloss-Tegel près de Berlin. Elle avait fait deux analyses, avec Hanns Sachs et Karl Abraham, disciples de Freud et membres du « comité du mercredi » autour du maître. Tous deux s'étaient opposés violemment à Freud en 1925, lorsqu'ils avaient voulu montrer la psychanalyse à l'écran et avaient collaboré au premier film représentant la cure psychanalytique : *Les Mystères d'une âme* de G.W. Pabst. Deri, comme ses maîtres, vouait au cinéma une passion dévorante. Celle que ses collègues de la Los Angeles Psychoanalytical Association (LAPSI) appelaient Madame Deri se spécialisa d'ailleurs dans les psychanalyses d'acteurs et elle resta pour Greenson une figure tutélaire quand il chercha à asseoir sa propre clientèle. Il trouva surtout en elle un nouveau lien imaginaire avec Freud, un lien problématique qui ravivait dans sa propre analyse le conflit entre les images et les mots. Il se serait bien vu passant à la postérité comme « l'homme qui écoutait parler les images ».

Dans la Babylone californienne des Studios, entre planches, décors et projecteurs, Greenson poursuivit l'éclat artificiel des grandes images fixes et des identités tremblantes, et chercha dans le mot magique *action* qui lançait chaque prise un remède à l'inaction à laquelle son fauteuil d'analyste le condamnait. Le théâtre et le jeu dramatique restèrent toujours une dimension importante de sa vie. Fasciné par les acteurs, il tentera de comprendre la psychologie du comédien : « L'acteur ou l'actrice de cinéma n'est une star que lorsqu'il est reconnu non seulement par ses pairs mais par la foule... Les aspirants avides de renommée et les étoiles en déclin ont été les patients les plus difficiles qu'il m'ait été donné de traiter », écrit-il en août 1978, un an avant sa mort. Dans ses écrits sur la technique psychanalytique – Greenson est l'auteur du manuel en vigueur dans toutes les écoles psychanalytiques du monde depuis cinquante ans, *Technique et pratique de la psychanalyse,* ouvrage qu'il commença à rédiger quand Marilyn était encore sa patiente – il compare la séance analytique à une scène de théâtre ou une séquence de cinéma. « Etrangement, l'analyste devient l'acteur silencieux d'une pièce créée par le patient. L'analyste n'y joue pas vraiment, il s'efforce de demeurer cette figure fantomatique nécessaire aux fantasmes du patient. Et pourtant, il participe à la création de ce personnage, en précisant ses contours au moyen de l'introspection, de l'empathie et de l'intuition. Il devient en quelque sorte le metteur en scène de la situation – un rouage important de la pièce, sans en être l'acteur. »

Il put aussi satisfaire ses ambitions d'homme de spectacle dans d'innombrables conférences psychanalytiques aux quatre coins de la Californie. C'était, disait-on jusqu'en Europe, le plus comédien des orateurs, le plus brillant des parleurs. Devant le pupitre du conférencier vers lequel il se dirigeait toujours d'un pas alerte, il ne montrait aucun trac. « Pourquoi serais-je nerveux ? Tous ces gens ont de la chance de venir m'entendre, moi ! » Ses gestes étaient amples et libres, sa voix passait du grave passionné au rire strident devant ses propres plaisanteries. Par son goût des apparitions publiques et son penchant pour son image, il entendait se distinguer de la plupart des analystes, qui souffraient selon lui d'une sorte de peur de la scène, et effrayés d'être vus préféraient se cacher derrière le divan. Il se livrait dans les soirées mondaines de Bel Air ou Beverly Hills à de véritables récitals de cas où il racontait les cures de quelques *happy few* en masquant suffisamment mal leur identité pour que chacun la devine.

Greenson partageait avec son collègue Milton Wexler un vaste et prospère cabinet de consultations dans Beverly Hills, 436 North Roxbury Drive, non loin de Bedford Drive, qu'on appelait le *Couch Canyon* (la rue des divans). Il avait sa résidence à Santa Monica, sur Franklin Street, près du Brentwood Country Club et du terrain de golf. De l'arrière de sa villa, on voyait à l'ouest l'océan et Pacific Palisades. En ce début de 1960, le psychanalyste était un homme mince, élégant, qui parlait toujours avec gravité et sagesse. Quand il prit Marilyn Monroe en thérapie, il était devenu la vedette de l'inconscient freudien *made in Hollywood,* « l'épine dorsale de la psychanalyse dans tout l'ouest des Etats-Unis » selon l'expression d'un de ses confrères. Il enseignait depuis longtemps la psychiatrie clinique à l'UCLA et présidait l'Institut de formation des psychanalystes affiliés à la LAPSI. Il s'engageait profondément dans ses cures et montrait un intérêt passionné pour ses malades. Beaucoup d'entre eux, comme Peter Lorre, Vivien Leigh, Inger Stevens, Tony Curtis et Frank Sinatra – alors amant de Marilyn – étaient des acteurs, d'autres appartenaient au monde du spectacle, comme le metteur en scène Vincente Minnelli ou le producteur Dore Schary.

Séduisant dans la mesure où il ne se voulait pas séducteur, Greenson montrait dans ses cures comme dans ses conférences et ses rapports privés le même jeu imprévisible entre lassitude et ironie, impatience et désenchantement. Plutôt content de son physique ténébreux, il aimait le face à face avec eux. Ses grands yeux noirs cernés donnaient quelque chose de tendre et de rude à ses traits qu'accentuait une moustache à longs poils drus. Il se vantait d'avoir le contact très facile et de se montrer exceptionnellement à l'aise dans les premiers entretiens. Il aimait aussi l'affrontement avec les patients et voulait qu'ils réagissent à ses provocations et s'adressent à lui non comme à un dieu mais à un être humain faillible. Il était parfois conscient de ses tendances à l'exagération et à la suffisance. Lorsque Marilyn un jour mentionna son analyste précédente, il ne put s'empêcher de demander : « Ne parlons plus d'elle ! Et moi ? Que pensez-vous de moi ? », puis il éclata de rire.

En réalité, sans le savoir, mais en le désirant violemment, Ralph Greenson entra avec l'actrice dans une de ces attractions fatales auxquelles les intellectuels se livrent avec un abandon d'autant plus grand qu'ils croient rester les maîtres du jeu. Il ne connaissait d'ennemi que l'ennui et lorsque l'étoile blanche traversa son ciel inaltéré, ce fut une distraction inespérée dans la monotonie de sa pratique. L'étonnement est une des formes les plus délicates du plaisir et la damnation la quête la plus raffinée du malheur.

Hollywood, Beverly Hills Hotel,
West Sunset Boulevard,
janvier 1960

Pendant quelque temps, les séances reprirent chez Marilyn. Déprimée et à bout de forces, elle ne pouvait se déplacer au cabinet de son analyste. Dans le bungalow du Beverly Hills Hotel, Greenson commença l'entretien suivant avec les questions habituelles sur les premières années et l'enfance. Marilyn se tut longtemps, puis lâcha seulement un nom : Grace.

— Qui était-elle pour vous ?

— Personne, une amie de ma vraie mère, enfin, je veux dire : la fausse. La vraie, c'est Grace : elle voulait faire de moi une star du cinéma. Ma mère, je ne sais pas ce qu'elle voulait faire de moi. Une morte ? C'est étrange, il n'y a qu'à vous que je peux le dire. Je dis toujours aux journalistes que ma mère est morte. Elle vit toujours, mais je dis vrai quand je dis qu'elle est morte. Quand on m'a mise à l'orphelinat d'El Centro Avenue, je criais : Non je ne suis pas orpheline. J'ai une mère. Elle a des cheveux rouges et des mains douces. Je disais vrai, sauf qu'elle ne posait jamais ses mains sur moi.

Greenson jugea que ce n'était pas un mensonge, cette histoire de mère morte. La morte était vivante, en effet, mais Marilyn disait vrai quand elle pensait que vivante, sa mère était comme une morte. Il n'interpréta pas.

— Vous avez étudié quoi, avant de devenir actrice ?

— Je n'ai pas fini mes études secondaires. Je posais, j'étais modèle. Je me regardais dans les glaces ou dans les gens pour savoir qui j'étais.

— Vous avez besoin du regard des autres pour ça ? Des hommes ?

— Pourquoi des hommes seulement ? Marilyn n'existe pas. Quand je sors de ma loge de plateau, je suis Norma Jeane. Et même quand la caméra tourne. Marilyn Monroe n'existe que sur l'écran.

— C'est pour ça que vous êtes si angoissée de devoir tourner ? Vous avez peur d'être volée de votre image par le cinéma ? Ce n'est pas vous, cette femme sur l'écran ? L'image vous donne vie, et en même temps, elle vous tue ? Et le regard réel des gens réels dans la vie réelle ?

— Trop de questions, docteur ! Je ne sais pas. Les hommes ne me regardent pas. Ils jettent les yeux sur moi, ce n'est pas pareil. Vous, c'est différent. La première fois que vous m'avez reçue, vous m'avez regardée comme du fond de vous-même. Comme s'il y avait quelqu'un en moi, à qui vous alliez me présenter. Ça m'a fait du bien.

Il fallut quelque temps au psychanalyste pour remarquer une chose singulière, inquiétante. Entre deux regards, quand personne ne faisait attention à elle, son visage se relâchait, se défaisait, mourait.

Greenson la trouva intelligente mais s'étonna de la voir aimer la poésie, le théâtre et la musique classique. Arthur Miller, son troisième mari, épousé quatre ans plus tôt, avait entrepris de l'éduquer et pour cela elle lui gardait sa gratitude. En même temps, elle exprimait un ressentiment venimeux contre lui : froid, insensible, attiré par d'autres femmes et dominé par sa mère. À cette époque, son mariage commençait à vaciller. Yves Montand n'était qu'un facteur déclenchant. Les vraies raisons de son éloignement de son mari étaient ailleurs.

L'analyste n'hésita pas à rencontrer Miller et trouva qu'il tenait vraiment à sa femme et était sincèrement préoccupé de son état, même si de temps en temps il se fâchait et la rejetait. « Marilyn a besoin d'amour et de dévouement, sans conditions, lui dit l'analyste. À moins de cela tout lui est intolérable. » Par la suite, Greenson pensa qu'elle avait fini par chasser Arthur Miller pour des raisons sexuelles. Elle se croyait frigide et avait de la peine à avoir plus de quelques orgasmes avec le même homme.

Après la mort de Marilyn, une chose lui confirma ce sentiment qu'il avait eu en la regardant la première fois : elle avait un corps mais elle n'était pas ce corps. « En fin de compte, lui avait dit Miller, les yeux dans le vide, quelque chose de l'ordre du divin émergeait de cette désincarnation. Elle était complètement incapable de condamner, de juger ; même des gens qui lui avaient fait du mal. Etre auprès d'elle, c'était être accepté, entrer dans une zone lumineuse et sanctifiante après avoir quitté une vie où le soupçon régnait en maître. Elle était moitié reine, moitié enfant abandonnée, parfois agenouillée devant son propre corps, parfois désespérée à cause de lui. »

Le psychanalyste rapporta peu après à son collègue Wexler ses impressions de débuts de cure. « Quand l'angoisse monte en elle, elle se met à agir en orpheline, en enfant abandonné, en masochiste qui provoque les autres et fait tout pour qu'ils la maltraitent et abusent d'elle. L'histoire de son passé se fixe de plus en plus sur les traumatismes que vivent les orphelins. Cette femme de trente-quatre ans continue de fonctionner sur l'idée qu'elle n'est qu'une enfant abandonnée et sans défense. Elle se sent insignifiante, dénuée d'importance. En même temps, sexuellement insatisfaite, elle retire une fierté immense de sa propre apparence. Elle se juge très belle, voire la plus belle du monde. Quand elle doit apparaître en public, elle fait tout pour se rendre séduisante et donner une bonne impression, alors que chez elle, quand personne ne la voit, elle peut complètement négliger sa tenue. Embellir son corps est pour elle le principal moyen d'acquérir une certaine stabilité et de donner un sens à sa vie. J'ai essayé de lui dire que, selon mon expérience, les femmes vraiment belles ne le sont pas tout le temps. À certains moments, sous certains angles, elles sont banales, laides. Et c'est cela, la beauté, pas un état, un passage. Elle n'a pas semblé comprendre ce que je disais », conclut Greenson en quittant son associé à qui il ne laissa pas la possibilité d'une réponse. Wexler le connaissait bien, il savait que ce n'était pas les réponses qui manquaient à Ralph Greenson, mais les questions.

Los Angeles, Downtown,
1948

Agé de trente-trois ans et venu d'Europe à la demande du producteur David O. Selznick, le premier photographe dans la vie de celle qui s'appelait encore Norma Jeane Baker était un homme séduisant.

À la fin des années cinquante, le magazine *Life* avait demandé à André de Dienes de photographier Marilyn avec Natasha Lytess, son professeur d'art dramatique. D'origine russe, émigrée de Berlin à Hollywood, Lytess était une comédienne ratée. Elles devaient simuler un cours de théâtre dans leur maison au cœur de Beverly Hills. Les choses tournèrent mal dès les premières photos. Elles s'étaient disputées. De Dienes n'aimait pas du tout la tenue de Marilyn. Elle portait un chemisier qui la cachait complètement et une horrible jupe tombant jusqu'aux chevilles. Il détestait sa coiffure guindée et voulait la montrer glamour, provocante, désirable. Il suggéra à Marilyn de poser face à Natasha, vêtue uniquement de sa courte combinaison noire, les cheveux en désordre, faisant des gestes théâtraux. Il voulait des images pleines d'action. Natasha n'était pas de cet avis. Elle s'écria que Marilyn devait devenir une vraie actrice et non une poupée sexuelle. De Dienes lui rappela que Marilyn devait précisément sa célébrité à son sex-appeal, puis remballa son équipement, claqua la porte, criant qu'il ne travaillait pas avec des hypocrites.

Dans ses dernières années, la photographie restera un recours chaque fois que Marilyn sera en détresse. Autant la perspective de devoir tourner un film, répéter vingt fois une scène devant cent personnes la plongeait dans la terreur, autant le ballet d'un homme armé d'un appareil photo virevoltant autour d'elle traçait un rempart contre l'angoisse.

Look bad, not only sexy, dirty (Montre-toi vicieuse, pas seulement sexy, sale), c'est sans doute ce que le preneur d'image inconnu dit à Marilyn avant de déclencher sa caméra dans un appartement moche de Willowbrook, Downtown Los Angeles. Le film dure trois minutes quarante et une secondes. Il a été tourné en noir et blanc. Il est muet, mais a été sonorisé ensuite avec un extrait d'une chanson de Marilyn : *My Heart Belongs to Daddy*.

Si ce court métrage n'est pas un faux, c'est la première trace filmée d'elle. À vingt-deux ans, pour survivre à Hollywood, elle vendait ce qu'elle pouvait à qui en voulait : son corps à des producteurs et l'image de son corps à des spectateurs anonymes qui visionnaient ces petits films pornographiques tournés en marge des Studios. *Apples, Knockers and Cocks,* étaient leurs titres. Celui-ci, *Porn,* est particulièrement éprouvant. L'actrice arrive vêtue d'une robe noire qu'elle enlève pour se montrer dans une guêpière de même couleur, à jarretelles, sans culotte. Elle a du ventre, de grosses cuisses, une grosse tête et le côté gauche du visage masqué par la retombée d'une chevelure brun-roux emmêlée. Quelque chose d'irrémédiablement vulgaire et las émane de sa démarche lourde et de ses gestes vagues quand elle s'enfile l'instrument offert par l'homme dans un paquet cadeau. N'était son visage au dernier plan quand elle fume une cigarette en regardant celui qu'elle vient de sucer et de prendre assise sur ses genoux, on pourrait douter que c'est là Marilyn Monroe. Seul ce sourire est d'elle.

Il y a dans cette séquence de déshabillage et de fornication triste une sorte de pornographie désuète, de cruauté du sexe, de laideur fascinante. Le muet accentue l'impression d'un gémissement ou d'un cri mis en image. Par sa candeur noire, le film donne à voir moins la vérité du sexe que celle du cinéma. Usées jusqu'à la trame et non restaurables, les copies survivantes montrent comment l'image mange l'image ; comment la lèpre de l'oubli gagne la pose la plus affichée ; comment les ombres montent à la surface du celluloïd et disent au voyeur : rien à voir.

Un jour de janvier 1951, à Hollywood, une Lincoln Convertible noire conduisait le cinéaste Elia Kazan et le dramaturge Arthur Miller à travers le site de la Fox, cherchant le plateau où se tournait *As Young as You Feel*. Avant même qu'ils l'aient vue, retentit le nom de Marilyn crié par un assistant époumoné. Le metteur en scène explosait en invectives contre la jeune actrice de vingt-quatre ans qui quittait sans cesse le décor et revenait en larmes, défaite. Le rôle était court, mais il fallait des heures pour chaque prise. Elle apparut enfin, moulée dans une robe noire. Kazan resta sans voix. Il était venu lui proposer un rôle.

Il devint son amant, puis son ami, puis son ennemi sous le maccarthysme, puis de nouveau son ami. « Quand je l'ai rencontrée, dira-t-il, c'était une jeune femme simple, passionnée, qui se rendait à ses cours à vélo, une gamine au cœur honnête. Hollywood l'a couchée sur le carreau, jambes écartées. Elle avait la peau fine et l'âme avide d'être acceptée par des gens qu'elle pourrait respecter. Comme beaucoup d'autres filles qui avaient connu le même genre d'expérience qu'elle, elle mesurait son amour-propre au nombre d'hommes qu'elle était capable d'attirer. »

Santa Monica, Franklin Street,
février 1960

Marilyn continuait d'arriver en retard chez son psychanalyste.

— Pourquoi tant d'hostilité envers ceux qui veulent vous aider et travailler en bonne entente avec vous ? Nous sommes des alliés, pas des adversaires !

— C'est comme ça. Depuis le début. Sur mon premier film, *A Ticket to Tomahawk*, l'assistant metteur en scène m'a menacée : Savez-vous, on peut vous remplacer ! J'ai répondu : Vous aussi ! L'imbécile ! Il ne comprenait pas qu'être en retard c'est s'assurer qu'on ne peut être remplacé, et que les autres vous attendent, vous et personne d'autre. Et puis, vous savez, pendant mes retards, je ne suis pas absente, je me prépare. Je refais mon habillement et mon maquillage encore et encore. Mon image. Mes mots aussi. Je prends des notes sur ce que je vais dire et je prévois les sujets de conversation.

Le médecin la coupa.

— Ici, vous n'êtes pas sur un plateau ni dans une soirée mondaine. Vous savez ce que votre retard signifie ? Il veut dire : Je ne vous aime pas, docteur Greenson. Je n'ai pas envie de venir vous voir.

— Oh si, j'aime venir vous voir, vraiment ! répondit Marilyn d'une voix enfantine. J'aime vous parler, même s'il me faut regarder ailleurs pour ne pas sentir vos yeux sur moi.

— C'est ce que vous dites, mais ce que vous faites dit : Je ne vous aime pas.

Marilyn se tut. Elle pensait que ses retards voulaient dire une seule chose : Vous m'attendez. Vous m'aimez. Vous n'attendez que moi. Aimez-moi, docteur, vous savez bien que c'est toujours celui qui aime qui attend l'autre.

Après cela, elle n'arriva plus jamais en retard. Souvent elle déjeunait dans sa voiture pour être à l'heure. Elle commença même à être en avance. Une demi-heure, puis une heure. Finalement, elle ne savait toujours pas être à l'heure.

— Vous voyez, vous ne savez pas ce que vous voulez, vous ne savez pas l'heure qu'il est, lui dit l'analyste.

Il pensait qu'arriver maintenant en avance signifiait : il est là. Question de temps. Mais il est là. À moi. Il est là.

L'été suivant, lors d'une séance tendue, elle raconta à son analyste que pendant le tournage des *Désaxés* sous la direction de John Huston, elle devait jouer une scène où elle rejetait les avances de son mari pour une réconciliation.

— Je bloquais sur cette petite phrase : « Tu n'es pas là. » Huston s'est foutu en colère, mais Clark Gable a pris ma défense : « Lorsqu'elle est là, elle est là. Elle est là tout entière. Elle est là pour travailler. » Depuis, dit-elle à l'analyste, c'est mon expression favorite quand je parle de mes expériences avec les hommes : ils sont rarement *là*. Eux.

La première fois qu'elle s'assit dans le fauteuil en cuir semblable à celui de son psychanalyste, elle remarqua le grand bureau en bois sombre, vide de tout papier. Elle supposa qu'il écrivait ses articles à l'étage. Elle fut surprise de ne voir aucun portrait de Freud comme il y en avait un peu partout dans le cabinet de Beverly Hills et chez ses analystes précédentes. Ce qui la frappa davantage était un grand tableau représentant une femme assise de dos regardant un jardin. On ne voyait pas son visage, mais aux tons doux de la lumière et des vêtements on pouvait deviner la sérénité qui le baignait. Elle aima tout de suite la beauté calme et silencieuse de cette vaste pièce protégée de la lumière du couchant par des rideaux aux motifs géométriques verts et bruns.

Après quelques séances à son cabinet de Beverly Hills, Greenson proposa à Marilyn de la rencontrer régulièrement chez lui afin de ne pas attirer l'attention du public. C'était une suggestion étonnante. L'accès à sa maison de Santa Monica se faisait par la rue, et sa famille vivait avec lui. Ses enfants, Joan et Daniel, savaient que leur père recevait des clients célèbres, mais ils furent surpris de le voir changer ses habitudes et annuler des rendez-vous à son cabinet pour recevoir chez eux Marilyn Monroe. Remarquant la nouvelle et célèbre patiente, Joan voulut tout de suite se faire son amie et bientôt son père lui dit de la recevoir quand il était en retard et lui conseilla de sortir avec elle. Joan se demandait pourtant s'il fallait vraiment qu'il l'envoie chercher des médicaments à la pharmacie pour les apporter au Beverly Hills Hotel. L'analyste ne reconnut jamais l'erreur de traitement consistant à amener Marilyn dans sa maison, puis à faire d'elle un membre de sa famille. Lui qui définira le but de l'analyse comme l'accès du patient à l'indépendance de pensée, il fit exactement le contraire. « Je suis en train de devenir son seul et unique thérapeute », écrit-il fièrement à Marianne Kris, vers qui Marilyn continuera de se tourner pendant un an lors de ses séjours new-yorkais. Quand il évoque Marilyn, l'écriture de sa lettre devient fragmentée, comme s'il avait perdu toute direction.

En plus de la voir cinq ou six fois par semaine, le psychanalyste encouragea Marilyn à lui téléphoner chaque jour. « Parce qu'elle était tellement seule et qu'elle n'avait personne d'autre à voir ni rien à faire hors du tournage si je ne la recevais pas », s'excuse Greenson auprès de Marianne Kris. Un soir, après sa séance, elle était rentrée de Santa Monica en taxi et avait invité le chauffeur chez elle, puis passé la nuit avec lui. Greenson s'emporta contre ce comportement « pathologique » et sa femme conseilla à l'actrice de rester plutôt chez eux les soirs où la séance se prolongeait tard, ce que fit Marilyn de temps à autre.

Greenson se justifiait auprès de Wexler : il s'agissait d'une stratégie délibérée afin qu'elle survive et puisse prendre sa place sur le plateau du *Milliardaire*. « Bien qu'elle ait l'air d'une toxicomane, elle n'entre pas dans cette catégorie », précisait-il. En effet, il arrivait que sa patiente cessât de prendre ses drogues sans présenter les habituels symptômes de manque et l'analyste avait essayé de la sevrer en lui recommandant des règles d'hygiène de vie. Mais il n'était pas rare que Marilyn le fît venir au Beverly Hills Hotel pour lui faire une intraveineuse de Penthotal ou d'Amytal. Il acceptait, puis, désemparé, se tournait vers Wexler : « Je lui ai dit que tout ce qu'elle avait déjà absorbé aurait suffi à assommer une demi-douzaine de personnes et que si elle ne dormait pas, c'était qu'elle avait peur du sommeil. Je lui ai promis de la faire dormir avec moins de somnifères, pourvu qu'elle reconnaisse qu'elle luttait contre le sommeil et cherchait une forme d'oubli qui n'est pas le sommeil. »

Fort Logan, Colorado,
Army Air Force Convalescent Hospital,
1944

Médecin psychiatre enrôlé dans l'armée en 1942, Ralph Greenson se spécialisa dans les névroses traumatiques. En marge des soins aux blessés de guerre, il commença à faire de nombreuses conférences au personnel médical, aux aumôniers militaires et aux travailleurs sociaux qui tentaient de réadapter les combattants à la vie civile. Cette expérience de psychiatre aux armées fit l'objet d'un récit très populaire de Leo Rosten. Greenson devint le héros de *Captain Newman M.D.* (Capitaine Newman, docteur en médecine) publié en 1961. L'année suivante, le roman fut adapté au cinéma.

De cette expérience, Greenson lui-même évoqua une scène. Un jour, il dut faire une intraveineuse de Penthotal à un mitrailleur arrière sur un bombardier B-17 de retour de mission. L'homme souffrait d'insomnies, de cauchemars, était pris de tremblements, transpirait abondamment et présentait une grave réaction de choc. Il venait d'accomplir cinquante missions de combat, mais n'avait conscience d'aucune angoisse particulière, il était simplement réticent à parler de ses sorties. Il avait accepté de prendre du Penthotal parce qu'il avait entendu parler de la sensation d'ivresse qui l'accompagne, mais surtout parce que cela lui permettait de ne pas faire de compte rendu à ses supérieurs. Dès que Greenson lui eut injecté cinq centimètres cubes, le malade se redressa brusquement sur son lit, arracha l'aiguille de son bras et se mit à hurler : « À quatre heures, à quatre heures, ils arrivent, visez-les, visez-les, ou ils nous auront, ces fils de putes. Oh ! Mon Dieu, visez-les, visez-les ! Les voilà, à une heure, à une heure, visez-les, ces bâtards, visez-les. Oh ! Mon Dieu, j'ai mal, je ne peux plus bouger, visez-les, quelqu'un, aidez-moi, je suis touché, aidez-moi. Oh ! Les salauds, aidez-moi, visez-les, visez-les ! »

Le malade cria et hurla de même un peu plus de vingt minutes, les yeux remplis de terreur, la sueur dégoulinant de son visage. Sa main gauche agrippait le bras droit qui pendait mollement. Il tremblait. Greenson lui dit finalement : « OK Joe, on les a eus. » À ces mots, le malade s'écroula sur le lit, et tomba dans un profond sommeil. Le lendemain matin, le docteur lui demanda s'il se rappelait l'épisode du Penthotal. Il lui sourit timidement et lui dit se souvenir avoir crié, mais que c'était très confus. Lorsque Greenson lui rappela qu'il avait parlé d'une mission où il avait été blessé à la main droite, et qu'il n'avait cessé de crier : « Visez-les, visez-les ! », il l'interrompit ·

« Ah ! Oui ! Je me souviens, on revenait du Schwein-furt et ils nous ont sauté dessus ; ils ont commencé à arriver à quatre heures et puis à une heure, et puis on a été atteints par les balles... » Sous l'effet du Penthotal, le patient arrivait à se rappeler facilement l'événement passé qu'il avait vécu.

Ensuite, Greenson continua de chercher le secret de ce qui a été oublié en recourant aux drogues, au « sérum de vérité », comme on nommait le Penthotal dans les films de l'époque. Il lui fallut son analyse avec Frances Deri pour que cesse sa fascination pour les injections de souvenirs et qu'il traque la vérité enfouie dans ses malades par d'autres moyens que la pharmacochimie. Le transfert, la cure psychanalytique où l'amour est le seul médicament et où la mise en mots permet le rappel du refoulé. Mais il garda de ses expériences avec les drogues une conception du soin dans laquelle le thérapeute doit être là, dans le réel, apporter au patient des éléments de sa propre réalité psychique et physique.

Beverly Hills, Roxbury Drive,
novembre 1979

— Monsieur Wexler, voulez-vous me recevoir? Je
suis journaliste et j'écris un livre sur Marilyn. Sur
Greenson surtout, et la part qu'on lui impute dans sa
mort. Il vient de mourir. Vous avez bien connu l'une
et l'autre, j'aimerais que vous me parliez d'eux et de
vos rapports avec eux.

Wexler déclina cette demande identique à celles
dont il était assailli depuis des années. Il renvoya le
journaliste comme il l'avait fait de tous ces enquêteurs en mal de complot ou de scandale. Puis il essaya
de ne plus y penser. Mais peu à peu, envahi de souvenirs, il le rappela le jour d'après pour lui proposer
autre chose : l'aider à rédiger ses propres Mémoires.
Un psychanalyste dans l'âge d'or des studios. Il avait
déjà le titre : *A Look Through the Rearview Mirror*
(Contrechamp à travers le miroir).

— Par quoi commencer? C'est loin, tout ça, si
loin, dit Wexler. Ça remonte à un an après la mort de
Marilyn, mais ça concerne le Greenson que j'ai

connu juste après la Guerre. Je ne résiste pas au plaisir d'évoquer l'épisode. *Captain Newman M.D.* racontait l'histoire d'un médecin héroïque pendant la Seconde Guerre mondiale. Nul. Pas lui, Romi. Ni Gregory Peck, pas plus mauvais acteur que d'ordinaire. Le film. Il est sorti en 1963, je m'en souviens, et il eut un grand succès. Pas comme le *Freud* de John Huston, à l'affiche au même moment, assorti de ce titre ridicule : *Passion secrète.* Vous savez : le film où Marilyn devait jouer et que Ralph Greenson avait tout fait pour empêcher.

— Que s'est-il passé ?

— Vous ne connaissez pas l'histoire ? Je vous la raconterai un autre jour. Tant pis, je n'ai plus le temps d'être poli avec les morts. Pensez ! Au moment même où il interdit Freud de cinéma, Greenson se projette lui-même en psychiatre sauveur et se montre moins réticent à être représenté en analyste courageux qu'à laisser sa patiente jouer les hystériques freudiennes. Cette histoire de Newman, le psychiatre de choc, c'était pourtant bien la vie de Romi à l'armée, affecté au soin des traumatisés de retour du front du Pacifique. Toujours sur la brèche, toujours attirant. Partout où il se trouvait, des événements se produisaient, comme au cinéma, *bigger than life*. Ralph s'y montrait à la fois dramatique et léger, plein d'humour. Dans le film, le vaillant aliéniste se dépensait sans compter pour ramener à la santé mentale trois blessés de guerre. À ses côtés, un infirmier, Jake Leibowitz, joué par Tony Curtis, patient de Greenson, donnait le contrepoint léger à cette tragédie de la conscience médicale : pourquoi remettre des traumatisés de guerre en état de marcher et de combattre ? Soigner, c'est envoyer à la mort, ou à une vie qui n'est pas une vie ? C'est parfois une question que nous nous posons dans nos petits traitements.

« Auteur du scénario de *Captain Newman*, Greenson, conseillé par sa femme qui craignait des procès par des patients, se résigna mal à ce que son nom ne figurât pas au générique. Quand ils s'étaient rencontrés, il venait de s'établir comme psychanalyste à Los Angeles et le romancier Leo Rosten commençait à travailler pour Hollywood. Les deux hommes eurent un vif commerce intellectuel : Romi emmenait l'écrivain à des soirées psychanalytiques et en retour, Leo introduisait l'analyste dans les dîners d'Hollywood. Remarquable conteur, Romi se lançait dans de vivants récits de séances. Un jour, Rosten dit de lui : " Frustré d'avoir à se taire tout le jour, le soir, il se lâche et régale Hollywood de ses histoires de cas. Je crois bien qu'il a regretté toute sa vie de ne pas avoir été acteur. Il ne donnait pas des conférences, il les jouait, les interprétait. " C'était aussi l'avis de Charles Kaufmann, le scénariste qui avait succédé à Jean-Paul Sartre dans le projet *Freud* de Huston et qui avait beaucoup vu Greenson à cette occasion. Il avait compris qu'être un homme de la parole n'est pas être un homme de parole et que le vrai pouvoir se tient dans l'art de se taire.

« Notre collègue et ennemi Leo Rangell, président de la Los Angeles Psychoanalytic Society, qui l'avait côtoyé dans le Colorado, jugeait Greenson incapable de traiter les autres thérapeutes en égaux : " Il fallait être ses esclaves ou devenir ses ennemis ". Quand je rapportai à Romi ce jugement, toujours charmeur, il éclata de rire : "Pourquoi ne me l'a-t-il pas dit? J'aurais aussitôt repris une tranche d'analyse avec lui. " Rangell resta son ennemi au sein de notre société. Romi aimait le pouvoir, et plus encore jouer avec le pouvoir. Moins l'exercer que se dire : Si je voulais, je dominerais tout ça, je ferais de tous ceux-là mes obligés. Il aimait se mettre en vue. Mais j'arrête, vous allez croire que je n'aimais pas mon collègue. Et puis, tout ça me fatigue. Laissez-moi !

Une minute après, Milton Wexler rattrapa son interlocuteur sur le pas de la porte.

— Le plus drôle, voyez-vous, c'est que sans rien lui en dire, au moment où Romi faisait un film de sa vie, sa patiente jouait sa vie comme si elle était dans un film. Chacun son cinéma.

Santa Monica, Franklin Street,
mars 1960

Le tournage du *Milliardaire* fut tout au long chaotique. Le 26 janvier, Marilyn avait interrompu une prise de la chanson *My Heart Belongs to Daddy* (Mon cœur est à papa). Elle était arrivée sur le plateau dès sept heures du matin, puis avait quitté le studio juste après le maquillage et avait disparu pendant trois jours.

— Tu vas voir ce que c'est de tourner avec la pire actrice du monde, lança-t-elle à Montand, avec qui elle devait jouer sa première scène en duo. Je voudrais disparaître. Dans l'image ou hors de l'image, je m'en fous, mais disparaître.

— Tu es effrayée Pense à moi ! Je suis aussi perdu que toi.

Le coup de la compassion fut efficace. Quelques jours plus tard, Marilyn prend froid. Elle se cloître dans son bungalow. Un soir, Montand pousse sa porte, s'assied à son côté sur le lit, lui prend la main. Elle l'attire sur elle et l'embrasse avec une sorte de désespoir gai. Très vite, elle comprend que le Français n'est lui aussi qu'un figurant dans l'histoire d'amour qu'elle se raconte à elle-même depuis toute petite. « Toujours la même histoire, dit-elle à son analyste. Le soir, l'homme s'endort avec Marilyn Monroe et le matin il se réveille avec moi. Mais lui, Montand, j'aimerais qu'il m'aime. *Play it again, Yves.* Remets le disque au début. » Greenson lui conseille immédiatement de ne pas poursuivre sa liaison avec Montand.

Marilyn tourna pendant une semaine entière, constamment en retard, refusant chaque jour un peu plus de quitter sa loge, sirotant chaque jour son gin dans une tasse à café, chaque jour moins capable de se souvenir de plus d'une réplique à la fois. Elle tourna, et Cukor eut son film, l'un des plus mauvais qu'il ait faits, et elle aussi.

Santa Monica, Franklin Street, printemps 1960

La vaste et belle maison de style mexicain des Greenson à Santa Monica accueillait des célébrités et des psychanalystes dans de brillantes soirées. Il fallait absolument y être quand on appartenait à l'élite de Los Angeles. On s'assemblait pour écouter de la musique de chambre et grignoter des canapés sur des assiettes en carton. Greenson aimait l'argent, mais comme un joueur, pour s'en défaire en montrant qu'il ne cherchait pas à travers lui le pouvoir et la reconnaissance. Un de ses patients, le peintre Tony Berlant, à l'époque sans le sou, rapporta qu'il ne lui faisait rien payer. Greenson lui confia même que le patient qui suivait, un riche homme d'affaires, payait cent dollars de l'heure, et qu'il débordait systématiquement sur sa séance en allongeant celle du peintre afin de se débarrasser de lui. Berlant évoque une sorte de dédoublement chez son ancien analyste : il y avait le causeur arrogant, séduisant et cassant des soirées mondaines à Santa Monica et l'homme qui se tenait derrière lui, généreux et ouvert dans la situation psychanalytique.

Chez Romi, tout était simple et terriblement chic. La conversation était l'attrait principal de ces soirées. C'était le seul salon psychanalytique dans lequel on pouvait s'amuser. Il y avait toujours des gens venus d'horizons très divers. On croisait Anna Freud, l'anthropologue Margaret Mead, les sexologues Masters et Johnson, plus tout un tas de gens d'Hollywood. Le producteur Henry Weinstein, venu de la côte Est, était un habitué depuis que l'actrice Celeste Holm l'avait présenté à Greenson. « J'étais totalement séduit par lui », se souviendra Weinstein bien après, malgré la rupture violente entre les deux hommes au cours du tournage du dernier film de Marilyn dont il était le producteur, *Quelque chose doit craquer*. Aux yeux de tous, venir chez les Greenson à Santa Monica quand on vivait à Los Angeles, c'était comme jouir d'une oasis intellectuelle et artistique au milieu d'un désert d'argent.

Régulièrement invitée aux soirées musicales qui se donnaient dans la belle hacienda, Marilyn y croisait des gens du cinéma. Les scénaristes Lilian Hellman et Leo Rosten, quelques patients ou anciens patients : le producteur Dore Schary ou Celeste Holm. Des gens de divan étaient là en nombre : Hannah, la veuve d'Otto Fenichel, Lewis Fielding, Milton Wexler. La mère de l'hôte, Kathryn Greenschpoon, trônait au milieu d'une assemblée recueillie. Tous étaient surpris de voir, à l'écart de l'assistance, Marilyn recroquevillée dans un fauteuil de velours bleu, agitant avec grâce sa main aux inflexions de la musique. « Pour être plus près de la musique, disait-elle à Hildi, il faut être plus loin des musiciens. » La musique, c'est ça : rien à voir.

Elle était vraiment en famille. Elle entendit parfois jouer la sœur jumelle de son analyste, Juliette. La plus jeune sœur, Elisabeth, qui avait épousé Milton – « Mickey » – Rudin, l'avocat de l'actrice et de Frank Sinatra, était aussi pianiste classique, mais ne dédaignait pas de jouer dans des jazz-bands. Le dimanche après-midi, elle accompagnait le violon hésitant de son frère dans les concerts de musique de chambre. Romi, amoureux des arts – qui ne le lui rendaient pas –, ne travaillait jamais son instrument, ce qui ne l'empêchait pas de se lancer avec beaucoup de suffisance et d'insuffisances dans les parties solistes d'un *Concerto brandebourgeois*.

Ces soirs-là, Romi voyait aux yeux de sa patiente cette tristesse de l'enfant triste, cette tristesse abyssale qu'on éprouve parfois en présence de grandes personnes qui font de la musique, et qui nous fait nous sentir plus exclus que de les entendre parler entre eux ou faire l'amour. Chacun des membres de l'ensemble est si acharné à donner aux autres son propre vide, sa propre terreur, qu'ils ne se voient plus mais se touchent par des sons comme jamais on ne se touche par les mots ou par les mains.

La première fois qu'elle entra dans le vaste salon, Marilyn fut frappée par le piano, un grand Bechstein de concert. Elle pensait au piano blanc de sa mère. Un *Baby Grand* de marque Franklin. Durant la brève période où elles avaient vécu ensemble à Los Angeles dans la maison d'Arbol Street, près du Mont Washington, Gladys Baker avait acheté ce piano dont la légende familiale disait qu'il avait appartenu à l'acteur Fredric March. Ensuite, chez Ida Bollender, l'une de ses mères adoptives, une certaine Marion Miller lui avait donné des leçons durant un an. Sa mère avait payé. Elle se débrouillait avec les petits classiques et garda toujours une fierté secrète de pouvoir jouer la *Lettre à Elise*. Bientôt la vie chaotique de Marilyn ballottée de maison en maison avait empêché qu'elle continue à jouer de l'instrument. *Baby Grand*. Elle riait toujours en disant ces noms. C'était comme elle : un peu grand, et si petit. Quand sa mère avait été internée, le piano avait été vendu. De toute façon, elle n'avait jamais vraiment su en tirer de la musique et se désolait de n'avoir à son répertoire que le tapotement de polka vaguement comique qu'elle joue à quatre mains à côté de Tom Ewell dans *Sept ans de réflexion* de Billy Wilder. Elle racheta le piano et ensuite, partout, de New York à Los Angeles, aller et retour, elle voulut toujours garder avec elle le vieux piano blanc. Elle y revenait, comme vers un ami perdu. Elle aimait le caresser du bout des doigts quand les gens devenaient sourds et la vie invivable.

En Greenson, Marilyn aima peut-être surtout le musicien pathétique et ridicule. Qu'il parle ou joue de son instrument, sa voix était si prenante. Elle sentait que plus que les mots et les idées la musique lui tenait à cœur. Le psychanalyste s'y reposait du besoin de voir et d'être vu. Un soir, après avoir joué en sa présence un trio de Mozart, il prit Marilyn par l'épaule et l'emmena près de la baie vitrée donnant sur la mer. « Il y a des ciels comme ça, comme cette musique, qui donnent envie de mourir et vous remplissent de ce plaisir désespéré que laisse toute chose accomplie. » Elle se demanda d'où il sortait cette phrase qu'elle ne comprit pas tout à fait, mais qui la prit sous un charme.

Hollywood, Santa Monica Boulevard, 1946

Marilyn avait vingt ans et un vide au cœur qu'elle calmait avec des hommes ou des femmes pour se donner la force de marcher jusqu'au matin. Elle arpentait Los Angeles, rôdant près des Studios, avec des images plein les yeux, très floues, et offrait aux regards une blondeur qui se découpait sur le blanc du ciel comme dans les vieux films la lumière ennuageant les cheveux des actrices sur un écran surexposé. Elle scandait une idée fixe : devenir quelqu'un de fort, une grande figure énigmatique que l'on croise sans se retourner comme on croise son destin.

Un jour de 1946, André de Dienes conduisait Marilyn dans Hollywood. Elle devait rencontrer un producteur dans un Studio sur Gower Street. Quand il l'avait rencontrée, un an plus tôt, Marilyn portait un sweater rose moulant, les cheveux bouclés retenus par un ruban et tenait à la main un carton à chapeau. Ce jour-là, serrés l'un contre l'autre, André et Marilyn passèrent devant le Hollywood Memorial sur

Santa Monica Boulevard. Il lui proposa de faire un détour par le cimetière où les célébrités du cinéma étaient enterrées, dont Rudolph Valentino, Norma Talmadge, Marion Davies, Douglas Fairbanks Sr et de nombreux autres. Marilyn n'était pas emballée par la suggestion, mais sa curiosité fut éveillée quand le photographe expliqua que le cimetière se trouvait juste derrière les Studios Paramount sur Melrose Avenue et que Rudolph Valentino reposait à quelques centaines de mètres de là où elle tournerait peut-être un film un jour.

Pendant qu'André la guidait dans les couloirs du spacieux mausolée où Rudolph Valentino gît dans une niche derrière une dalle de marbre blanc, Marilyn resta silencieuse. Puis ils discutèrent de son incroyable célébrité et du retentissement fantastique de sa mort soudaine en 1926, « l'année de ma naissance », fit-elle remarquer. Peut-être, suggéra André, était-elle venue au monde pour le remplacer et poursuivre sa carrière légendaire ? Peut-être qu'elle aussi serait célèbre un jour !

— Si c'est pour mourir aussi jeune, ça n'en vaut pas la peine.

— Que peux-tu demander de plus ? répondit-il. Il est devenu immortel !

Elle rétorqua qu'elle préférait une vie longue et heureuse, puis arracha une rose dans l'un des vases flanquant sa plaque funéraire en bronze.

— On ne vole pas leurs fleurs aux morts, s'étonna André.

— Je suis sûre qu'il serait ravi qu'une fille seule emporte une de ses fleurs chez elle pour la garder sur sa table de nuit. Et Jean Harlow, tu sais où elle est enterrée?

— Non, et je m'en fous.

— Pas moi; je vais souvent là-bas, dans le Forest Lawn Memorial Park où elle repose dans une chapelle privée. Morte à vingt-six ans, parce que sa mère, membre d'une secte, n'a pas voulu la faire soigner...

Une fois hors du mausolée, il lui demanda de laisser tomber son rendez-vous au studio et de rester plutôt ensemble pour qu'il lui lise des extraits d'un gros livre de citations qu'il gardait toujours dans son coffre. Installés sur la pelouse, ils lurent des phrases sur la vie, l'amour, le bonheur, la célébrité, la vanité, les femmes, la mort et d'autres choses. Ce fut le mot « célébrité » qui retint l'attention de Marilyn. Tout à coup, elle décida qu'elle avait eu sa dose de poésie et de philosophie pour la journée et qu'elle irait quand même à son rendez-vous.

— Tu vas coucher avec ce producteur?

— Oui! Et alors? répliqua-t-elle, furieuse.

Il la déposa au coin de Melrose Avenue et Gower Street.

Peu de jours après, André lui lut un poème intitulé *Lines on the Death of Mary* (Quelques vers sur la mort de Mary). Elle dit qu'il était écrit pour elle, sauf que la dame avait oublié le « Lyn » après « Mary ». Il fit observer que dans le cimetière, elle avait affirmé souhaiter une vie longue et heureuse et que maintenant elle annonçait qu'elle ne ferait pas de vieux os... Ce poème sur la mort de Mary était une prédiction qu'elle mourrait jeune!

— Tais-toi et pose ! coupa André. Je préfère que ton visage parle pour toi.

Ils cessèrent de lire et il se mit à la photographier, capturant une à une les humeurs qu'elle interprétait à sa demande, parcourant tout le spectre des émotions humaines : le bonheur, la mélancolie, l'introspection, la sérénité, la tristesse, le tourment, le désarroi.... Il lui demanda même de montrer à quoi la mort ressemblait dans son imagination. Elle se mit une couverture sur la tête. La photo qui suivit fut son idée. Elle dit à André de préparer son appareil parce qu'elle allait lui montrer à quoi ressemblerait sa propre mort un jour. Elle le dévisagea avec une expression très lugubre, et lui dit que le sens de la photo serait THE END OF EVERYTHING (LA FIN DE TOUT). Il prit rapidement le cliché et lui demanda ensuite pourquoi elle voyait la mort si sordide et noire, au lieu de montrer un sourire paisible comme si ce n'était rien de plus que le passage d'un monde à l'autre, une belle transfiguration. Marilyn répliqua que c'était ainsi qu'elle imaginait sa mort. Elle ajouta une remarque :

— André, ne publie pas ces photos tout de suite, attends que je sois morte.

— Comment sais-tu que tu mourras avant moi ? Après tout, j'ai douze ans de plus que toi.

— Je le sais, répondit-elle d'une voix basse et grave.

Cela ne dura qu'un moment. L'instant d'après, elle était de nouveau gaie et impatiente d'aller à un rendez-vous, l'incitant à se dépêcher, à remballer ses affaires dans la voiture et à rentrer.

Pendant les vingt-trois ans qu'il lui survécut, de Dienes rendit souvent visite à la tombe de Marilyn, et toujours le 1er juin, date de sa naissance, et le 4 août, jour de sa mort. Chaque fois, il volait des fleurs déposées là et les plaçait dans un verre à son chevet. Il pensait aussi à elle quand il allait au cinéma à Westwood Village. Derrière l'écran, à quinze mètres à peine, reposait Marilyn. Elle lui avait dit un jour : « Tu veux que je devienne un nuage ? Alors, prends celui-ci en photo. Comme ça, je ne mourrai pas complètement. »

Chaque fois qu'il la revoyait, suspendue au téléphone, il se souvenait que pour protéger sa vie privée et induire en erreur les indiscrets elle avait écrit sur le support des téléphones de sa maison un faux numéro d'appel. S'ils appelaient ce numéro, ils tombaient sur la morgue de Los Angeles.

Los Angeles-New York,
mars 1960

Née à Los Angeles, Marilyn eut pour New York un attachement profond depuis son premier séjour à la fin 1954. Tandis que, starlette, elle étudiait à l'Actors Lab de Los Angeles, elle voyait déjà la métropole de l'Est comme un lieu magique, loin, loin, où les acteurs et les metteurs en scène feraient autre chose que de discuter tout le temps de plans rapprochés ou d'angles de prises de vues. Elle rêvait de se plonger dans une vie plus riche en réflexion, avec moins d'images et plus de mots entre les gens.

Avec son ciel et sa température toujours les mêmes, Los Angeles lui semblait dormir dans la tiédeur. Marilyn quitta sa ville comme dans un lit on s'écarte d'un corps trop proche, trop chaud, quand on sent qu'il faut être seul pour être soi. Les villes sont des corps. Il y a des villes de peau et des villes d'os. Marilyn voulait s'établir au cœur d'une ossature. Par la suite, durant ce qui lui resta de vie, elle aima retrouver New York, la ville debout. Cette verticalité, cette structure tendue vers le ciel, la dépaysait de sa ville natale, toute couchée et presque plane à l'exception au nord des collines d'Hollywood, et au sud des gratte-ciel du quartier du port. Los Angeles restera la ville où l'on brille, où l'on flambe, où le soleil accable tout de sa lumière droite et terrible et fait des rues et des maisons un miroitement plat de mirage. Comme l'idée de l'éternité ôte le sommeil à celui qui s'en obsède, le ciel californien donne trop de lumière aux paysages urbains, et trop peu d'ombre aux âmes qui voudraient y errer.

Depuis le premier instant où elle avait débarqué à Manhattan, six ans plus tôt, ce fut là sa ville. La ville. La ville où l'on pense. À New York, Marilyn ne fut jamais désorientée. Réorientée plutôt, trouvant là ce qu'elle avait longtemps cherché. C'était au milieu de ces ombres, ces gris, qu'elle se trouvait le mieux. Se laissant gagner par l'impression vertigineuse mais lucide de tomber en soi-même et de céder à une poussée inexprimable, elle avançait dans la beauté. Le passage des saisons, la véhémence des éléments, tout la mettait en éveil. Elle pensait à la ville, elle pensait par la ville. Elle pensait que les plus belles photos qu'on faisait d'elle étaient comme New York, comme le jeu des échecs, en noir et blanc.

Au cours de son analyse avec Greenson, Marilyn retourna à Manhattan une première fois en mars, juste après avoir reçu le Golden Globe de la meilleure actrice pour *Certains l'aiment chaud.* Après un semestre de thérapie achevé avec le tournage du *Mil-*

liardaire, elle retourna à New York pour s'y établir quelque temps. La dernière séance avant son départ, elle confia un rêve qui revenait souvent :

— Je suis enterrée dans le sable, et j'attends couchée que quelqu'un vienne et me désensevelisse. Je ne peux le faire toute seule.

Elle associa ce rêve avec un souvenir.

— Ana, ma tante Ana, comme je l'appelais, mais elle n'était pas ma tante, juste la meilleure de toutes les mères chez qui on m'a placée – je suis restée chez elle quatre ou cinq ans – elle est morte quand j'avais vingt-deux ans. Le lendemain, je suis entrée dans sa chambre et je me suis couchée sur son lit... sans bouger, comme ça. Je suis restée allongée plusieurs heures sur son lit. Puis je suis allée au cimetière et j'ai vu des ouvriers qui creusaient une tombe. Je leur ai demandé si je pouvais descendre. Ils m'ont dit : aucun problème. Je suis descendue par l'échelle. Je me suis couchée au fond du trou et j'ai regardé le ciel au-dessus de moi. La terre est froide sous votre dos, mais la vue est imprenable.

— Vous l'aimiez ? demanda Greenson troublé par certains détails de ce récit trop horribles pour être vrais.

— Sûr. Si ce mot a un sens, ce n'est pas entre un homme et une femme. Je n'ai jamais trouvé – avant ou après Ana – l'amour, celui qu'on voit envelopper les autres enfants dans les maisons. Ou, dans les films, cette lumière mystérieuse qui éclaire le visage des stars. J'ai fait des compromis. J'ai cherché à attirer l'attention sur moi. Quelqu'un qui me regarde et qui dit mon nom : pour moi, c'est ça, maintenant, l'amour.

Dans la brûlure de New York en juillet, comme le lui avait recommandé Greenson, Marilyn retrouva son mari, Arthur Miller, et son analyste, Marianne Kris. Mais elle se séparera bientôt et en même temps de l'un et de l'autre. Elle avait été en cure trois ans avec Kris, et avant cela, deux ans avec Margaret Hohenberg. Mais maintenant, il y avait Romi, qu'elle appelait chaque jour. Très exaltée, elle dit à sa femme de chambre Lena Pepitone : « Enfin, je l'ai trouvé. C'est mon sauveur. Il s'appelle Roméo. Tu crois ça ? Je l'appelle mon Jésus. Mon sauveur. Il fait des choses formidables pour moi. Il m'écoute. Il me donne du courage. Il me rend intelligente. Il me fait penser. Je peux affronter n'importe quoi avec lui, je n'ai plus peur. » Puis elle téléphona à Greenson : « Je suis amoureuse de Brooklyn, je veux vivre là et n'aller sur la côte que lorsque j'aurai à tourner un film. »

Le lendemain, dans la ligne C du métro qui la menait à Broadway, elle vit sur la banquette qui lui faisait face une femme sans âge, habillée en robe de poupée à fanfreluches roses, chaussures à bride, roses également, socquettes en dentelle, diadème de faux brillants, tétant un biberon. Terrifiée, elle appela son sauveur dans la nuit.

Vienne, 19 Berggasse,
1933

Ralph Greenson était à Vienne, il finissait son analyse avec Wilhelm Stekel et était depuis peu admis
avec quelques autres jeunes aspirants psychanalystes à
suivre les soirées où Freud une fois par mois parlait
de la technique psychanalytique. Il réfléchissait à la
fin de la cure. Qu'est-ce que terminer une analyse?
C'était une question que Greenson se posait personnellement avec Stekel et il attendait du maître des
éclaircissements avant de se lancer lui-même dans la
pratique de cures.

On entrait au premier étage dans la partie professionnelle de l'appartement de Freud par la porte de
droite. L'entrée était simple, et sa porte munie de
barreaux contre les voleurs, comme dans toutes les
maisons bourgeoises de Vienne. À droite, se trouvait
la salle d'attente avec aux murs des portraits et des
distinctions que Greenson ne sut identifier. Plus tard,
il apprit qu'il n'y avait qu'un seul portrait de disciple,
celui de Sandor Ferenczi. Une porte ouvrait sur le

cabinet du psychanalyste et une autre, recouverte du même papier peint sombre que le mur, permettait aux patients qui ne voulaient pas être vus de sortir sans repasser par la salle d'attente. C'est dans cette pièce renfermant pour tout mobilier, un canapé, des chaises et une table ovale, mal éclairée et enfumée de cigares, que le soir tard, le maître recevait. Il accueillait froidement ses fidèles, sans sourire. Il n'avait accepté qu'une douzaine de praticiens, dont un noyau de six membres permanents, rejoints par quelques débutants différents à chaque réunion. Il les nommait « les disciples venus de loin ». Ils discutaient avec lui du maniement du transfert. De l'amour de transfert, comme Freud l'avait nommé, comme on cherche dans les dictionnaires un nom à une maladie pour s'en effrayer moins.

« Je n'aime pas beaucoup cette expression : *maniement du transfert*, avait-il lancé ce soir-là en propos liminaire. Le transfert n'est pas un outil que nous prendrions en main, c'est plutôt une main qui nous saisit, nous caresse, nous retourne. » Puis il avait parlé de la force de ce lien, de sa pure proximité avec le lien amoureux lui-même, de sa durée, de l'extrême difficulté de s'en dénouer. Des dangers de le dénoncer comme on dénoncerait un contrat ou un malfaiteur, en disant au patient : « Ce n'est pas moi, ce n'est pas vous. » Freud cita Montaigne : « " Je l'aimais parce que c'était moi, parce que c'était lui. " Voyez-vous, il ne sert à rien de dire au patient : " Vous m'aimez parce que ce n'est pas vous, parce que ce n'est pas moi. " À rien. »

Beverly Hills Hotel,
derniers jours d'avril 1960

Le soir commence d'envelopper le bungalow d'une nuée rose. Le journaliste français Georges Belmont est venu parler avec Marilyn de retour pour quelques jours à Los Angeles. Parler de tout, de rien, de la mort, finalement. De sa voix de petite fille lasse elle tient un discours tendu et abandonné à la fois, entrecoupé de longs silences.

— Bien sûr, j'y pense. Souvent même. Quelquefois, il m'arrive de me dire que j'aime mieux penser à la mort qu'à la vie. C'est tellement plus simple, la mort, en un sens. Vous ne trouvez pas ? On y entre, et on sait qu'on a presque toutes les chances de ne trouver personne de l'autre côté de la porte. Tandis que dans la vie il y a toujours les autres, ou quelqu'un d'autre. Et quand vous entrez, ce n'est jamais par votre faute. Quant à en sortir... Vous connaissez un moyen de vous sortir des autres ?

— Parlez-moi de votre enfance.

— Je n'ai jamais vécu avec ma mère. On a dit le contraire, mais cela seul est vrai. Aussi loin que je remonte dans mes souvenirs, j'ai toujours vécu en pension chez des gens. Quand elle venait me voir chez les gens où elle m'avait placée – je n'avais pas deux semaines – jamais elle ne souriait, ne me parlait, ne me touchait. Ma mère avait des... troubles mentaux. Elle est morte maintenant.

Cela faisait deux mensonges en deux phrases, mais cela, l'interviewer ne le savait pas. D'abord, Norma Jeane avait vécu quelques mois avec sa mère, vers huit ans, dans un petit appartement situé sur Afton Place, près des studios d'Hollywood, avant qu'elle soit longuement internée. Une seconde fois, alors qu'elle avait vingt ans et se lançait dans le cinéma, Marilyn hébergea sa mère quelques semaines dans un petit logement sur Nebraska Avenue. Et puis, Gladys Baker était encore vivante au moment de l'entretien. Démente, mais vivante, elle survivra vingt-deux ans à sa fille. En 1951, lorsque fut diffusée par les Studios à des fins de publicité la légende d'une Marilyn orpheline, l'actrice reçut de Gladys une lettre : « S'il te plaît, chère enfant, j'aimerais recevoir une lettre de toi. Les choses ici m'ennuient terriblement, et je voudrais m'échapper au plus vite. J'aimerais avoir une enfant qui m'aime, et ne me déteste pas. » La lettre était signée : « Mère, avec amour. » « Mère ». Pas « Ta mère », ni « Maman ». Mère. Ce que Gladys n'avait jamais pu être. Ce que Marilyn ne sera jamais.

Après l'entretien, Marilyn remercia Belmont et dit qu'elle était contente d'avoir pu parler et qu'elle était toujours plus effrayée d'avoir à répondre aux journalistes. Elle avait apprécié d'être traitée non comme une star mais comme une personne humaine. Ce soir-là, elle se rendit dans Beverly Hills à une *party* donnée par l'agent littéraire influent d'Hollywood, Irving Lazar. Elle croisa Greenson et sa femme, qui la saluèrent avec chaleur. Puis elle aperçut les visages connus de John Huston et David O'Selznick, et parla longuement avec un inconnu d'une soixantaine d'années qui venait de s'installer à Hollywood dans Brentwood Heights. L'homme lui raconta ses plaisirs californiens. Aller vers le nord-ouest, au-delà de San Fernando, marcher dans les collines vert et bleu couvertes de jacarandas qui font écran au désert Mojave et y chercher des espèces rares pour compléter son livre sur les *Lépidoptères de la Californie.* Sillonner les autoroutes de Los Angeles dans sa Ford Impala et arpenter les hypermarchés : « surtout la nuit, pour les néons », avait-il ajouté. Il lui dit aussi qu'il avait écrit un roman, *Lolita,* que Stanley Kubrick allait porter à l'écran pour Universal. Vladimir Nabokov essayait de s'adapter aux exigences d'un scénario.

— Et vous, que faites-vous ? avait-il demandé à la blonde qui buvait coupe sur coupe pour se donner le cœur de parler ou de se taire jusqu'à la fin de la soirée.

— *I'am in pictures,* avait-elle répondu, ce qui veut dire : *Je joue dans des films,* mais aussi : *Je suis dans les images.*

— Moi aussi, répondit l'homme avec malice, mais je ne suis qu'une doublure.

Quelques semaines plus tard, dans *Le Milliardaire*, Marilyn imposa à Cukor de faire précéder son numéro de chant *My Heart Belongs to Daddy* par ces mots : « Mon nom est Lolita et je ne suis pas censée jouer avec des garçons. »

New York, Manhattan,
fin 1954

Après son divorce d'avec son deuxième mari, Joe DiMaggio, venue suivre à New York les cours de Lee Strasberg à l'Actors Studio, Marilyn habita d'abord au Gladstone, 52ᵉ Rue Est, avant de s'installer au Waldorf-Astoria en avril 1955. Dans ses divers appartements de Manhattan, elle possédait peu de choses. Une bibliothèque de quatre cents livres, et surtout, dans le réduit qui servait de salle de séjour, parmi quelques meubles faux style français, le piano blanc de ses sept ans. Elle avait longtemps cherché sa trace, puis l'avait retrouvé dans une vente aux enchères en 1951 dans West Los Angeles. Elle l'acheta à tempérament et l'installa dans son studio minuscule du Beverly Carlton Hotel. Deux ans plus tard, le piano la suivait dans son trois pièces de Doheny Drive. Marilyn le garda à travers tous ses déménagements. Entre 1956 et 1957, elle le déménagea à New York dans l'appartement qu'elle partageait avec Arthur Miller au 30ᵉ étage sur la 57ᵉ Rue Est.

Lorsque pour la première fois elle avait débarqué de l'avion sur l'aéroport d'Idlewild, mitraillée par soixante photographes, et posant quarante minutes sur la passerelle sous les sifflets et les hourras des employés, Marilyn n'avait qu'une idée en tête : retrouver à New York le plus intellectuel des cinéastes, Joseph L. Mankiewicz, qui disait souvent : « Je suis un auteur passé à la mise en scène, pas un cinéaste. J'ai fait des films pour empêcher qu'on ne dénature ce que j'écrivais. » A Hollywood, il l'avait fait jouer dans un de ses premiers films, *All about Eve*, et Marilyn, espérant lui prouver combien elle avait changé en quatre ans, voulait être engagée pour sa comédie musicale *Guys and Dolls*. Mais quand elle débarqua, Mankiewicz était parti en sens inverse pour Los Angeles. Elle lui téléphona. « Vous voyez, je suis devenue une star. Je vais tourner avec Billy Wilder, *Sept ans de réflexion*. » Mankiewicz la rembarra sèchement. Est-ce d'avoir prononcé le nom d'un cinéaste qu'il n'aimait pas – entre autres parce qu'il ne ratait pas une occasion de moquer la psychanalyse dans ses films – ou parce que Wilder avait signé un chef-d'œuvre avec *Sunset Boulevard*, tableau des mœurs d'Hollywood et portrait amer d'une star déchue, exactement en même temps que son propre film sur la chute d'une actrice, *All about Eve*? Certes, Mankiewicz avait remporté l'Oscar du meilleur film cette année-là, mais il gardait envers Wilder une inexplicable rancœur. Il craignait que cette fois la comédie de son rival ne soit meilleure que la sienne.

Il fut très dur avec Marilyn : « Trop Hollywood, vous êtes trop Hollywood. » Il lui parla comme si elle était une moins que rien. « Couvrez-vous un peu plus, et cessez de trémousser votre cul et on verra. » Elle ressentit ces mots comme un rappel brutal de ce que justement elle détestait : ses débuts à Hollywood, comme si elle n'était pas sortie des films pornographiques.

Le lendemain, elle supplia son ancien amant, Milton Greene, de la prendre en photo. Dans le studio sombre de Lexington Avenue, il la photographia arrosée de Dom Pérignon et vêtue d'un costume de ballerine. Sous le flash, dans un fauteuil cassé, devant un large rideau noir, elle était là, danseuse sans danse, triste, double, innocente et crue dans un habit blanc neige trop grand qu'elle serrait contre son corps, les lèvres peintes en rouge sang et les orteils vernis.

New York, Actors Studio, West 44th Street,
mai 1955

Los Angeles restait la ville du cinéma, avec ses psychanalystes gagnés par la fièvre des studios, contaminés par la passion des images. Lorsqu'elle vint s'établir à New York, Marilyn se lia et s'associa à Milton Greene dans une société de production indépendante. New York devint pour elle le lieu où elle cherchait un sens aux choses et aux êtres. La ville de la psychanalyse. Elle y rencontra Lee Strasberg qui lui enjoignit de « libérer son inconscient » et d'entreprendre une analyse. Elle demanda un nom de thérapeute à Greene. Il lui recommanda Margaret Herz Hohenberg, psychanalyste d'origine hongroise, une grosse femme austère à cheveux blancs retenus en nattes serrées. Elle avait fait sa médecine à Vienne, Budapest et Prague, puis s'était installée à New York juste avant la guerre. Elle traitait déjà Greene et continua de front son analyse et celle de Marilyn jusqu'à ce que celle-ci rompe avec l'une et l'autre en février 1957.

Outre l'injonction de Strasberg, qui considérait que tout acteur devait affronter sa vérité inconsciente sur un divan, sa demande d'analyse à Hohenberg était motivée par divers troubles : traumatismes d'enfance, manque d'estime de soi, besoin obsédant de l'approbation des autres, incapacité de maintenir des liens d'amitié ou d'amour, peur d'être abandonnée.

Marilyn venait ponctuellement à ses cinq séances par semaine à son cabinet, deux le matin et trois l'après-midi. Quand elle sortait du cabinet situé 93e Rue Est, c'était une sorte de rituel d'exorcisme : à peine poussée la porte de la rue, Marilyn s'arrêtait, portait la main à sa bouche et toussait jusqu'à se faire mal. Puis elle levait les yeux sur la rue, comme si elle avait rejeté loin en elle – ou au contraire au-dehors – les émotions que l'analyse avait mises au jour. Marilyn devint une adepte passionnée de la psychanalyse. Un jour, lors d'une conférence de presse, on lui demanda ce qu'elle cherchait dans son analyse. Elle répondit : « Je n'en parlerai pas, sauf pour dire que je crois en l'interprétation freudienne. J'espère pouvoir un jour faire un rapport éclairant sur les merveilles que les psychiatres peuvent réaliser pour vous. »

Selon un scénario qui allait se répéter, Hohenberg devint dès la fin de l'année plus qu'une thérapeute : elle réglait un litige entre sa patiente et son coiffeur, lui interdisait certaines fréquentations, la conseillait sur ses rôles. Les matins où elle n'allait pas chez sa psychanalyste, Marilyn se rendait à l'atelier de Strasberg, aux Malin Studios, et le soir, elle rejoignait son professeur pour des cours privés chez lui, 86ᵉ Rue Ouest. Auteur de ce qu'il appelait modestement *la Méthode*, Strasberg voulait faire apparaître ce qui avait été laissé de côté, ce qu'elle avait refoulé dans son passé. Libérer toutes les énergies enfouies au cours des années. C'était son jargon. Marilyn fut séduite par ce discours sur la nature humaine inconnue. Lee Strasberg et Margaret Hohenberg décidèrent de s'unir pour convertir un sombre fond dépressif en capacité de soutenir des relations amicales et professionnelles viables. Selon eux, son obsession de plaire à tous isolait en fait Marilyn et l'empêchait de travailler un vocabulaire technique pour renouveler son art. « J'ai eu des professeurs, dira-t-elle après cette double expérience, des gens que je pouvais admirer, mais personne à qui je pouvais ressembler. Je me suis toujours sentie une non-personne et ma seule manière d'être quelqu'un a été probablement d'être quelqu'un d'autre. C'est pour ça que j'ai voulu jouer et être actrice. »

« J'essaie de devenir une artiste, avait-elle dit lors de l'une des premières séances, avec Hohenberg, j'essaie d'être vraie, mais souvent des fenêtres s'ouvrent malgré moi sur mon vide. J'ai peur de devenir folle. J'essaie de faire sortir les parties vraies de moi-même, mais c'est trop difficile. Parfois, je pense que tout ce que je dois faire, c'est être vraie. Mais ça ne vient pas comme ça et je me dis que je suis une faussaire, quelqu'un qui sonne faux. Je désire faire de mon mieux depuis la seconde où la caméra se met en mouvement jusqu'à celle où elle s'arrête. A ce moment-là, je veux être parfaite. Lee dit toujours que je dois partir de moi-même. Je lui réponds : moi-même ? Qu'est-ce que c'est moi-même ? Qui ? Je ne suis pas si importante. Qui croit-il que je suis : Marilyn Monroe ? »

Un jour, début février 1956, Marilyn arriva chez sa psychanalyste avec une grande enveloppe contenant des photos qu'avait faites Milton Greene. On les publia ensuite avec pour titre « La séance noire ». Elle posait en dessous noirs et bas résilles, ivre, les yeux mi-clos, la bouche dessinant un sourire triste. Les photos composaient un ensemble de tests pour le film en préparation sous la direction de Josuah Logan, *Bus Stop*. Elles étaient dures, noires. Marilyn y semblait défaite, fatiguée de sexe, usée par un manque venu de loin, qu'aucun corps n'apaiserait. Ni sûrement aucun mot. « Vous voulez regarder mes planches-contacts ? » demanda-t-elle à Hohenberg. La grosse dame grise les lui tendit sans rien dire après les avoir parcourues d'un regard effaré.

New York, West 93rd Street,
février 1955

Inaugurant ce qui se répétera avec ses trois analystes suivants, Marilyn, non contente de payer ses séances, mêla intimement l'argent à sa psychanalyse. Hohenberg entreprit d'abord de la conseiller sur ses affaires financières. Puis, en février 1956, l'actrice rédigea un testament léguant 20 000 dollars, le dixième de ce qu'elle estimait posséder, au Dr Margaret Herz Hohenberg. Parmi les autres légataires, Lee et Paula Strasberg (25 000 dollars), l'Actors Studio (10 000 dollars) et assez d'argent pour couvrir les frais d'hospitalisation de Gladys Baker le reste de sa vie (dans la limite de 25 000 dollars). Une fois le testament signé, l'avocat de Marilyn lui demanda en plaisantant si elle avait un vœu à ajouter concernant le texte de son épitaphe. « Marilyn Monroe, blonde », répondit-elle en traçant d'une main gantée des lignes dans l'air.

Ce lien entre parole, amour et argent se poursuivra. En juillet 1956, c'est Hohenberg qui négocia avec les producteurs du *Prince et la danseuse* le contrat de Paula Strasberg, le coach de Marilyn sur tous ses films. En octobre, Hohenberg se rendit à Londres, à grands frais pour Marilyn, pour la soutenir sur le tournage de ce film, comme elle l'avait fait une première fois sur celui de *Bus Stop.*

Margaret Hohenberg incitait Marilyn à tenir un carnet où elle jetterait ses pensées au hasard. Elle ne le fit pas. Deux fois, elle acheta de beaux carnets à couverture marbrée, mais les pages restèrent blanches. Elle n'eut jamais la discipline ni la régularité de noter quoi que ce soit. Elle avait honte de son écriture, de son orthographe et de sa ponctuation, qu'elle considérait comme atroces. Surtout, le carnet, par sa reliure, forçait trop à la continuité. En revanche, elle tenait des listes de mots qu'elle recopiait des dictionnaires, des mots difficiles comme *abaque, abasie, abîmer, abject, abscons, absolu, acronyme, adjurer, aduler, adultérer,* ou simples mais obscurs, comme *froid, parent* ou *Je.* On retrouva aussi des feuilles volantes annotées parmi les papiers et objets que les enquêteurs n'emportèrent pas lors de leur visite des lieux où elle était morte. Peu. La plupart auraient disparu avant même l'arrivée de la police, ce qui selon certains accréditerait la thèse d'un meurtre.

Les plus anciennes notes remontent à 1955, à l'époque où elle étudiait à l'Actors Studio.

> Mon problème de désespoir dans le travail et dans ma vie. Je dois commencer à y faire face continuellement, à

faire en sorte que la routine de mon travail soit plus continue et plus importante que mon désespoir.

Jouer une scène, c'est comme ouvrir une bouteille. Si on ne peut pas l'ouvrir d'une façon, il faut en essayer une autre ou peut-être abandonner et prendre une autre bouteille. Lee n'aimerait pas m'entendre parler ainsi.

Comment et pourquoi je peux jouer – et je ne suis pas sûre de le pouvoir – c'est cela qu'il me faut comprendre. La torture – sans parler des accidents quotidiens – la peine, on ne peut pas les expliquer à quelqu'un d'autre.

Comment puis-je dormir? Comment cette fille tombe endormie? À quoi pense-t-elle? Pourquoi dit-on *les petites heures* pour parler de celles de l'aube, qui sont les plus longues?

De quoi ai-je donc si peur? Est-ce que je me cache pour éviter une punition? Libido? Demandez au Docteur H.

Comment je peux parler naturellement sur la scène? Il ne faut pas que ce soit l'actrice qui s'angoisse, mais le personnage. Il faut que j'apprenne à me fier à mes impulsions contradictoires.

Hollywood, Century City, Pico Boulevard, juin 1960

Marilyn fêta son trente-quatrième anniversaire à Hollywood, chez Rupert Allan, son agent de relations publiques et ami, dans son appartement de Seabright Place. Toute la soirée, elle parla avec l'auteur dramatique Tennessee Williams et sa redoutable mère, Edwina.

Très angoissée à l'approche de cette date, elle avait repris ses séances avec son sauveur. Ça se répétait, ça continuait, dit-elle à Greenson, ça revenait toujours en arrière. Parfois elle avait l'impression qu'elle chantait sa vie en *play-back*, sur une musique déjà enregistrée, peinant à y joindre ses paroles. Dans le studio de la Fox, attendant qu'on l'appelle sous les projecteurs pour une des dernières scènes du *Milliardaire*, Marilyn écrivit sur un bout de papier : « De quoi ai-je peur ? De ne pas pouvoir jouer ? Peur de ma peur de jouer ? Je sais que je peux jouer, mais j'ai peur. Je sais que je ne devrais pas être effrayée. Mais ne pas être effrayée, ce serait ne pas être du tout. »

Sur le tournage de son précédent film, *Certains l'aiment chaud* avec Billy Wilder, paniquée de sentir qu'on lui accordait moins de prix, elle dut défendre son corps, ce rempart à son intérieur inquiet. Un jour, elle ne veut pas sortir de sa loge pour la scène où elle chante *Running Wild* (Echappée sauvage). Wilder demande à Sandra Warner, la chanteuse interprétant Emily, l'une des musiciennes de l'orchestre, de prendre le micro et de chanter en *play-back*. « Marilyn viendra, c'est sûr, quand elle entendra ta voix à la place de la sienne. » En effet, entendant ce chant de la coulisse, après avoir jeté un œil noir à Wilder annonçant froidement avec son accent viennois : « Reprenons depuis le début », Marilyn brandit son ukulélé et se lance avec rage et brio dans sa chanson. À la fin du tournage, enceinte, elle doit être remplacée pour des photos. Portant ses costumes du film et avec un collage de sa tête, Sandra prête son corps aux photos de lancement publicitaire, entre Jack Lemmon et Tony Curtis. Marilyn ne peut qu'accepter mais reste meurtrie. Elle en voudra longtemps à Sandra Warner de ce vol de corps.

Au cours du même tournage, le costumier Orry-Kelly prend pour tailler leurs robes les mesures des deux acteurs hommes qui devaient se travestir en femmes, puis celles de Marilyn. Il a le malheur de lui dire : « Tony a un plus beau cul que toi. » Furieuse, elle se retourne, ouvre son chemisier et lance : « Ouais, mais il n'a pas des seins comme ça ! »

Pourtant, il y avait une autre Marilyn. Wilder se souvint longtemps de cette scène : Marilyn ne sortait pas de sa caravane et lorsqu'un assistant vint la relancer, il la trouva lisant *Les Droits de l'homme* de Thomas Payne. « Va te faire foutre ! » lui lança-t-elle. Ensuite, quand on lui parlait des retards de la star sur le plateau, Billy Wilder répondait : « Je n'avais pas de problèmes avec Monroe. Marilyn avait des problèmes avec Monroe. Il y avait en elle quelque chose qui la mordait, la rongeait, la mangeait. C'était un être désaccordé, à la recherche d'une part d'elle-même qu'elle aurait perdue. Comme dans cette scène de *Certains l'aiment chaud*, où mal réveillée et ivre, elle devait ouvrir tous les tiroirs d'une commode et dire : "Mais où est cette bouteille de bourbon ?" Nous avions placé une étiquette dans chaque tiroir pour lui rappeler sa réplique. Rien n'y fit, et à la soixante-troisième prise en deux jours, je la pris à part et lui dis : "Mais qu'est-ce qui ne va pas ? Ne t'inquiète pas. On va y arriver." Elle me répondit : "M'inquiéter de quoi ?" Nous avons fait quatre-vingts prises. Mais au bout du compte, ça valait la peine. C'est une très grande actrice. Mieux vaut Marilyn en retard que toutes les autres actrices de l'époque. Si j'avais voulu quelqu'un qui soit toujours à l'heure et sache ses répliques, j'aurais pris cette vieille tante que j'ai à Vienne. Elle se lève tous les matins à cinq heures et n'a jamais de trous de mémoire. Mais qui aurait voulu la voir à l'écran ? »

Le soir, Wilder rentre chez lui, embrasse sa femme, la grande et belle Audrey Young, et lui dit :
— Marilyn a été magnifique. Si je devais te tromper avec une femme, ce serait avec elle.

— Moi aussi, si je devais te tromper, répondit-elle.

Billy Wilder vit Marilyn Monroe pour la dernière fois au printemps 1960, en plein tournage du *Milliardaire*, à une réception suivant une projection de *Sept ans de réflexion* au Romanoff's dans Beverly Hills. Wilder lui proposa le rôle féminin dans son prochain film, *Irma la Douce*. C'était l'époque de la remise des Oscars et Wilder avait reçu celui du meilleur metteur en scène pour *Certains l'aiment chaud*, et I.A.L Diamond celui du meilleur scénariste et Jack Lemmon celui du meilleur acteur. Les robes d'Orry-Kelly obtinrent celui des meilleurs costumes. Marilyn, qui incarnait l'inoubliable Sugar Kane, ne fut pas nommée. Lorsqu'elle apprit la nomination de Simone Signoret pour son rôle dans *A Room at the Top*, un obscur film anglais, elle ne sembla pas affectée, presque heureuse.

Wilder la rencontre le lendemain.

— Comment allez-vous ? Pas trop dur ?

— Non, j'ai appris en lisant Freud que les échecs sont souvent désirés par l'inconscient. Et puis, la femme, certains finalement ne l'aiment pas trop chaude.

— Vous savez, Marilyn, votre Freud, je l'ai rencontré, il faut que je vous raconte. Pas sympathique, le bonhomme. J'en garde un souvenir cuisant. Je vivais à Berlin avant guerre. J'étais jeune journaliste et j'ai eu l'idée saugrenue d'aller interviewer Freud à Vienne. Ça a été l'échec de ma carrière. J'avais eu des entretiens avec Richard Strauss, Arthur Schnitzler, bien d'autres – ça ne vous dit rien, bien sûr, mais c'était les artistes de l'époque, quand Vienne était la capitale culturelle de l'Europe. Freud habitait rue de la Montagne, un quartier petit-bourgeois. Et je suis arrivé avec ma seule arme : ma carte de reporter au *Stunde*. Je voulais faire un article autour des événements politiques en Italie, Mussolini, tout ça. On était en 1925 ou 1926. Je croyais que Freud pourrait m'éclairer. Je m'étais renseigné sur lui. Il détestait les journaux et avait aussi horreur des journalistes car ils se moquaient tous de lui. Moi, dans cette guerre, j'étais neutre ; je n'avais jamais rencontré un Autrichien qui ait été analysé. Je n'avais jamais rencontré qui que ce soit qui ait fait une analyse. Les journalistes détestaient la psychanalyse et les psychanalystes détestaient les journalistes. Je me suis longtemps demandé pourquoi. Je crois avoir enfin compris : la devise du journalisme est peut-être celle de la psychanalyse en fin de compte : « Quand la légende est plus intéressante que la vérité, racontez la légende. » D'ailleurs, journaliste, ce n'est pas très différent non plus de mon métier actuel : réalisateur. Ce que cherche le journaliste ou le cinéaste, ce n'est pas le vrai, c'est le réel. Nous réalisons des images qui parlent aux gens, vraies ou pas.

« Quand j'entrai chez *le Professeur*, je crus entrer dans une sorte de puits secret. La bonne m'a ouvert et m'a dit : " *Herr Professor* est en train de déjeuner. " Je répondis : " Je vais attendre. " En Europe, dans cette *Mitteleuropa* disparue, les docteurs se servaient de leur appartement comme cabinet. Chez Freud, le salon était la salle d'attente et par la porte menant à

106

son bureau je voyais le divan. Il était tout petit. Avec des tapis de Turquie, plein de tapis les uns par-dessus les autres. Il avait aussi une collection d'art antique et précolombien. J'ai été frappé surtout par la petitesse de ce divan. Toutes ces théories grandioses sur l'inconscient et la psyché sont fondées sur l'analyse de gens très petits. Freud s'asseyait dans un fauteuil un peu en retrait de la tête du divan. À un moment, j'ai levé les yeux et vu Freud entrer. Un petit homme avec sa serviette autour du cou, parce qu'il s'était levé de table. Il me dit : " Un reporter ? " Je lui dis : " Oui, et j'ai quelques questions. " Il m'interrompt : " Voici la porte. " Il me mit dehors. C'est tout. Pas d'entretien.

« Ça a été ma première et dernière séance avec un psychanalyste, et je me suis vengé en montrant Freud analysant un chien dans *La Valse de l'Empereur* et dans *Sept ans de réflexion*, vous vous souvenez de la scène où le psychanalyste arrogant, le Dr Brubaker, vient supplier l'éditeur de le publier...

— Il vous a serré la main ? demanda Marilyn.

— Rien.

— Rien ? Juste : « Dehors » ?

— Rien. Je lui ai montré une carte de visite. « Vous êtes M. Wilder ? Du *Stunde* ? Dehors, monsieur Wilder du *Stunde*. Oui, voici la porte ! »

New York, Gladstone Hotel, East 52nd Street, mars 1955

Au sommet de sa renommée à Hollywood, Marilyn avait quitté la ville des rêves pour New York. Elle s'enfonça délibérément dans une sorte de remise à zéro de ce qu'elle savait d'elle-même. A Los Angeles elle connaissait trop la ville et la ville la connaissait trop. Etre Marilyn Monroe dans la cité des anges était devenu un métier à plein temps, non seulement sur les plateaux mais dans les lieux publics, les restaurants, il fallait apparaître un peu partout pour les promotions publicitaires. Dans Manhattan, elle pouvait se fondre dans l'anonymat. Elle n'était personne. Elle pouvait se cacher d'elle-même. Elle enfilait un sweater informe, et couverte d'un manteau élimé, sans maquillage, lunettes noires et foulard noué sous le menton, marchait incognito dans les rues bondées.

Entre l'Actors Studio, où elle suivait ses cours de théâtre, toujours à la même place, au dernier rang, et le divan de Margaret Hohenberg, Marilyn passa à Manhattan une période de sa vie exaltante pour sa curiosité intellectuelle, l'esprit entièrement tourné vers les mystères de l'inconscient, comme elle disait en riant à son ami, l'écrivain Truman Capote.

Ils s'étaient rencontrés en 1950, lorsqu'elle tournait *Asphalt Jungle* avec John Huston. Par-delà les différences, l'écrivain homosexuel et l'actrice symbole féminin du désir se ressemblaient atrocement. Elle partageait avec lui quelque chose de mal dit, une souffrance secrète au fond de l'être. Même abandon dans la petite enfance, même irruption de la sexualité violente des adultes, même usage destructeur des drogues et du sexe, mêmes troubles devant les difficultés de leur art, même panique devant le succès, même fin dans la déchéance du corps, même mort d'une surdose médicamenteuse. Dans les bars de Lexington Avenue, ils buvaient de longs cocktails, vodka, gin, sans vermouth, qu'ils appelaient des *Anges blancs*. Parfois, Capote lui voyait une vilaine perruque noire qu'elle arrachait dans le bar où ils se retrouvaient : « Bye Bye, blackie ! Marilyn ! »

Le premier jour, il s'ouvrit :

— Te rends-tu compte ce que c'est d'être moi ? Un nain laid épris de beauté, un méchant et malheureux garçon de nulle part, qui passe son temps à transporter des mots d'un être à un livre, d'un livre à un autre, un pédé qui ne s'entend qu'avec des femmes...

— Je peux deviner. Te rends-tu compte de ce que c'est d'être moi ? répondit-elle en avalant d'un trait sa

109

vodka. C'est pareil, avec en moins les mots pour dire qui je ne suis pas.

Après la mort de Marilyn, Capote dira d'un ton un peu faux : « Elle était extraordinaire : un jour beauté sublime, l'autre jour une serveuse de *diner*. » Il se remémorera leurs années new-yorkaises comme des années de travail et de joie. « La première fois que je l'ai rencontrée, elle n'avait aucun maquillage, on lui donnait douze ans, une vierge adolescente qui vient d'atterrir dans un orphelinat et s'attriste sur son sort. Elle avait été prostituée occasionnelle. Mais pour elle, l'argent restait toujours lié à l'amour, pas à la sexualité. Elle donnait son corps à tous ceux qu'elle croyait aimer et donnait de l'argent à tous ceux qu'elle aimait. Elle aimait aimer ; elle aimait se dire qu'elle aimait. Un jour, je l'ai présentée à Bill Paley, un homme riche et cultivé, qui avait envie d'elle comme un fou. J'ai essayé d'expliquer à Marilyn qu'il l'aimait. "Te fous pas de moi ! On aime après avoir baisé, et encore, pas souvent. Jamais avant. En tout cas, tous les hommes que j'ai rencontrés. Pour moi, sexe et amour sont inséparables comme mes deux seins. J'aimerais pouvoir toujours transformer la sexualité en amour, en un phénomène incorporel. Faire l'amour, comme on dit. J'aime cette expression. – Pas moi, répondis-je. Ce qu'on fait n'est pas l'amour. L'amour, on ne le fait jamais, on ne l'a jamais. On y est, ou pas. On est dedans, fait, refait. C'est tout." Elle m'avait dévisagé avec un sourire amer. Je n'avais pas insisté, chacun ses illusions. Ce jour-là, je me suis détourné, mais je fis dire ensuite à mon personnage féminin de *Petit déjeuner chez Tiffany*, Holly Golightly : " Tu ne peux pas baiser un mec et encaisser son argent sans essayer au moins un peu de croire que tu l'aimes. " »

En 1955 Truman et Marilyn s'étaient retrouvés. Elle habitait une suite au sixième étage de l'hôtel Gladstone, et en février, elle avait eu son premier cours à l'Actors Studio. La rencontre de Lee Strasberg avait changé le cours de sa vie. Le professeur d'art dramatique voulait « ouvrir son inconscient ». « Pour une fois qu'on ne me demandait pas d'ouvrir ma bouche ou mes jambes, tu parles d'une aubaine », dit Marilyn à Truman.

Un jour, Truman la conduisit chez Constance Collier dans son studio sombre de la 57e Rue Ouest. La vieille actrice anglaise, presque aveugle et dont les membres étaient devenus insensibles avec l'âge, lui donna des cours de diction et lui apprit à se servir de sa voix. Constance dit ensuite de Marilyn : « Il y a là quelque chose. C'est une belle enfant. Je ne le dis pas au sens courant, trop courant. Je ne pense pas du tout qu'elle soit une actrice, au sens traditionnel. Ce qu'elle a – cette présence, cette luminosité, cette intelligence frissonnante – ne pourra jamais se manifester sur une scène. C'est trop fragile et subtil. Seule une caméra pourra le saisir. Comme un oiseau-mouche. La caméra seule peut geler la poésie de son vol. »

Ensuite, Truman et Marilyn se perdirent de vue. Elle repartit à Los Angeles et il ne la revit qu'aux obsèques de Constance Collier. Elle s'était installée au Waldorf-Astoria. Dans cet hôtel, elle aimait sa suite au vingt-septième étage sur Park Avenue qu'elle regardait dans la nuit comme on regarde un visage qui dort, mais surtout les portes à tambour de l'entrée. *Revolving doors*, portes tournant et retournant, la chose et le nom la fascinaient. Un jour, Truman lui dit :

— C'est l'image de nos vies, on croit qu'on va, mais on revient, on revient en arrière, on ne sait pas si on entre ou on sort.

— Si tu veux ; mais pour moi, c'est d'abord l'image de l'amour, chacun est seul, entre deux portes de verre. On se poursuit ; on ne se trouve jamais. On est loin en soi-même et on croit être tout contre l'autre. On ne sait pas qui précède et qui suit. Comme les enfants, on se demande qui a commencé. À aimer. À ne plus aimer.

À la chapelle du funérarium, Marilyn arriva en retard. De loin elle lança à Truman :

— Oh, chéri, je suis désolée. J'étais prête, et puis j'ai décidé de ne pas me maquiller les yeux et d'arriver sans rouge à lèvres et autres. J'ai dû me laver et je ne savais pas quoi mettre.

Il comprenait son anxiété profonde. Il se disait : quiconque n'arrive jamais moins d'une heure en retard aux rendez-vous, c'est qu'il est empêché de partir par l'incertitude et l'angoisse, non par la vanité. Et c'est l'angoisse, encore, la tension due à l'incessant besoin de plaire, qui pour une large part occasionnait ses fréquents maux de gorge et l'empêchait de parler ; l'angoisse qui se traduisait en ongles rongés, en paumes moites, en petits accès de rires gloussants à la japonaise. L'angoisse qui nous incite à une chaleureuse et fondante sympathie, l'angoisse qui n'abolit pas l'éclat de son attitude, pour le reste si flamboyante. Marilyn était toujours en retard, comme tous ceux qui ne sont pas arrivés au bon moment dans la vie de leurs parents, tous ceux qui n'étaient pas attendus.

Vingt ans plus tard, Capote achèvera son portrait de Marilyn : *Une radieuse enfant,* l'un des meilleurs textes courts qu'il ait jamais écrits.

Epoque : 28 avril 1955.

Décor : La chapelle du Foyer Funéraire Universel, à l'angle de Lexington Avenue et de la 52e Rue, New York City. On enterre l'actrice Constance Collier.

MARILYN : Je ne veux pas voir de cadavres.

TRUMAN CAPOTE : Pourquoi en verrait-on ?

MARILYN : C'est un salon funéraire, ici. Ils doivent les garder quelque part. J'ai bien besoin de ça aujourd'hui, entrer dans une pièce remplie de macchabées. Sois un peu patient. On va aller dans un petit bistrot et je t'offre une roteuse.

(Nous nous assîmes donc et continuâmes à bavarder et Marilyn déclara : Je déteste les enterrements. Je serai drôlement contente de ne pas être obligée d'aller au mien. D'ailleurs, je ne veux pas d'enterrement – juste que mes cendres soient jetées dans les vagues par un de mes gosses si jamais j'en ai. Je ne serais pas venue aujourd'hui, sauf que Miss Collier s'occupait bien de moi, de mon avenir. Et elle était comme une grand-mère pour moi, une vieille grand-mère coriace mais elle m'a appris des tas de choses. Elle m'a appris à respirer, entre autres. Ça m'a beaucoup servi, et pas seulement pour jouer. Quelquefois, c'est un vrai problème, de respirer.)

Ils se perdirent de vue. Les anges blancs s'éloignèrent l'un de l'autre, puis ils disparurent dans le blanc de l'oubli. Elle lui avait donné le personnage d'Holly Golightly, ou plutôt, il avait pris Holly dans Marilyn, ses mots, ses mains, son espérance et le désordre de son âme. Elle ne lui servait plus à rien. Seulement à le rendre triste, comme quand on voit sur le bitume d'un *parking lot* un pneu usé, une clef perdue. Après leur dernière rencontre à Hollywood quelques semaines avant sa mort, Truman dira : « Elle n'avait jamais paru aussi bien. Elle avait perdu pas mal de poids pour le film qu'elle devait tourner avec George Cukor et son regard reflétait comme une maturité nouvelle. Elle s'était arrêtée de glousser. Si elle avait vécu et gardé sa silhouette, je crois qu'elle serait encore irrésistible aujourd'hui. Les Kennedy ne l'ont pas tuée, comme le croient certains. Elle s'est suicidée. Mais ils ont payé l'une de ses dernières amies, son attachée de presse, Pat Newcomb, pour qu'elle ne souffle pas mot de leurs relations avec elle. Cette amie savait dans quel placard étaient rangés les squelettes et, après la mort de Marilyn, ils l'ont envoyée faire une croisière d'un an autour du monde. »

Quatre ans plus tard, Truman Capote donna dans le *Grand Ballroom* de l'hôtel Plaza à New York son célèbre bal masqué en noir et blanc. Il passa des mois à écrire des listes, des pages de noms cochés puis rayés. On croyait que c'était son prochain roman. C'était sa dernière fête, son propre enterrement dans la célébrité sans œuvre. Il invita cinq cents personnes. Peu d'écrivains, beaucoup de gens de cinéma, dont Sinatra. Quelques fantômes, comme la vieille actrice Talullah Blankhead. Mais ni John Huston, dont il avait été le scénariste pour *Plus fort que le diable* et qui l'avait présenté à Marilyn, ni Blake Edwards qui avait massacré *Tiffany*. Il voulait qu'on ne voie pas les visages, et que tout le monde soit en blanc ou en noir, que cela ressemble à une partie d'échecs. Dans les papiers posthumes de Capote, on retrouva cette note, datée de 1970, sans plus de précisions. « *Un fou blanc.* Voilà comment elle me voyait. Marilyn et moi nous étions faits pour nous croiser. Pas nous toucher. On peut se rencontrer sans se toucher. Comme Holly et le narrateur de mon *Petit déjeuner chez Tiffany.* » Truman notera aussi dans ses carnets : « Etrange : après le divorce de mes parents, j'ai été élevé à Monroeville, Alabama. »

Phoenix, Arizona,
mars 1956

Après quatorze mois à New York, Marilyn revint à Los Angeles pour tourner *Bus Stop*. Le 12 mars 1956, celle qui signait Norma Jeane Mortensen devint Marilyn Monroe. « Mon nom est un handicap pour une actrice. » À la fin de sa vie, elle dira : « Depuis des années, j'utilise ce nom, Marilyn Monroe, et je l'assume, c'est comme ça qu'on me connaît dans le cinéma. »

Sur le plateau, le metteur en scène Joshua Logan découvrit à quel point l'actrice était devenue une droguée du freudisme. On tournait une scène où Marilyn, incarnant Cherie, une chanteuse débutante, était réveillée par le cow-boy Don Murray avec ces mots : « Trop de soleil ici. Etonnant que tu sois si pâle et si blanche. » Il dit à la place : « si pâle et serpentine ».

— Coupez ! dit Logan.

Marilyn se tourna tout excitée vers l'acteur.

— Don, tu entends ce que tu as dit ? Un lapsus freudien. Normal, c'est une scène sexuelle, et tu donnes un symbole sexuel : *serpentine* veut dire que tu pensais à un serpent, c'est-à-dire un symbole phallique. Tu sais ce que c'est, un symbole phallique ?

— Si je sais ce que c'est ? Oui j'en ai un bon entre les jambes, répondit Murray. Tu me prends pour un pédé ou quoi ?

— À voir ! Je vais te raconter une histoire. Tu connais Errol Flynn ? Lorsque j'avais dix, onze ans, ma gardienne, Grace, m'a emmenée voir trois fois *Le Prince et le pauvre*. Eh bien, quand j'ai rencontré Flynn, en chair et en os, dix ans plus tard à Hollywood, j'ai vu mon Prince sortir sa bite et jouer du piano avec. Tu ne me crois pas : Errol Flynn ! Le héros de mon enfance cinématographique ! Oh, il y a bien cent ans de ça, je débutais comme mannequin et je me suis trouvée à cette soirée minable, et il était là, tellement content de lui, et il a sorti sa bite et s'est mis à taper avec sur les touches. Il jouait *You are my sunshine*. Quel cirque ! Tout le monde dit que Milton Berle a le plus gros nœud d'Hollywood. Sais pas. Mais Errol, j'ai vu ! J'ai toujours su qu'Errol marchait à voile et à vapeur. J'ai un masseur, il est pratiquement comme ma sœur, ha ! ha !, et c'était aussi le masseur de Tyrone Power, et il m'a tout raconté sur l'histoire entre Errol et Ty Power. Non. Il faut que tu trouves mieux que ça !

Au cours du tournage de *Bus Stop* dans la Sun Valley, Marilyn appliqua les préceptes psychanalytiques de Strasberg, qui était un proche de Logan. Elle substitua aux robes somptueuses dessinées pour elle un fourreau noir fané ou une guêpière de résille sur soie bleue vulgaire qui lui rappelait peut-être les prises de vues pornographiques de ses débuts. Elle voulait des vêtements rapiécés, reprisés, comme elle se sentait être. Elle ajouta au rôle de la chanteuse le bégaiement incoercible qui la prenait dans les moments de tension. Elle improvisa même des oublis de répliques non prévus au scénario.

Reno, Nevada,
été 1960

Les difficultés liées aux tournages continuèrent après *Le Milliardaire*. Tiré d'une pièce d'Arthur Miller, le film suivant, *Les Désaxés*, avec Clark Gable et Montgomery Clift, était dirigé par Huston à Reno (Nevada) pour les extérieurs. Retardées, les prises de vues commencèrent sans Marilyn. L'équipe était logée au Mapes Hotel et les projections des *rushes* avaient lieu au Crest Theater. Deux jours plus tard, le plus fidèle de ses adorateurs, Jim Haspiel, accompagna Marilyn à l'aéroport de New York-La Guardia pour la saluer avant son départ pour le Nevada. Il remarqua son aspect débraillé, ravagé. Elle avait des poches sous les yeux, des taches de sang derrière sa jupe. Ne voulant pas la voir dans cet état, il tourna les talons. Quelques heures plus tard, l'avion se posait à Reno. Marilyn se changea dans les toilettes de l'appareil, faisant attendre tout le monde comme à l'accoutumée. Au bas de la passerelle, venue lui souhaiter la bienvenue avec des fleurs, la femme du gouverneur de l'État s'impatientait. Les photographes sortirent leurs flashes. Enfin, la star débarqua de l'avion comme un rêve blanc troue la nuit.

Le lendemain, dans le désert par 40° à l'ombre, Marilyn commença les prises. Jamais on n'avait vu ni même rêvé un être humain semblable. Elle se montra comme une apparition, d'une telle pâleur que tous ceux qui l'entouraient étaient éclairés comme les ténèbres quand passe la lune. Moulée dans une robe de soie blanche aux innombrables cerises rouges, portée sans rien dessous, elle était le symbole d'une certaine disponibilité et d'une pureté intangible. Une déesse d'effroi qui pouvait donner la mort ou, par un sourire à vous seul adressé, vous briser le cœur.

Lorsque Huston le lui avait proposé quelques mois plus tôt, Marilyn n'avait pas beaucoup aimé le rôle de Roslyn, la femme perdue entre trois hommes et des chevaux promis à la boucherie. Elle lui ressemblait trop. « Le double de moi-même, dit-elle à Greenson : les mêmes angoisses, le même sentiment d'être toujours dans l'abandon, la même difficulté à vivre. Je n'ai pas envie de jouer une femme qui a eu une enfance difficile, une relation affolée d'amour avec sa mère, et qui n'a trouvé refuge que dans un regard émerveillé pour les purs, les enfants, les bêtes. *Roslyn*, ce nom colle ensemble la Rose de *Niagara*, cette pute vicieuse qui se débarrasse de son mari, et moi, Marilyn. Moi, enfin, si l'on veut. Arthur a écrit ce rôle pour me dire son amour et son abjection. »

Elle ne l'avait finalement accepté que parce qu'elle en avait assez de jouer la comédie et que c'était Huston qui avait écrit le scénario final, pas Miller, qui l'avait d'abord taillé sur elle comme un vêtement fatal. « Sa douleur même exprimait la vie et la lutte contre l'ange de la mort », dira-t-il ensuite.

— Mais, pourquoi voulez-vous filmer en noir et blanc? demanda Marilyn au metteur en scène.

— Parce que, avec tes yeux injectés de sang, tes capillaires éclatés par la dope, on n'aurait pas pu tourner en Technicolor même si j'en avais eu l'intention et le budget. Ne prends pas ça mal et ne va pas te faire une autre rasade de pilules. Je ne t'aimerai pas plus morte! Les névrosées suicidaires m'ont toujours tapé sur les nerfs. Tuez-vous si vous devez vous tuer, mais n'emmerdez pas les autres!

« Et puis, tu sais, lorsqu'il s'agit de choses psychologiques, comme je compte le faire dans mon projet de film sur Freud, plutôt que la couleur des yeux, je veux saisir ce qui se passe derrière les yeux. Et enfin parce que le noir et blanc n'existe pas dans la vie et que je veux filmer ce qui n'existe qu'au cinéma.

— Et pourquoi moi?

— Parce que tu es une pute, pas une actrice. Comme les vraies putes, les bonnes, tu ne fais pas semblant. Tu paies de ta personne, de ton corps, de ton âme. Mais tu sais que ce n'est pas toi, cette femme. Tu sais bien que je n'aime pas la méthode de l'Actors Studio avec laquelle heureusement Strasberg n'a pas réussi à te gâcher, cette putain de technique de jeu où il faut aller loin en soi pour chercher l'émotion et la jeter sur l'écran. J'ai beaucoup de respect pour la psychanalyse et beaucoup de respect

121

pour le travail de l'acteur, mais les deux ensemble, ça fait des catastrophes. Ta force, Marilyn, même si tu ne t'en rends pas compte, c'est d'avoir rompu avec la méthode de Strasberg. Tu ne *joueras* pas Roslyn. Tu donneras au spectateur ce qu'il veut sentir, voir, aimer. Comme ça, comme une pute qui tient à ce que le client en ait pour son argent. Je vais te dire : fais le contraire de ce que t'a enseigné Strasberg et tout ira bien. Laisse ces foutaises d'« aller vers ton intérieur ». Va vers l'extérieur, c'est là que tu es. C'est là qu'est le spectateur. Et puis, ton angoisse, garde-la, c'est un ressort précieux, ne va pas croire que ton analyste t'en libérera. Ce n'est pas possible et il ne faut pas, de toutes manières. Sans angoisse, dans ce métier, mieux vaut abandonner.

— Et pourquoi tu fais un film sur Freud ? C'est à la place d'une psychanalyse ?

Huston ne répondit pas tout de suite. Il était à un tournant de sa vie. Il venait d'avoir cinquante-quatre ans et se trouvait confronté aux mêmes angoisses, aux mêmes conflits, aux mêmes problèmes profonds que dans son enfance ou son adolescence. Fasciné et terrorisé par l'inconscient, il s'était intéressé dès son premier film à la psychologie des profondeurs. À l'époque on ne disait pas « psychanalyse » à Hollywood.

— Tu sais, la psychanalyse m'intéresse, reprit Huston. J'ai abordé la question du traumatisme et des souvenirs enfouis dans un documentaire sur les soldats revenus du front, *Let There Be Light (Que la lumière soit)*. C'est ça, pour toi, la psychanalyse, faire qu'il y ait de la lumière, supporter le jour et son éclat ? Pour moi, je sais que ça ne passe pas par une thérapie. Je m'en sortirai sans. L'angoisse qui me paralyse, je vais la mettre en mouvement. Mes scènes refoulées, je les ferai défiler sur l'écran. Vingt-quatre fois par seconde, j'affronterai mon démon. Un film, pas une analyse. Et sur Freud, précisément. *Play it again, Sigmund.*

— Et pourquoi es-tu si dur avec Monty ?

— Je suis un cinéaste d'hommes, j'ai horreur de la passivité. J'aime l'activité, l'action. J'aime que les tournages fassent mal. Mal à mes acteurs, à mes techniciens, à mes producteurs. Je vais te dire un secret : le cinéma est fait pour faire mal au spectateur. Je suis avec Montgomery dans une relation qui lui plaît, il en jouit. Je le traite comme le masochiste alcoolique, drogué et pédé qu'il est. Dévasté, perdu. C'est pour ça que je pense lui donner le rôle de Freud. J'aimerais bien que mon Freud ne soit pas trop éloigné du personnage de Perce. Un désaxé, un peu troué justement, en tout cas fêlé.

Un soir à Reno, à une table de jeu, Huston demanda à Marilyn de jeter les dés.

— John, qu'est-ce que je dois espérer comme chiffres ?

— Ne pense pas, chérie, jette ! C'est l'histoire de ta vie. Tu penses trop. Ne pense pas, fais !

Elle continua de vouloir penser son rôle. Une fois sur le décor, Marilyn ne parla plus ni avec son mari ni avec le metteur en scène. Il fallait s'adresser à Paula

Strasberg. Elle était là en permanence. Dans sa robe noire perpétuelle. Une voilette noire lui masquait le haut du crâne. Marilyn l'appelait en secret « la sorcière » ou « l'épervier des morts », mais elle lui avait fait assurer par la production un cachet supérieur au sien. Entre elles, une autre langue avait cours, que l'équipe de tournage ne comprenait pas. Marilyn avait besoin que cette femme plus âgée lui prenne la main et tisse autour d'elle un voile de mensonges. On la surnommait « la baronne noire ». « Combien y a-t-il de metteurs en scène sur ce film ? », lançait Huston à la cantonade. Mais le film n'avançait pas et prenant son mal en patience, il perdait dans les casinos de Reno l'argent de la production. Marilyn ne sortait pas de sa caravane. Elle allait vers l'intérieur, toujours. Elle ne croyait qu'à « la Méthode ». La Fox décida de faire appel à Greenson.

Los Angeles, Bel Air,
août 1960

Marilyn mit à profit l'avant-dernier week-end d'août et l'interruption du tournage des *Désaxés* pour se rendre à Los Angeles. Elle vit plusieurs heures durant son analyste, mais se rendit aussi au chevet de Joe Schenck. Le vieux producteur, l'un des fondateurs de la Fox, était sérieusement malade et devait mourir peu après. Ils s'étaient connus en 1948 lors d'une soirée dans sa somptueuse maison sur South Carolwood Drive. Le style débordant d'une improbable architecture Renaissance hispanico-italiano-mauresque convenait à ces gigantesques soirées poker auxquelles les amis de Joseph Schenck venaient accompagnés de jeunes et belles femmes. Leur rôle n'était pas qu'ornemental. Modèles, starlettes, ces jolies petites choses remplissaient les verres et vidaient les cendriers. Elles espéraient entrer ou progresser dans une carrière de cinéma. Et s'il fallait pour cela accorder certains services intimes aux joueurs, après leurs cendriers, au nom de quoi refuser de vider aussi ces messieurs comme ils le demandaient... Schenck avait déjà derrière lui une longue carrière de producteur. Marilyn admit qu'elle serait sa proie consentante. Mais ce n'est pas ce soir-là qu'elle céda.

Le lendemain une limousine blanche vint la chercher pour un dîner privé. Il aurait été fou de sa part de refuser, mais, pour ne pas se laisser prendre tout de suite, Lucille Caroll, une amie, lui conseilla de dire qu'elle était vierge et se réservait pour l'homme idéal. Tard dans la soirée, Marilyn très nerveuse lui téléphona depuis la maison de Schenck : « Il sait que je suis mariée. Maintenant, que lui dire, question virginité ? » La soirée finit. Marilyn se soumit ou se donna, elle ne se souvenait plus, maintenant qu'elle regardait la pauvre chose de quatre-vingts ans hérissée de tubes qui râlait sur un lit d'hôpital. À l'époque, elle voulait désespérément travailler. Elle voulait réussir. Il fallait accepter que les rôles soient parfois négociés en privé et non par des agents. Par la suite, Marilyn parlait ouvertement de son affaire avec Schenck qui lui avait aussitôt donné ce qu'elle attendait et l'avait mise en contact avec son camarade de poker Harry Cohn, un des hommes les plus détestés et redoutés d'Hollywood. Il avait fait la carrière de Carmen Cansino, devenue plus tard Rita Hayworth, et dirigeait les Studios Columbia.

Quelques jours et quelques nuits après sa soirée chez Schenck, Marilyn entrait dans les bureaux de Cohn à l'angle de Sunset et Gower. Il lui proposa aussitôt un contrat de six mois pour 120 dollars par semaine à partir du mois suivant. Il mit une condition qui n'était pas ce à quoi elle s'attendait : il lui fallut se faire faire une permanente pour augmenter le volume de sa coiffure par électrolyse après plusieurs applications de peroxyde d'hydrogène et d'ammoniaque. Le brun naturel de sa chevelure minablement décolorée en blond sale disparut sous un platine vaporeux. Le miroir révéla une femme de plus en plus semblable à celle que Marilyn avait idolâtrée enfant : Jean Harlow.

Cohn, après avoir approuvé son nouveau visage, l'envoya faire ses classes sous la direction de Natasha Lytess, qui dira ensuite : « J'ai fait Marilyn. Tout. Ses lectures, sa voix, son jeu, sa façon de prononcer en les distinguant les *t* et les *d*, sa démarche, un talon posé juste devant le pouce de l'autre pied, balançant les hanches comme on n'avait jamais vu actrice le faire. »

Marilyn sous le plomb du ciel de Los Angeles en août pensait à ces coïncidences : le pavillon d'hôpital où Schenck luttait pour respirer était dans le même quartier que sa villa baroque d'autrefois et les cheveux du malade étaient maintenant blonds, comme décolorés. Elle regarda sa propre image dans une glace et s'étonna de sa blondeur excessive, intenable au regard, faite pour accrocher les spots et donner sous la caméra un nimbe immatériel aux plans des *Désaxés*. Dans chaque film, elle avait voulu être un type différent de blonde. Blond cendré, foncé, doré, argenté, ambré, platiné. Blond miel, blond fumée, blond topaze, blond métal : l'important était que ça ne fasse jamais blond naturel. Marilyn se souvenait. Sept ans plus tôt, elle tournait aux côtés de la très brune Jane Russell un film de Howard Hawks. Elle n'arrivait pas à avoir une loge à elle : « Ecoutez quand même ! Ce n'est pas logique ! Je suis la blonde et le film s'appelle : *Les hommes préfèrent les blondes.* » On lui avait répondu : « Souviens-toi que tu n'es pas une star ! » Et elle : « Je ne sais pas ce que je suis, mais en tout cas, je suis la blonde ! »

Marilyn se détourna du miroir de la salle d'attente de l'hôpital et remarqua pour la première fois que *dying hair* voulait dire à la fois, *cheveux teints* et *cheveux qui meurent.* « Au fond, les salles d'attente, j'en ai connu, débutante et après. Et ce n'est peut-être pas pour faire attendre les hommes que je suis en retard. C'est pour faire attendre la mort. OK pour la dernière danse, mais pas tout de suite ! » Elle réprima un rire. « J'en parlerai à mon docteur de mots. » En avançant au chevet de Schenck, elle pleura en se souvenant qu'après deux ans de liaison, il lui avait offert un chihuahua femelle. Elle l'avait nommé Josepha, d'après le prénom de cet homme pour qui elle garda longtemps un faible. Joseph Schenk l'avait vraiment aimée à l'époque de ses difficiles débuts dans le cinéma. Elle l'appelait souvent quand elle avait faim et voulait un bon repas ou quand elle avait du chagrin et voulait pleurer sur une bonne épaule. Schenck l'entendit entrer dans sa chambre de mourant, mais ne la reconnut pas.

Santa Monica, Franklin Street,
août 1960

Lors de sa séance de l'après-midi, Greenson fit observer à sa patiente qu'elle parlait peu de sa vie sexuelle.

— Vous savez, docteur, ma vie sexuelle, ma vie tout court, je la vois comme une suite de faux raccords. Un homme y entre, s'agite, me prend, me perd. Au plan suivant, on voit le même homme – ou parfois un autre – entrer une seconde fois, mais il ne porte pas le même sourire, les gestes ont changé, l'éclairage. Le verre qu'il tient était vide tout à l'heure et maintenant il est à demi plein. Nos regards se croisent à nouveau, mais ils sont différents. Le temps a passé sur l'image que nous donnons de nous, et pourtant nous y sommes encore pris. Nous rencontrant toujours pour la deuxième fois, nous croyons l'un et l'autre que c'est la première. Vous ne comprenez pas ce que je dis ? Moi non plus. Peut-être est-ce cela la réalité des rapports entre hommes et femmes. Nous nous effleurons et nous nous touchons par la distance de temps maintenue entre nous. »

Ecouter Marilyn avait depuis quelque temps amené Greenson à conclure que son problème n'était pas sexuel, qu'il s'agissait plutôt d'une sorte de désordre dans l'image d'elle-même. Il définissait un type de malades qu'il appelait les « patients écran », ceux qui par leurs défenses font écran au désir. Ils projettent une faim écran ou une sentimentalité écran par exemple. Ils manifestent une identité écran. Pour eux, se montrer et être vu constitue une expérience excitante ou effrayante, le plus souvent l'un et l'autre. « En langage ordinaire, écran veut dire filtrage, cache, masque, camouflage. En langage psychanalytique, cela désigne seulement l'activité de recouvrir la peine d'exister par une image de soi vivable. Non pas fausse, précisait-il, l'image que ces personnes projettent est vraie, mais elle les protège contre une autre vérité d'eux-mêmes, insoutenable. » Dans le cas de Marilyn, pensait-il, le mot écran signifiait plus littéralement l'écran du cinéma. Le psychanalyste revoyait aussi cette image transmise par toutes les chaînes de télévision cinq ans plus tôt : la photographie de Marilyn dans *Sept ans de réflexion* sur un écran de vingt mètres de haut s'abattant de haut en bas du Loew's State Theater à New York. L'immense fleur blanche de chair et de robe soufflée avait flotté sur Broadway pendant les quinze jours précédant la première du film.

Greenson, qui ne la connaissait que par ses rôles, la voyait incarner la désirabilité la plus inaccessible, mais il se demandait si les icônes du désir avaient elles-mêmes un désir. Bien plus tard, il lira quelque part une phrase de Vladimir Nabokov sur la star : « Pour cette comédienne du sexe, le sexe n'était peut-être qu'une comédie. »

Après quelques mois de traitement, le psychanalyste considérait que la studieuse élève de l'Actors Studio, la studieuse patiente de Marianne Kris et la studieuse lectrice des écrivains de son temps, étaient des images écran que Marilyn donnait d'elle-même. L'apprentie intellectuelle new-yorkaise effaçait la peur d'être bête de la fille de Nebraska Avenue qui avait rêvé d'être une irréelle figure au ciel d'Hollywood.

Deuxième séance, le soir du même jour. Marilyn s'assied face à son psychanalyste.

— Lorsqu'on est célèbre, chacune de vos faiblesses est amplifiée au maximum. Le cinéma devrait se conduire à notre égard comme une mère dont l'enfant vient tout juste d'échapper à un accident de voiture. Mais au lieu de nous prendre contre lui et de nous consoler, le cinéma nous punit. Le cinéma, c'est toujours ça : prendre, encore prendre. On appelle ça des prises, justement, les séquences qu'on vous fait recommencer cent fois. Mais qui donne, qui reçoit, qui aime ? Avez-vous remarqué, docteur, qu'à Hollywood où des millions et des milliards de dollars ont été gagnés, il n'existe pas de monuments, de musées ? Personne n'a laissé quelque chose derrière soi. Tous ceux qui sont venus ici n'ont su faire qu'une chose, prendre, prendre ! Je ne participerai jamais à cette grande cavalcade américaine où les gens passent leur vie à se précipiter d'un endroit à l'autre, très vite et sans raison.

— Nous allons nous arrêter là.

— Ah, vous aussi, vous dites : « Coupez ! Prochaine prise ! Marilyn dernière ! »

En avril 1952, Marilyn avait dû se faire opérer de l'appendicite au Cedars of Lebanon Hospital. Quand le Dr Marcus Rabwin souleva le drap qui la recouvrait afin de procéder à l'opération, il découvrit, scotchée sur son ventre, une petite note manuscrite :

Cher Dr Rabwin,

Coupez le moins possible. Cela peut vous sembler futile, mais ce n'est vraiment pas de cela qu'il s'agit. Le fait que je sois une femme est important et compte beaucoup pour moi. Pour l'amour de Dieu, ne touchez pas à mes ovaires, docteur, et encore une fois, je vous prie, évitez le plus possible toute cicatrice. Je vous remercie de tout mon cœur.

Marilyn Monroe.

Environs de Londres, Engelfield Green,
juillet 1956

Son professeur d'art dramatique, Michael Tchekhov, lui avait appris quelque chose sur son jeu, sur le regard des hommes quand elle jouait. Un jour, il lui faisait répéter *La Cerisaie* lorsque soudain il s'interrompit. Portant sa main devant ses yeux, il demanda à Marilyn avec un doux sourire :

— Je peux te poser une question personnelle ?

— Tout ce que tu veux.

— Dis-moi franchement : est-ce que tu penses au sexe quand tu joues cette scène ?

— Pas du tout. Il n'y a rien de sexuel ni dans la scène ni dans ma tête.

— Pas d'images d'étreintes ou de baisers ?

— Non, je suis concentrée sur la scène.

— Je te crois. Tu dis toujours la vérité.

— À toi, oui.

Il s'approcha et dit :

— C'est très étrange. Quand tu jouais, je ressentais des vibrations sexuelles émanant de toi, comme

133

d'une femme prise dans la passion. J'ai arrêté parce que je te sentais trop préoccupée pour continuer.

À ces mots, elle se mit à pleurer.

— Ne t'inquiète pas. Tu es une femme qui dégage des vibrations sexuelles, quoi que tu dises ou fasses. C'est ça que vient chercher ton public sur l'écran. Tu vas gagner des fortunes en restant simplement face à la caméra, et en ne jouant presque pas.

— Je ne veux pas ça.

— Pourquoi pas ? demanda-t-il gentiment.

— Parce que je veux être une artiste, pas une bête de sexe. Je ne veux pas être vendue comme un aphrodisiaque sur celluloïd. Regardez-moi et branlez-vous. Ça a été très bien comme ça pendant des années, mais c'est fini. C'est de ce moment-là qu'a commencé la bagarre avec la Fox.

« *Look sexy !* (Sois sexuelle !) Tout ce que tu as à faire, chère Marilyn, c'est être sexy » : c'est le message que Laurence Olivier en habit rutilant de Grand-Duc des Carpates adressa à Marilyn Monroe en commençant le tournage du *Prince et la danseuse* aux Pinewood Studios dans l'été 1956. Un conte de fées sans fée, où la danseuse ne trouvait qu'un prince terrifié. Quand vers la fin du tournage, en octobre, lors d'une première à l'Empire Theater de Londres, elle fut présentée à la Reine d'Angleterre, au côté de Joan Crawford, Brigitte Bardot et Anita Ekberg, Marilyn repensa à cette scène imbécile du film. On la voyait prendre place pour faire sa révérence au Grand-Duc à monocle. Une bretelle de sa robe moulante craquait et dénudait presque son épaule et son sein.

Pour cette comédie en costumes, le premier film produit par Marilyn Monroe Productions – et le seul, puisque *Quelque chose doit craquer*, qu'elle coproduisit en 1962 avec la Fox, ne vit jamais le jour – Marilyn avait choisi Olivier, grand acteur shakespearien et metteur en scène prestigieux. Il la considérait comme une idiote, inculte et obsédée d'elle-même. Elle avait aussitôt repris ses ruses habituelles pour ne pas jouer le rôle : retards, drogues, absences.

« Je pense, racontera-t-elle ensuite, qu'Olivier me haïssait. Même quand il me souriait, son regard était infect. J'étais malade la moitié du temps, mais il ne me croyait pas ou s'en foutait. Il me regardait comme s'il reniflait un tas de poissons morts. Comme si j'avais la lèpre, ou quelque chose d'aussi atroce. Je me sentais ridicule tout le temps. Il s'est approché de moi comme on entre dans un mauvais lieu, et m'a dit d'être sexy, d'une voix condescendante. Ça m'a tuée. Je me sentais mal avec lui. J'étais systématiquement en retard et il m'en voulait à mort. »

Depuis trois semaines, tout récemment mariée à Arthur Miller et enceinte d'un enfant qu'elle perdra en août, la star est en Angleterre pour tourner. Elle est arrivée à Londres par un après-midi pluvieux de la mi-juillet. Elle se trouve au bord de la dépression nerveuse. Rien ne va. Le film, le mariage, le corps qui se dérobe et fatigue. Un jour, ouvert sur la table de la suite à Parkside House, à Englefield Green où elle réside avec son mari, elle trouve son carnet de notes. Elle lit : « Je n'aurais pas dû me marier. Pas avec elle. Elle n'est qu'une femme-enfant, imprévisible et lointaine Abandonnée et égoïste. Ma vie et mes créations seront mises en danger si je cède à son perpétuel chantage à la souffrance. »

Marilyn téléphone pendant des heures à New York, cherchant une aide auprès de Margaret Hohenberg. La psychanalyste accourt et lui accorde quelques séances sur le plateau même où se tourne le film. Marilyn lui parle de Miller : « Il croyait que j'étais un ange, et maintenant, il se demande s'il n'a pas eu tort de se marier avec moi. Sa première femme l'avait quitté, mais il m'accuse d'avoir fait pire. Olivier commence à me traiter comme une salope faiseuse d'ennuis et Arthur ne me défend pas. » Débordée par les angoisses dépressives de sa patiente, et lasse de la tyrannique demande d'amour qu'elle répétait depuis plus d'un an, Hohenberg ne pouvait laisser trop longtemps en suspens sa pratique d'analyste à New York. Elle cherche sur place une solution pour aider Marilyn à faire face aux obligations du tournage.

Londres, Maresfield Gardens,
août 1956

Sous le ciel presque blanc d'une chaude journée
d'août, une Rolls Royce noire s'arrête devant le 20,
Maresfield Gardens. Le chauffeur déverrouille la por-
tière et efface sa massive silhouette, laissant passer
une jeune femme blonde qui se dirige à pas rapides
vers la porte d'entrée. Paula Fichtl, la gouvernante de
la famille Freud depuis vingt-sept ans, ouvre la porte
et fait entrer l'inconnue dans le hall d'entrée. La
femme porte une gabardine bleue toute simple à
col relevé. Aucun maquillage, des cheveux platinés
cachés sous un feutre mou, de grosses lunettes de
soleil. Marilyn Monroe se rend à son premier rendez-
vous psychanalytique chez la fille de Sigmund Freud.
   Le traitement a été préparé avec beaucoup de discrétion et de célérité. Anna redoutait la publicité,
mais, après quelque hésitation, elle a fini par accepter de la prendre. Pendant une semaine, Marilyn
Monroe ne vient pas sur le tournage, nul ne sait ce
qu'elle fait. Tous les jours, sa voiture s'arrête dans

Maresfield Gardens, tous les jours elle disparaît dans le cabinet d'Anna Freud. « Elle n'avait l'air de rien, raconte Paula, une jolie fille, certes, mais pas très soignée. Mrs Monroe était très simple, pas la moindre prétention, un peu craintive, mais quand elle souriait, elle pouvait plaire. »

Un jour, Anna emmène sa patiente au jardin d'enfants de la clinique. Marilyn s'anime, se détend, plaisante et joue avec les petits. Très impressionnée par le travail d'Anna, elle lui raconte qu'elle a lu *L'Interprétation des rêves* à vingt et un ans. La description des « rêves de nudité » l'avait captivée. La nudité compulsive, le besoin de se déshabiller en public est un symptôme qu'elle a longuement exposé à sa première thérapeute. Anna forme son diagnostic et le transcrit sur un carton qui existe encore dans un fichier au « Centre Anna Freud ». Le « Cas Marilyn » y figure sous une forme codée : « Patiente adulte. Instabilité émotionnelle, impulsivité exagérée, besoin constant d'une approbation extérieure, ne supporte pas la solitude, tendance aux dépressions en cas de rejet, paranoïaque avec poussées de schizophrénie. »

Employant une technique de psychothérapie d'enfants, Anna Freud joue avec Marilyn Monroe. Elles se font face, séparées par une table et quelques billes de verre posées dessus. L'analyste attend ce qu'elle va faire avec les billes. Marilyn commence à les lancer une à une dans sa direction. Interprétation de la psychanalyste : « désir d'un contact sexuel ». Le traitement accéléré d'Anna Freud connaît selon elle un plein succès. Au bout d'une semaine, l'actrice reprend le tournage et le termine Elle reprend l'avion pour New York le 20 novembre.

« Mademoiselle Anna et Mrs Monroe se sont quittées en bons termes », rapporte Paula Fichtl. En si bons termes que quelques mois plus tard un chèque d'un montant considérable parvient à Maresfield Gardens, signé Marilyn Monroe.

Colombo, Ceylan,
février 1953

Vivien Leigh, la femme de Laurence Olivier, avait
été un temps en 1953 la patiente du Dr Greenson à
Hollywood. En proie à des crises d'angoisse et de
dépersonnalisation, elle avait été forcée d'interrompre le tournage d'*Elephant Walk* dont les extérieurs étaient filmés à Ceylan sous la direction de
William Dieterle. Peter Finch, l'acteur qui jouait son
mari dans le film, était dans la réalité son amant. La
psychose maniaco-dépressive dont souffrait l'actrice
se manifesta de nouveau. Il lui semblait que la chaleur bleutée de la forêt ceylanaise imprégnait sa robe
légère pour la pénétrer tout entière. Elle était saisie
d'accès de persécution chaque fois que les faciès
bruns des Cinghalais traversaient en trop grand
nombre son champ de vision. Leurs regards lui cau-
saient une peur au-delà de la peur. Son comportement commençait à coûter trop d'argent à la
Paramount. Lors des tournages, Vivien se mit à
contrefaire des poses érotiques, et à vamper Dieterle,

et, ce qui ne lui ressemblait guère, à trébucher sur son texte. Olivier décida de la faire rapatrier à Hollywood. Comme l'avion décollait, on vit Vivien marteler les hublots pour qu'on la laisse descendre. Tout au long des dix-sept heures de vol, elle déchira ses vêtements avec les couverts des repas, lambeau par lambeau.

Le tournage des scènes en intérieur reprit à Hollywood dans les studios Paramount. Vivien avait des moments de lucidité, mais replongeait aussitôt dans l'alcool, les cris, les hallucinations. Le mois suivant, alertés par Olivier, les acteurs David Niven et Stewart Granger se rendent sur les hauteurs de Bel Air dans la maison que Vivien louait, juste après avoir été licenciée par la Paramount. Ils la trouvent assise en peignoir de bain blanc devant l'écran vide d'une télévision. Granger lui fait avaler des œufs brouillés auxquels il mêle des calmants. L'actrice se dévêt et nue va vomir dans la piscine. Quand arrive l'ambulance, l'infirmière lui dit : « Je vous connais, vous jouiez Scarlet O'Hara, n'est-ce pas ? » Vivien Leigh hurle : « Je ne suis pas Scarlet O'Hara, Je suis Blanche Du Bois. » Greenson appelé en urgence tente de la soigner. Consulté pendant six jours sans relâche – au total cinquante heures qu'il factura 1 500 dollars – le psychiatre ne peut empêcher l'actrice de sombrer sous ses yeux.

« Pas si folle, confia-t-il ensuite à Laurence Olivier. Elle sait qu'elle a franchi le pas entre la névrose de destinée du personnage d'*Autant en emporte le vent*, le film de Victor Fleming et Selznick, et la psychose hallucinatoire d'*Un Tramway nommé Désir* de Tennessee Williams et Elia Kazan. Il y a toujours une part de vérité au cœur d'un délire. » Rendant compte quotidiennement au mari de l'état mental de sa femme, Greenson le rassura cependant : elle serait sur pied pour le tournage dans une semaine et pourrait repartir finir les extérieurs à Ceylan. Selon son rival parmi les psychanalystes de stars, Martin Grotjahn, Greenson aurait même prescrit des électrochocs. Leigh ne put reprendre le tournage et dut repartir pour l'Angleterre, où elle fut admise parmi les agités dans un hôpital du Surrey. « Je n'oublierai jamais, clamera-t-elle ensuite. Tous ces malades en train de déambuler un peu partout. Je me suis crue à l'asile. » De ce jour, elle résolut de ne plus jamais remettre les pieds dans un hôpital ou une clinique, de crainte qu'il ne s'agisse d'un asile d'aliénés.

Revenue à Los Angeles quelques mois après, Vivien Leigh regagna sa maison de Bel Air. Un soir, elle invita son analyste à un dîner habillé. Greenson arriva à l'heure dite en smoking, mais son hôtesse retarda le moment de le présenter à ses hôtes distingués. « Allez immédiatement enfiler un sari... soixante-dix personnes arrivent à dix-neuf heures trente. J'ai organisé une fête en votre honneur. » Il n'y avait qu'eux deux dans le vaste salon de l'actrice.

Sept ans plus tard, tandis qu'il poursuit la psychanalyse de la vedette du *Milliardaire*, un soir d'été, amer et découragé, Greenson rentre chez lui et confie à sa femme combien il est frappé de la similitude des situations entre Vivien et Marilyn. Quand il les avait reçues la première fois, les deux actrices venaient de craquer au cours d'un film dans lequel leur partenaire était aussi leur amant, et il avait redit à la Fox à propos de Marilyn ce qu'il avait dit au Studio Paramount de Vivien : elle reprendra dans huit jours. Il ne les avait pas guéries ni l'une ni l'autre.

— Mais Marilyn n'est pas folle, demanda-t-il à Hildi, n'est-ce pas?

— Non. Ni toi non plus. Mais vous pourriez le devenir.

— Fous l'un de l'autre?

— Non : l'un par l'autre.

Los Angeles, Beverly Hills,
fin août 1960

Au cours des prises de vues des *Désaxés*, dans le wagon-ranch leur servant de loge de maquillage, Clark Gable observait Marilyn effondrée. Une scène l'avait brisée. Roslyn empêchait les trois hommes de soumettre et de tuer le cheval mustang qu'ils vendraient ensuite pour faire des aliments pour animaux. La séquence se terminait par un plan très dur. A contre-ciel, le corps coupé en deux par la ligne d'horizon, elle se retournait vers Clark Gable et lui criait : « Je te hais. » Ce n'était pas la bête qui souffrait, c'était elle. Elle souffrait physiquement, elle ne pouvait plus se dire que c'était du cinéma, juste des images. Elle n'était qu'un corps de détresse dans la lumière des flashs. Les images qu'on prenait d'elle, qui jadis lui faisaient du bien, devenaient une blessure, une peau arrachée lambeau par lambeau. Ensuite, chaque fois que des photographes agglutinés lançaient leurs appels pour qu'elle tourne les yeux vers leurs objectifs, ou qu'elle levait la tête et rentrait son visage dans l'ombre, elle se sentait comme le cheval qu'on dompte de la voix, qu'on attache au lasso pour qu'il ne bouge pas, jusqu'à n'être plus qu'une chair paralysée de peur et de haine.

« Ma poulette, lui dit Gable, on doit tous partir un jour, qu'il y ait à cela une raison ou pas. Mourir est aussi naturel que vivre. Les gens qui ont peur de mourir, ces gens ont trop peur de vivre. C'est ce que j'ai toujours vu. Alors, la seule chose à faire c'est oublier. »

Une même question revenait dans les esprits. Marilyn va-t-elle travailler aujourd'hui? Son dernier film l'avait épuisée et ses déboires sentimentaux s'accumulaient. Son aventure avec Yves Montand était terminée. Miller, qui avait écrit la nouvelle servant de base au scénario dans le Nevada à une époque où il attendait que son premier divorce fût prononcé, se retrouvait maintenant au même endroit tandis que son mariage avec Marilyn tirait à sa fin. Voir Marilyn, dans les premières scènes du film, se rendre au tribunal pour divorcer le peinait comme l'image venue d'un rêve auquel on veut s'arracher. Mais en dépit des tensions, c'était souvent auprès de lui que Marilyn cherchait de l'aide.

Pour l'encourager, on fit débarquer Lee Strasberg, qui apparut dans le désert en habit de cow-boy, chemise écossaise, pantalons de cuir, bottes pointues à breloques. Le voyant ainsi, lui, toujours vêtu comme un curé marxiste, Marilyn pleura de rire. Strasberg ne réussit pas à la faire renoncer aux vingt comprimés quotidiens de Nembutal, dont elle accélérait l'effet en crevant leur capsule à coups d'épingle. Le samedi 20 août, la veille de la première du *Milliardaire* au Crest Theater de Reno, à laquelle Montand et Signoret étaient invités, Marilyn restait introuvable. L'après-midi, la Sierra prit feu et des panaches de fumée noire obscurcirent le ciel. Des avions tentèrent en vain de déverser des produits pour arrêter la progression du brasier. Les lignes alimentant la ville furent coupées et Reno fut plongée dans le noir. La première fut annulée. Sur la terrasse du Mapes Hotel désert, à la seule lueur de l'enseigne du toit rétro-éclairée par la lumière blanche d'un générateur, Marilyn buvait du champagne avec les techniciens du plateau et regardait les incendies au loin dans la nuit.

Trois jours après, le tournage reprit, sans Marilyn. Russ Metty, le chef opérateur, expliqua au producteur, Frank Taylor : « Je ne peux pas la prendre. Ses yeux sont absents. On ne peut pas la photographier. Si ça continue le film est fini. » Le 26 août Marilyn dut à nouveau quitter le plateau des *Désaxés* où elle ne retournera que le 6 septembre. Le bruit courait qu'elle avait échappé à la mort volontaire grâce à un lavage d'estomac. Elle fut transportée à Los Angeles par une chaleur torride. On la porta dans l'avion enroulée dans un drap humide. Huston, prédisant ou espérant qu'elle s'effondrerait définitivement et pourrait être remplacée, revint de l'aéroport soulagé et retourna à sa table de jeu habituelle au Casino en chantonnant *Venezuela*. Le tournage était suspendu pour une durée indéterminée par décision de la production.

Marilyn ne s'effondra pas tout de suite. Arrivée à Los Angeles, elle se fit aussitôt conduire au Beverly Hills Hotel et se rendit à un dîner mondain chez la veuve du cinéaste Charles Widor. Le dimanche soir, Greenson et Hyman Engelberg, son généraliste, décidèrent une hospitalisation. Ils l'informèrent ensemble de la suspension du tournage, et lui conseillèrent une semaine de repos, mais pas à l'hôtel ni chez elle. Hildi Greenson ayant refusé un hébergement chez eux et United Artists s'engageant à couvrir les frais d'une hospitalisation, Marilyn fut admise dans une chambre confortable du Westside Westbrook Hospital, sur La Cienega Boulevard. Sous le nom de Mrs Miller, elle y passa dix jours et reçut la visite de Marlon Brando et de Frank Sinatra. Greenson passait ses journées et une partie de ses nuits à son chevet.

Pendant cet épisode, le psychanalyste apparut à ses patients totalement absent et désorienté. Ses collègues l'entendirent tenir des propos sur la fatalité des origines et les destins irréparables. Puis il se reprit. À l'hôpital, il engagea un suivi quotidien et téléphona à Huston pour l'assurer que Marilyn retournerait sur le tournage sous huit jours. Furieux, Huston répondit : « Si je ne peux terminer *Les Désaxés*, c'en est fini de moi comme cinéaste. Personne ne voudra me produire et m'assurer. » Des chroniqueurs révélaient que Marilyn était très malade, plus qu'on ne pouvait le craindre, et suivait un traitement psychiatrique. Engelberg ne put s'empêcher de parler à la presse : « Mademoiselle Monroe souffre d'un épuisement aigu et a besoin de beaucoup de repos. » Frank Taylor parla de problèmes cardiaques et souligna que le film se faisait presque en entier en extérieurs et avait été physiquement très éprouvant, d'autant plus qu'il avait suivi immédiatement *Le Milliardaire*. Ce que ni l'un ni l'autre ne pouvaient dire, c'est que Greenson l'avait trouvée bourrée de sédatifs, Librium, Placidyl et hydrate de chloral.

De l'hôpital, elle ne put s'empêcher d'appeler Yves Montand. Le standardiste du Beverly Hills Hotel lui transmit que « Monsieur Montand ne pouvait la prendre ». Quand le psychanalyste la vit après cet appel dans le vide, elle était comme égarée et répétait : « Vous avez vu ce qu'il a dit, ce salaud, dans son interview avec cette pute de Hedda Hopper ? Il dit que je suis une enfant délicieuse, dépourvue de malice, qui s'est éprise de lui comme une collégienne. Une gamine en chaleur. Il regrette d'avoir cédé, par faiblesse envers une détresse enfantine. Il a même dit qu'il m'avait baisée uniquement pour donner aux scènes d'amour du film une intensité plus réaliste. »

Greenson tente de la persuader qu'elle doit à tout prix reprendre le tournage. « Vous êtes dans une impasse. J'appelle ça l'impasse de l'amour. Quand on y est pris, on ne peut faire du mal à l'autre qu'en s'en faisant à soi-même. » Puis, chez lui, à Santa Monica, il reçoit Huston venu aux nouvelles : « On ne peut qu'attendre et faire attendre. Une star n'est plus un homme ou une femme. C'est un enfant. Une star passe son temps à attendre. Attendre entre deux films, entre deux scènes, entre deux prises de la scène. On ne contrôle rien. Le temps ne vous appartient pas. C'est très passif. Plus que les acteurs qui souvent deviennent réalisateurs ou producteurs pour fuir cette attente, les actrices ont l'habitude. L'attente est le destin des femmes. Il faut la comprendre. Mais je me porte garant que dans quelques jours elle pourra reprendre le film. » Huston est sur le point de couper court aux exposés cliniques de Greenson lorsque l'apparition de Marilyn au milieu de l'entretien vient confirmer les engagements de son médecin. Bien éveillée, brillante, vibrante, elle lance au metteur en scène un salut enjôleur. Puis elle se tourne vers l'analyste avec le sourire gêné d'un enfant surpris en train de se toucher : « Je suis consciente du mal que m'ont fait les barbituriques. Mais c'est fini. » Puis elle s'adresse à Huston : « Je suis embarrassée et je vous remercie de m'avoir forcée à arrêter cette semaine. J'aimerais reprendre. Vous voulez bien ? » Le metteur en scène ne répond rien. Greenson rompt le silence et déclare qu'elle serait prête, sans barbituriques.

Marilyn retourna à Reno le 5 septembre. Dans la nuit chaude, l'avion se posa. Un orchestre jouait parmi les cris, les bravos et les chants. Des pancartes gueulaient : BIENVENUE MARILYN. Huston explosa : « Ces salauds de producteurs savent communiquer ! Effacer la surdose sous la liesse populaire... » Le lendemain Marilyn était aux aurores sur le plateau. Mais quand elle revint sous les projecteurs, elle sentit quelque chose d'irréel. En elle, et autour d'elle.

Le tournage dans le Nevada se termina le 18 octobre. Les derniers jours, Arthur Miller récrivait sans arrêt le scénario et quand on notifiait à Marilyn ces changements, elle restait toute la nuit à préparer les nouvelles répliques. Clark Gable lui annonça : « Je ne veux plus de modifications du script. Aide-moi. Il faut que nous refusions. » Début novembre, les scènes intérieures du film furent tournées dans les studios Paramount à Hollywood. Un photographe de l'agence Magnum venu couvrir la fin du tournage, Ernst Haas, décrira ainsi l'ambiance : « Tous les gens impliqués dans le film étaient des désaxés – Marilyn, Monty, John Huston –, ils sentaient tous un peu la catastrophe. » Huit ans avant, dans son autobiographie supposée, *Mon histoire*, Marilyn se nommait elle-même « la désaxée d'Hollywood ». Gable, égal à lui-même, parlait peu. Le dernier jour du tournage, lorsqu'elle entendit l'assistant de Huston, Tom Shaw, crier : « C'est dans la boîte », Marilyn éclata de rire : « Tu l'as dit ! Dans la boîte, y a que là qu'on est bien. À l'étroit, c'est sûr, mais tranquille ! » Tout le monde se rendait compte que certaines stars sont comme les étoiles qu'on voit dans le ciel et qui ont en fait cessé de briller. Leur lumière nous parvient encore, mais elles sont mortes. Ces acteurs jouaient dans une fiction qui n'était autre que le reflet de leur vie. C'était comme s'ils assistaient à leurs propres funérailles.

Début décembre, Marilyn alla retrouver Frank Sinatra qui se produisait au Sands Hotel de Las Vegas. Deux des sœurs du président Kennedy étaient là, Pat Lawford et Jean Smith. Au retour, Greenson trouva sa patiente terriblement seule, et la décrit à Marianne Kris « habitée d'un sentiment de persécution à coloration paranoïaque ». Il estime que c'est une réaction à ces gens qu'elle fréquente et qui ne peuvent que lui faire du mal. Il ne nomme pas, même par des initiales, les personnes auxquelles il fait allusion.

Peu après, Henry Hathaway, qui l'avait dirigée dans *Niagara*, croisa l'actrice à Hollywood. Elle se tenait seule dans un studio d'enregistrement éteint. En s'approchant, il remarqua qu'elle pleurait. « J'ai joué Marilyn Monroe, Marilyn Monroe, Marilyn Monroe. J'ai essayé de faire autrement. Je me suis retrouvée en train de faire une imitation de moi-même. Je veux quelque chose de différent. L'une des choses qui m'ont attirée vers lui, c'est quand Arthur m'a dit que ce qu'il voulait, c'était moi, vraiment moi. Quand je l'ai épousé, je rêvais de pouvoir m'éloigner de Marilyn Monroe grâce à lui et maintenant je me retrouve en train de faire la même chose. Je ne peux pas le supporter. Je veux sortir de là. Je ne peux pas accepter de tourner une autre scène avec Marilyn Monroe. »

Un week-end, durant le tournage des *Désaxés*, Marilyn s'était rendue à San Francisco. Peut-être devait-elle y retrouver quelqu'un. On sait qu'elle y assista dans une boîte de nuit, le Finnochio Club, au spectacle d'un imitateur travesti qui avait pris son image et sa voix. On sait qu'elle partit avant la fin.

Santa Monica, Franklin Street,
début septembre 1960

Quand John Huston prit l'avion pour Los Angeles afin d'y rencontrer Greenson, il ne voulait pas seulement savoir ce qu'il en était de la dépression de l'actrice, mais discuter du projet de son film sur Freud pour lequel il rencontrait des difficultés. Il connaissait l'hostilité du psychanalyste au projet et son influence sur Marilyn, et tentait ainsi une dernière chance pour s'assurer de son soutien.

« J'ai fait le trajet Reno-Los Angeles, rien que pour voir Greenson, dit le cinéaste à Arthur Miller. Pas pour la voir, elle. Qu'elle se démerde avec ses pilules. Mais lui, ce salaud, il bloque depuis deux ans mon projet Freud. Elle a surgi en plein milieu de notre conversation et je n'ai pas pu faire dire à son psychanalyste qu'elle devait tourner mon *Freud*. » À ce moment-là, Huston comprit que la participation de Marilyn avait définitivement sombré. Il préparait ce film depuis des années et lui avait proposé le rôle plusieurs mois avant, lorsque finalement elle refusa d'y incarner Cecily. Dans le scénario écrit par Sartre et le metteur en scène lui-même, ce personnage condensait en une seule figure diverses patientes de Freud, ces hystériques du ventre desquelles était sortie la psychanalyse. Le film devait montrer comment Freud soignait la pathologie sexuelle par la parole et retracer ainsi l'histoire de l'invention de la psychanalyse. Huston aimait beaucoup faire remarquer que le cinéma était né exactement la même année que la découverte freudienne, en 1895.

Lorsque Marilyn apprit que Huston préparait ce projet, elle ressentit aussitôt un vif intérêt. « Je veux vraiment que tu sois Cecily dans mon *Freud*, et Monty sera le docteur des hystériques ! » Elle était aux anges. « Patiente, je connais ; impatiente aussi », répondit-elle. Tout en sachant qu'il la détestait, elle était tout de même très tentée de jouer ce rôle pour Huston et ne regrettait pas d'avoir tourné sous sa direction son premier film important, *Asphalt Jungle*, et tout récemment *Les Désaxés*. Un peu superstitieuse, elle regardait comme un destin de n'avoir jamais fait plus de deux films avec le même réalisateur. Mais quelques jours plus tard, elle dit au metteur en scène : « Je ne peux pas le jouer. Anna Freud refuse qu'on tourne la vie de son père. C'est mon analyste qui me l'a dit. Tant pis pour Freud, il m'attendra en jouant avec ses antiquités ! »

En l'occurrence, Greenson tentait de concilier les intérêts de son héritage intellectuel avec ceux de sa patiente dont il était devenu l'agent et gérait les enjeux de carrière et les contrats financiers. Lorsque le cinéaste lui avait parlé, il avait été catégorique.

— Des images freudiennes à l'écran, d'accord. Des images de Freud, pas question.

— Je ne comprends pas, avait répondu Huston. La psychanalyse, ça parle de sexe, d'amour, d'images oubliées, celles que Freud voulait entendre, mises en mots.

— Freud était un visuel, c'est vrai, mais ne supportait pas qu'on le photographie. Un film sur lui est un contresens.

— Pas d'accord ! Il a inventé cet étrange dispositif du divan et du fauteuil pour que le patient et l'analyste ne se regardent pas mais voient les images que projette la parole. C'est ça que je vais montrer dans mon *Freud*. Ça qui est aussi au cœur du cinéma : le regard tourné vers un secret derrière l'écran, vers ce qu'on ne voit pas. L'écoute interrogeant les images. Après tout, vous psychanalystes, vous venez de l'hypnose où l'on fixe quelqu'un les yeux dans les yeux pour faire revenir à ses lèvres les mots oubliés. Dites-moi : ce refus de montrer la psychanalyse au cinéma, c'est dû, comme vous le dites, à une opposition de fond entre eux, ou, comme vous le savez, à une trop grande proximité ?

— Ni l'un ni l'autre, dit Greenson. C'est dû au fait qu'Anna est toujours vivante et gardienne de la mémoire de son père.

Londres, Maresfield Gardens,
printemps 1956

Les relations entre Ralph Greenson et Anna Freud
restèrent longtemps protocolaires et épistolaires.
Puis, peu à peu, un lien personnel s'établit. En 1953,
il lui envoya des photos qu'il avait prises d'elle lors
d'un séjour à Londres. Elle fit une réponse étrange :
« D'habitude, sur les photos, je ressemble à une sorte
d'animal malade, mais je me trouve très humaine sur
les vôtres. » En 1959, lorsque Anna se rendit à Los
Angeles pour la première et dernière fois, elle résida
dans la maison des Greenson. Il l'emmena dans de
vastes promenades, la fit nager dans sa piscine et la
conduisit lui-même pour visiter Palm Springs après
les conférences qu'elle donnait devant la LAPSI. Une
réception se tint chez lui en son honneur et personne n'osa s'asseoir sur le sofa au côté de la fille de
Freud. Anna le remercia de ce séjour : « Je trouve très
difficile d'imaginer Los Angeles sans moi. »
   Un an plus tard, Ralph et Hildegarde Greenson
lui rendent visite à Londres et passent plusieurs

semaines à Maresfield Gardens. « Le couple Greenson occupait ma chambre, dira Paula Fichtl, la gouvernante de la famille Freud, et Monsieur le Docteur dormait même dans mon lit. Mademoiselle Freud a passé un certain nombre d'heures avec Monsieur le Docteur et avec le Docteur Kris. Ils ont parlé de Mrs Monroe en spécialistes. » À cette occasion, les Greenson apportèrent à Anna une petite poupée indienne en daim. « Je joue parfois avec la poupée, leur écrit Anna en remerciement, mais d'autres fois, je la regarde seulement, et j'imagine qu'elle est ma déesse païenne. »

En 1956, l'année où Anna Freud soigna brièvement l'actrice la plus célèbre au monde, Greenson ne traitait pas encore Marilyn mais il s'empressait déjà pour défendre les intérêts de l'institution freudienne. La communauté psychanalytique s'activait pour célébrer le centenaire de Freud. Certains espéraient pouvoir mettre la main sur les films tournés du vivant de Freud, notamment par Mark Brunswick, un ancien patient qui cherchait à payer son analyse en vendant ses images de Freud aux Archives officielles. Anna et Ernst, les enfants du maître, bien que touchés par la situation de Brunswick, s'opposèrent fermement à ce projet et demandèrent à tous les analystes viennois installés en Amérique d'adopter la même attitude.

Les professionnels du cinéma avaient eux aussi leurs projets, dont il devenait urgent d'empêcher la réalisation. John Huston, appuyé par différents producteurs, reprit sa vieille idée d'un film sur Freud. Il recruta les deux collaborateurs de *Let There Be Light*, le producteur Julian Blaustein et le scénariste Charles Kaufman. « Faire ce film, dira le cinéaste, c'est comme avoir une sorte d'expérience religieuse. Je réalise une obsession fondée sur la conviction intime que les plus grandes aventures humaines, les plus grands voyages, n'égaleraient jamais celui que Freud fit dans les territoires inconnus de l'âme humaine. » Mais l'opposition résolue d'Anna Freud empêcha le projet pendant cinq ans. Huston continua à admirer Freud et sa découverte, mais voua ensuite une véritable haine aux indignes officiants qu'étaient les psychanalystes.

Lorsqu'elle eut connaissance du projet, la fille du père de la psychanalyse entra dans une grande colère. Un aspect la chagrinait beaucoup : la présence de Marilyn dans la distribution. Son père en héros du cinéma, écoutant Marilyn Monroe étendue sur un divan, le tout d'après un scénario de Sartre, c'était tout de même trop pour la gardienne du temple qui se fera enterrer enveloppée dans le manteau de son père et qui signait ses lettres ANNAFREUD, en un seul mot.

Mais à ce moment, Marianne Kris, qui n'était plus qu'épisodiquement la thérapeute de l'actrice lors de ses passages à New York, ne pouvait empêcher ce funeste scénario. Faute de pouvoir interdire le film, Anna s'est donc servie de Greenson pour en écarter son ancienne patiente. Le rôle de Cecily fut donné à Susanna York. Le tournage dura cinq mois. *Freud, pas-*

sion secrète sortit en 1962 et fut un échec commercial que Huston attribua au fait que Marilyn n'incarnait pas la figure de la femme en proie aux tourments du sexe. Après la première, il déclara : « Nous avons tenté d'accomplir quelque chose d'inédit dans l'histoire de l'écran : pénétrer dans l'inconscient du public, choquer et émouvoir le spectateur par la reconnaissance de ses propres motivations psychiques secrètes. »

Invité par Huston, Greenson ne voulut pas se rendre à la projection du film à Hollywood. Mais quelques semaines plus tard il rappela le metteur en scène pour lui reparler de Marilyn. « Je n'ai rien à vous dire, aboya le cinéaste. Vous êtes un lâche. Finalement, c'est bien que nous n'ayons pas pu lui faire jouer l'hystérique de Freud, on n'aurait pas compris que le vieux sage ne la renverse pas sur le divan au bout de cinq secondes de cure par la parole. »

New York, Central Park West,
1957

C'est au début de 1957 que Marilyn rompit avec Margaret Hohenberg et qu'Anna Freud, à qui elle demanda de lui indiquer un nouveau thérapeute, lui recommanda Marianne Kris. Fille du pédiatre des enfants de Freud, elle était pour Anna un peu plus qu'une collègue exilée en Amérique. Amie d'enfance et compagne de route pendant les années viennoises, elle avait choisi l'exil en Amérique en 1938. Comme Anna, Marianne avait été en analyse avec le père fondateur, et Marilyn pensait entrer ainsi en contact avec la source freudienne elle-même.

Agée de cinquante-sept ans, Marianne Kris était une femme encore belle, aux cheveux noirs. Elle venait de perdre son mari, lui aussi analyste et expert en objets d'art. La troisième analyse de Marilyn (si on inclut celle menée par Anna elle-même) dura quatre ans, interrompue la dernière année par des retours à Los Angeles où elle était suivie par Ralph Greenson.

Marianne Kris habitait le même immeuble que les Strasberg, 135 Central Park West, et au printemps 1957, Marilyn poursuivit son analyse à raison de cinq séances par semaine. En sortant de chez Marianne, elle se rendait par l'ascenseur à l'étage où habitaient les Strasberg et le travail de réminiscence continuait sur un mode plus théâtral. Des « exercices de mémoire » lui étaient imposés, consistant en un rappel de l'enfance et des jeunes années. Une fois, c'était un bébé affamé qu'elle devait jouer. Pas jouer : dire, ou mieux : laisser parler, précisait Strasberg. Une autre, un orphelin solitaire, ou une écolière perdue, une fiancée trahie... La charge des séances était tellement lourde qu'Arthur Miller décida leur installation en sous-location dans un quartier moins central. La question de la psychanalyse devint un sujet de conflit entre Marilyn et son mari. Il pensait que les psychiatres ne pouvaient aider la plupart des gens et s'agaçait de voir que, pour elle, il n'y avait pas d'accidents innocents de la parole, de lapsus insignifiants, pas de geste ou de phrase dénués d'une intention cachée, et que la plus banale des remarques pouvait receler une menace sinistre.

Tout en reconnaissant à Marianne Kris, comme ensuite à Ralph Greenson, une grande intégrité et un réel dévouement à leur patiente, Miller déduisit que l'analyse avait été un échec. « La plupart des gens que je connais qui sont entrés en analyse n'en sont jamais sortis. Ils étaient défaits au départ ; défaits ils sont restés. Avant que nous ayons des psychiatres, les gens vivaient en tribu ou en société et étaient soute-

160

nus ou détruits par les valeurs et la religion qui leur avaient été donnés. C'est beaucoup demander à la psychiatrie de donner à une personne des valeurs. »

Lee Strasberg n'était évidemment pas d'accord avec Miller. Il pensait que l'analyse commencerait à libérer Marilyn. Le travail dans les cours de l'Actors Studio était selon lui une analyse de son analyse. Lorsque des scènes étaient difficiles car l'acteur bloqué était incapable de prendre contact avec certaine expérience ancienne, le fait de s'en souvenir dans le cadre de l'analyse lui rendait possible ce contact et créait une sorte de sublimation. Un jour, Marilyn, un peu terrorisée par sa psychanalyste, dit à Susan Strasberg qu'elle n'arrivait pas à atteindre ses souvenirs d'enfance lors de ses séances. Elle avoua que lorsque sa psychanalyste lui posait une question à laquelle elle ne savait répondre, elle inventait quelque chose d'intéressant. Et à Rupert Allan, son agent, elle confia qu'avec Kris, comme avec Hohenberg, elle avait le sentiment de tourner en rond, de tracer des cercles dans un passé inaccessible. « C'était toujours ça : comment j'avais vécu ceci ou cela, pourquoi selon moi ma mère avait agi de telle façon. Jamais elles ne cherchaient où je voulais aller, toujours où j'avais été. Mais je savais bien où j'avais été, dans quelle sale enfance. Ce que je voulais savoir c'est que faire pour aller au-delà. »

Pour tuer la souffrance traversée dans cette double expérience analytique, elle s'adonnait aux barbituriques qui avaient plus d'effets que les séances. Elle fit une tentative de suicide. Miller la sauva et dit ensuite qu'il était vain de faire remonter son acte à quelque chose qui avait été fait ou dit. « La mort, l'envie de mort, surgit toujours de nulle part. » Nulle part, c'était l'espace du dedans, le sombre intérieur condamné à l'oubli, la souffrance en attente d'un objet. Étaient-ce des résidus du désespoir d'avoir perdu un bébé, était-ce le fait de percevoir que Miller, qui lui avait juré qu'il ne se servirait jamais d'elle comme personnage, était en train d'écrire sa pièce *Après la chute* et montrait une femme désaxée, exposant ce qu'il savait de Marilyn au monde entier? Pensait-elle que, devenant Maggie, la femme que méprise Quentin, le héros, elle pouvait donner corps et vraisemblance à cette image littéraire d'elle-même à travers sa propre mort?

Pyramid Lake, environs de Reno, Nevada,
19 septembre 1960

Après que John Huston avait obtenu d'Universal une avance de 25 000 dollars sur son *Freud*, la reprise du tournage des *Désaxés* remit Marilyn face à Montgomery Clift dans un long plan-séquence dialogué de cinq minutes. L'arrière-cour d'un dancing minable, le Dayton Bar. Sous une bâche noire goudronnée et des projecteurs de dix mille watts, au milieu de carcasses de voitures, de canettes vides et d'ordures, Roslyn et Perce s'affrontaient dans un air saturé de mouches. Les deux acteurs ne pouvaient dire leurs répliques comme Huston le voulait : hachées, méchantes. Leurs mots étaient des caresses qu'échangeraient des animaux blessés.

Trois jours plus tard, vint une scène de lit. À la septième prise, Marilyn, nue sous les draps, était réveillée par Clark Gable habillé. Elle n'arrivait pas à s'en tenir au script et se souvenait de l'injonction de Laurence Olivier : « Sois sexy », ce qui voulait dire : « Sois ton image, c'est tout ce que tu sais être. » Elle se redressa et montra son sein droit à la caméra. Ce fut un moment triste, comme la photographe de Magnum, Eve Arnold, s'en souvint ensuite. Comme si l'actrice n'avait que ça à offrir. Comme si elle renonçait au texte, au langage, au jeu d'acteur. Comme si elle donnait raison à Olivier et pensait satisfaire Huston. Elle se trompait. Au regard qu'elle lui lança après le « Coupez ! », il répondit : « Je les ai déjà vus. Il y a longtemps que je sais que les filles ont des seins. » Il exigea d'autres prises, la poitrine couverte par le drap.

Quelques jours après, on reprit le dialogue Roslyn-Perce. Cette fois, Marilyn donna au metteur en scène la performance qu'il attendait. « C'est la meilleure scène du film. » Mais lorsque Huston vint la retrouver à l'Holiday Inn où elle s'était installée avec Paula Strasberg, il vit une Marilyn droguée, pas lavée, les cheveux emmêlés, en chemise de nuit douteuse. Passant de l'euphorie à la transe. « Tu vois, Marilyn, la drogue, c'est ça ! Ça te fait prendre ton épouvante pour de l'extase ! » Un médecin était en train de chercher une veine sur le dos de sa main pour lui faire une injection d'Amytal.

« Quand j'ai dû interrompre le tournage, dira plus tard Huston, j'ai su qu'elle était foutue. Une prémonition. Condamnée à mort. Elle ne pouvait se sauver ni être sauvée. J'ai vu dans quel vide elle allait, de son pas de somnambule, et j'ai pensé : dans trois ans elle sera morte ou en institution. Mais ce que je garde d'elle à cette époque, c'est l'innocence. J'aime la corruption d'Hollywood. J'aime aussi qu'il y ait des êtres non pas purs ou intacts, ça ne veut rien dire, mais qui se savent corrompus. Corrompus, oui. Question de chair. Les êtres s'avarient comme les viandes. Elle, non. Elle gardait quelque chose d'incorruptible. Voyez-vous, un jour, j'ai discuté d'elle avec son masseur, Ralph Roberts, " le masseur des stars ". Il avait aussi été acteur. Il disait que Marilyn avait une chair différente de toutes les autres personnes qu'il avait touchées. Une chair, pas seulement une peau. Quelque chose de premier, d'inespéré. On voit ça sur l'écran. On ne voit que ça. On ne filme pas un corps, on est aveuglé par la lumière d'un corps. Même dans *Les Désaxés*, où il est un peu bouffi. Sartre me disait un jour : " Ce n'est pas la lumière qui émane d'elle, mais la chaleur : elle brûle l'écran. " »

New York, Manhattan,
1959

Fin 1959, à New York, Marilyn se rapproche des écrivains qu'elle admire. Carson McCullers l'invite dans sa maison de Nayack, où elles échangent avec la romancière Isak Denisen de longs propos sur la poésie et la littérature. Le poète Carl Sandburg, croisé sur le tournage de *Certains l'aiment chaud*, lui rend souvent visite dans son appartement de Manhattan pour d'interminables face à face où elle mélange la lecture de poèmes et des imitations d'acteurs.

Marilyn et Truman Capote se retrouvent.

— Je vais te parler d'un projet. J'ai écrit l'an dernier un court roman, *Petit déjeuner chez Tiffany*. La fille dans mon livre – elle se nomme Holly Golightly – c'est moi. C'est la leçon de mon maître, Flaubert, mon ami secret. Mais Holly, c'est toi, aussi. Tu sais, mes romans sont des souvenirs de souvenirs, et je voudrais que les lecteurs se souviennent de mes personnages comme on se souvient d'un rêve ou d'une personne qu'on a croisée, avec un mélange de vague et d'acuité extrême. Tu veux que je te dise la première phrase : " Je suis toujours ramené vers les lieux où j'ai vécu ; les maisons et leur voisinage. " Le narrateur se souvient d'une fille un peu pute, un peu saoule, un peu folle. Elle fréquentait naguère un bar sur Lexington Avenue. C'est une fille qui n'appartient à rien, à aucun lieu, à personne et encore moins à elle-même. Une personne déplacée. Toujours en quête, en voyage, en fuite. Elle ne se trouvera jamais chez elle. On lui demande ce qu'elle fait dans la vie. Elle répond : " Je pars ". Dans le roman, je l'appelle : " Celle qui voyage ". On va en faire un film. Ça te dit ? »

« Moi, répondit-elle, ce serait plutôt : " Je reviens ", ma devise. Mes voyages sont toujours les mêmes. Peu importe où je vais et pourquoi j'y vais, à la fin je n'ai jamais rien vu. Etre actrice de cinéma, c'est comme vivre sur un manège. Tu voyages, mais sur le manège, en rond. Et partout, les gens du coin, tu ne les connais pas, tu ne les vois pas. Tu ne vois pas au-delà du décor. Juste les mêmes agents, les mêmes interviewers, les mêmes images de toi. Les jours, les mots, les visages semblent ne passer que pour revenir encore. Comme dans ces rêves où on se dit : j'ai déjà rêvé ça. C'est sûrement pour ça que j'ai voulu être actrice, pour *tourner*, justement, mais sur place, en revenant toujours au même endroit. Le cinéma est un manège pour enfants. »

Marilyn avait très envie de jouer Holly Golightly. Elle travailla toute seule deux scènes entières et les interpréta pour Truman qui la trouva fantastique. Ils passèrent des nuits à répéter, entrecoupées d'*Anges blancs* et de vociférations autour de *Diamonds are a girl's best friends* (Les diamants sont les meilleurs amis d'une fille), sa chanson du film *Les hommes préfèrent les blondes*. Mais Hollywood avait une autre conception de l'héroïne du roman et opta pour la brune, sage et aucunement sensuelle Audrey Hepburn. « Marilyn aurait été absolument merveilleuse dans ce rôle, mais la Paramount m'a blousé sur toute la ligne », conclut Capote écœuré par l'adaptation faite par le Studio La fin n'était plus l'évocation par le narrateur de ses souvenirs de la fille perdue. Il la convainquait de rester à New York « car cette ville et elle s'appartenaient à jamais ». « J'aime New York parce qu'elle m'échappe », disait au contraire Holly dans le roman. Une phrase que Capote avait entendu dire par son double, son ange blanc.

Los Angeles, Sunset Strip,
fin septembre 1960

En analyse depuis huit mois avec Greenson, Marilyn avait été quittée par Montand. Elle voulait aimer, mais ne savait pas qui. Elle téléphona à André de Dienes. Elle n'était qu'une plainte. Il la taquina en lui proposant de venir chez lui où il avait « le remède à tous les maux ». « Viens te renseigner sur mon traitement miracle, tu oublieras tes soucis. » Elle ne vint pas ce jour-là. Mais, quelques semaines plus tard, une dame étrangement vêtue descendit d'un taxi à l'entrée de l'allée conduisant à la maison dans les collines. Marilyn était tellement emmitouflée qu'André ne la reconnut que quand elle s'approcha du garage où il s'occupait à des travaux de jardinage. Elle portait un fichu sur la tête, des lunettes noires, un jean, des sandales, un manteau. Quand elle fut à trois mètres de lui, elle ôta ses lunettes et il la reconnut enfin. Qu'était-il donc arrivé à sa ravissante Norma Jeane qui riait tout le temps ? Comment pouvait-elle avoir l'air si éteint, si malheureux ? Elle lui annonça qu'elle était venue voir ce qu'était son « remède à tous les maux ».

— Qu'est-ce qui ne va pas?

— Je n'ai pas fermé l'œil de la nuit.

— Tu as bu beaucoup de café hier?

— Non.

— Tu es fauchée?

— Non.

— Tu as beaucoup de soucis?

— Tout un tas. On m'escroque!

— C'est la première cause d'insomnie. Tu es en colère, parce que tu te sens exploitée. Te sens-tu seule? Dis-moi la vérité, Marilyn, l'absolue vérité!

Elle ne répondit rien.

— Quand as-tu fait l'amour pour la dernière fois? Depuis combien de temps tu n'as pas eu d'orgasme?

— Des semaines et des semaines. M'en fous!

Après avoir fini de transplanter un arbuste, André proposa de lui servir un cocktail. Elle allait accepter quand ils furent interrompus par une autre visiteuse. L'agence de modèles pour laquelle le photographe travaillait envoyait une jolie jeune femme pour poser. À l'opposé de Marilyn méconnaissable, elle portait des talons aiguilles et une robe moulante en soie rose. Sa longue chevelure retombait avec élégance sur ses épaules. La fille lui adressa son plus beau sourire et entra dans le long couloir de la maison en imitant la célèbre démarche de Marilyn Monroe. Le modèle, prêt à poser nue pour cinquante dollars, était plus sexy que Marilyn. Epuisée, nerveuse et déprimée, elle est simplement moche, pensa André.

Marilyn détourna la tête pour éviter d'être reconnue par la jeune femme et pendant qu'ils bavardaient, elle s'éclipsa pour appeler un taxi. Elle s'enferma ensuite dans les toilettes jusqu'à l'arrivée de la voiture, puis demanda à André de faire en sorte que le modèle ne la voie pas sortir. Au moment de grimper dans le taxi, elle se souvint : quel était « le remède à tous les maux » ? Trop embarrassé pour en parler devant le chauffeur, il lui demanda d'attendre un peu, courut dans son bureau et griffonna quelques lignes sur un papier déchiré. Il le lui donna quand le taxi démarrait. Marilyn lut : « Le sexe, mon sexe. » Elle lâcha : « Le con ! Le vrai remède, c'est mourir. » Puis elle jeta par la fenêtre le papier froissé qui vola quelques mètres dans la poussière du soir sur la route en pente vers Sunset Strip.

Los Angeles, Westwood Village,
novembre 1960

La dernière soirée à Reno avait été pathétique. Bourrée au bourbon, Marilyn avait dit : « J'essaie de me trouver en tant que personne. Des millions de gens vivent leur vie sans se trouver. Le seul moyen que j'aie trouvé finalement, c'est de m'éprouver moi-même en tant qu'actrice. » Le 4 novembre, Huston refit aux studios d'Hollywood une dernière prise de la fin heureuse des *Désaxés* où l'on voit Marilyn et Gable partir vers une vie ensemble. Avec quarante jours de retard, le film était enfin achevé. Le week-end suivant, Marilyn et Arhur Miller repartirent pour New York par deux vols séparés. Elle garda l'appartement de la 57ᵉ Rue Est et lui s'installa à l'hôtel Adams, sur la 86ᵉ Rue Est.

Elle reprit ses séances quotidiennes avec Marianne Kris, et le reste du temps, visionnant les planches-contacts des noirs et blancs faits par Henri Cartier-Bresson, Inge Morath et Eve Arnold lors du tournage des *Désaxés*, elle rayait d'une croix rouge toutes les photos où apparaissait Arthur. Douze jours plus tard, lorsqu'elle apprit la mort de Clark Gable, Marilyn n'en parla pas à Kris. Ce n'est que quelques semaines après, de retour à Los Angeles, qu'elle se rua chez Greenson dans son cabinet de Beverly Hills cette fois.

— Depuis que Clark est mort, vous ne pouvez pas savoir combien je suis cassée. Dans les scènes d'amour des *Désaxés*, je l'embrassais avec passion. J'aimais ses lèvres, et sa moustache me caressait lentement quand il tournait le dos à la caméra. Je ne voulais pas coucher avec lui ; je voulais simplement qu'il sache combien je l'aimais. Sentir ma peau nue contre ses vêtements. Un jour, j'ai manqué une journée sur le tournage. Il a mis sa main sur mes fesses comme on flatte un gentil animal et m'a dit : « Si tu ne te maîtrises pas, je te donnerai une fessée. » Puis il m'a regardée au fond des yeux : « Ne me tente pas », et s'est mis à rire aux larmes. Ces fumiers de l'Academy of Motion Pictures Arts and Science – elle souligna ces mots avec ironie – ne lui ont même pas filé l'Oscar pour *Autant en emporte le vent*. J'ai vu le film pour la première fois quand j'avais treize ans, comme ça. Je n'ai jamais vu ensuite quelqu'un d'aussi romantique. Mais lorsque je l'ai connu, c'était différent : j'aurais voulu qu'il soit mon père, qu'il me donne autant de fessées qu'il voulait, pourvu qu'il me serre contre lui et me dise que j'étais la petite fille de son papa chéri et qu'il m'aimait. Bien sûr, vous allez dire : « Fantasme œdipien classique. »

Greenson se tut et caressa sa moustache.

— Le plus étrange, reprit Marilyn, c'est que j'ai rêvé de lui il y a quelques jours. Il me tenait serrée contre lui, assise sur ses genoux, et me disait : « Ils veulent me faire tourner une suite à *Autant en emporte le vent*. Peut-être tu pourrais être ma nouvelle Scarlet ? » Je me suis réveillée en pleurs. Sur le tournage des *Désaxés*, on l'appelait le Roi et tout le monde, acteurs, techniciens, et même Huston, le regardait avec respect. J'aimerais qu'un jour on me traite comme ça. Pour tout le monde, il était Mr Gable, mais il voulait que je l'appelle Clark. Un jour, il m'a dit que nous avions quelque chose de très fort en commun. Un secret. Sa mère était morte quand il avait six mois.

Peu après, lors d'une séance très agitée, les pupilles dilatées, le regard tendu vers l'invisible ou le noir, Marilyn avait dit d'une voix légère, presque enjouée, comme on raconte un conte de fées à un enfant :

— Quand j'étais petite, je me prenais pour Alice au pays des merveilles ; je me regardais dans les miroirs en me demandant qui j'étais. C'était vraiment moi ? Qui me regardait en retour ? Peut-être quelqu'un qui faisait semblant d'être moi ? Je dansais, je faisais des grimaces, juste pour voir si la petite fille au miroir faisait de même. Je suppose que tous les enfants sont emportés par leur imagination. Le miroir est magique, comme le cinéma. Spécialement quand on joue quelqu'un d'autre que soi-même. Comme quand je portais les vêtements de ma mère, que je me coiffais et me maquillais comme elle : le rouge, les joues, les lèvres, le noir, les yeux. J'avais sûrement l'air d'un clown plus que d'une femme sexy. On riait de moi. Je pleurais. Quand j'allais au cinéma, il fallait m'arracher à mon siège. Je me demandais si c'était réel, tout ça, ou bien des illusions. Ces immenses images là, en haut, sur le grand écran dans la salle sombre, c'était le bonheur, la transe. Mais l'écran restait un miroir. Qui me regardait? C'était vraiment moi, la petite fille dans le noir, moi, la grande femme dessinée par un faisceau d'argent? Moi, le reflet?

Hollywood, Doheny Drive,
automne 1960

Les images sont une peau. Dure. Froide. Derrière celles qu'elle projetait, Marilyn s'effondrait encore. Quand elle ne savait plus qui être, elle cherchait une réponse dans le regard d'un homme. C'était pour elle un troc : par tes yeux, tes mains, ton sexe, dis-moi que j'existe. Dis-moi que j'ai une âme et tu pourras prendre une part de mon corps, y pénétrer par un de ses trous, ou le saisir à distance pour le photographier.

Un jour d'automne, elle débarqua à nouveau à l'improviste chez André de Dienes, l'amant perdu et retrouvé : tailleur noir, simple, élégant. Elle semblait calme, triste même. Elle l'embrassa tout de suite :

— André, fais de nouvelles photos de moi ce soir. Et demain. Encore, et encore. Je dormirai chez toi.

Il ne voulut pas de ce marché et la raccompagna chez elle, à quelques blocs de là. L'appartement était à l'abandon, plein de valises à peine ouvertes, de caisses de déménageurs vides. Dans un angle, deux grandes malles-cabines. Les caisses servaient de tables, l'une pour préparer les cocktails à la vodka, l'autre pour une lampe, un tourne-disque portatif, un téléphone et une coupe de roses jaunes. Des casiers de bois brut couvrant un mur et dessus, en vrac, un demi-rayon de littérature. André aima cette pièce, son air de fuite à la cloche de bois. L'appartement de Holly Golightly, le personnage de Capote, pensa-t-il.

Marilyn était indécise. Elle avait le sentiment de ne plus être nulle part. Le photographe regarda la femme la plus connue au monde, la plus adulée, enfoncée dans ce fauteuil sale, au fond d'un vieil appartement délabré sentant le moisi. Seule. Ne sachant où aller. Il lui parla de la ferme qu'elle avait achetée dans le Connecticut et où elle avait vécu avec Arthur Miller.

— C'était là, chez toi, dit-il.

Elle répondit qu'elle l'avait laissée à Arthur.

— Tu es folle de donner la seule maison que tu aies jamais possédée. Rien n'est plus important dans la vie que d'avoir un toit à soi. Tu t'arranges pour te retrouver à la rue. Tu es stupide ! Ton cœur te perdra ! Qu'est-ce que tu fais de ta vie, Norma Jeane ?

Elle le dévisagea avec un vague sourire, puis versa du champagne d'une bouteille à moitié vide dans un récipient en plastique. Il se demandait quel était le véritable motif de sa visite cet après-midi-là. Que voulait-elle de lui qu'elle ne pût obtenir ailleurs et de quelqu'un d'autre ? Pourquoi lui demander de la prendre en photo alors qu'elle venait de finir un film et qu'il y avait des photos d'elle dans les magazines et journaux du monde entier ? Peut-être était-elle venue lui dire : « Emmène-moi. Emmène-moi. Je serai toute à toi. »

Soudain le téléphone retentit. Longtemps elle laissa sonner avant de décrocher. Puis elle écouta, répondit d'une voix basse et monocorde. Son expression devint triste. Au bout d'un moment elle essuya des larmes en continuant d'écouter son interlocuteur. De Dienes n'était pas du genre à espionner les conversations téléphoniques. Il alla dans la salle de bains et lorsqu'il ressortit, il entendit juste Marilyn dire : « D'accord. Je viens. Je serai là demain. » Elle raccrocha, puis se tourna vers lui.

— André, rentre chez toi, s'il te plaît. Il faut que je retourne à New York.

Son rimmel coulait sur ses joues.

Il partit, mais sur le chemin du retour fit demi-tour, courut jusque chez elle et fit irruption dans son salon. Elle était encore au téléphone, assise à la même place, pleurant. Elle ne parut pas surprise de le voir et raccrocha. Il s'agenouilla devant elle.

— Reviens ! Allons chez moi. Tout de suite ! Je te ferai des photos comme tu n'en as jamais eu. Norma Jeane, je t'en supplie, ne pars pas à New York.

— Non, on m'attend sur la côte Est.

Quand il téléphona le lendemain matin, Marilyn était partie.

New York, foyer YMCA, West 34th Street, hiver 1960

Marilyn s'envola pour New York. Elle y rencontra deux fois W.J. Weatherby, un journaliste anglais qu'elle avait connu à Reno pendant le tournage des *Désaxés*. Par un jour glacial d'hiver, ils avaient rendez-vous dans un bar de la Huitième Avenue. Weatherby pensait qu'elle ne viendrait pas. C'était elle qui avait souhaité le voir, mais pourquoi tenir parole quand on est dans le trou : il n'était ni son parent ni son ami ni son psychanalyste. Il l'attendit une heure. Elle ne vint pas. Quand il rentra au foyer YMCA sur la 34ᵉ Rue Ouest, à peine rejoignait-il sa chambre que le téléphone sonna.

— Excuses, excuses, excuses ! Je dormais. J'avais pris quelque chose. Trop. Vous me pardonnez ?

Le journaliste avait oublié qu'il lui avait dit loger à la William Sloane House.

— Nous pouvons encore nous voir ? demanda-t-elle d'une voix angoissée. Ou bien vous êtes trop fatigué ?

— Non. Pas vraiment.

Depuis plus d'un an qu'il parlait avec elle, le journaliste avait compris que Marilyn qui aimait tant se montrer n'avait qu'un désir : se cacher. Elle avait une capacité unique à ses yeux d'apparaître pour disparaître, de passer pour celle que l'on voulait qu'elle soit, tout en laissant dans un retrait profond sa personne réelle.

Un quart d'heure après ils se retrouvèrent. Elle semblait pleine de vie et s'était bien maquillée. Il lui sembla qu'elle se donnait encore en représentation et cachait ses vrais sentiments. Il aurait aimé qu'elle s'en moque, mais peut-être craignait-elle de s'effondrer en public. Les noms d'Yves Montand et de Simone Signoret vinrent dans la conversation.

— Ça, c'est un mariage. Il va voir ailleurs et revient toujours. Moi, quand je m'intéressais à mon mari, je n'avais aucun intérêt ailleurs.

Le journaliste se souvenait que Miller lui avait raconté comment elle l'avait trahi avec Montand, mais pensa qu'elle disait vrai : sans doute déjà ne se sentait-elle plus comme sa femme.

— Et le cinéma ?

— Vous savez, le cinéma, c'est comme les amours, si tu n'en veux pas, tu as tout ce que tu veux. Si tu cours après, tu n'as rien. C'est l'histoire de ma vie. Etre une star de cinéma n'a jamais été aussi plaisant que de rêver de le devenir. Quand j'ai arrêté, on ne m'a jamais autant proposé de rôles de star. Vous avez le choix : être l'esclave des Studios ou bien vous protéger dans une célébrité inaccessible. Je ne peux pas cesser d'être une idole. Même avec les critiques, les photographes, les journalistes, je leur donne l'impression de m'attacher à eux et ça marche. Avec tous.

— C'est votre technique avec moi?

— Vous avez lu le roman inachevé de Scott Fitzgerald, *Le Dernier Nabab*? C'est beau, mais la vision d'Hollywood est trop romantique. Ça manque de violence, l'élément criminel, la mafia, tout ça. Ça ronge les Studios. Ça n'est pas montré. On les montre très civilisés, ces salauds.

Puis la conversation vint sur les Kennedy, qu'elle défendit avec violence contre les critiques du journaliste. Le ton monta. Il préféra revenir à un sujet plus calme : les livres.

— Et *Tendre est la nuit*, le grand roman de Scott Fitzgerald, vous l'avez lu?

— Non. Je sais que la Fox prépare une adaptation.

— Il y a quelque chose de vous dans ce livre. Une actrice qui devient...

Weatherby hésita, se rappelant l'histoire qu'on racontait sur la mère de Marilyn et sa propre peur de la folie.

— Folle?

— Oui. Nicole Warren, le personnage féminin, est une actrice un peu déséquilibrée. Elle se marie avec son psychanalyste et devient de plus en plus folle. Elle s'effondre, mais revient à la raison quand elle quitte son mari. Il comprend que c'est la preuve de sa guérison : elle est assez forte pour se défaire de leur folie partagée. Finalement, c'est lui qui sombre.

Weatherby s'aperçut aussitôt qu'il mêlait deux histoires, celle de Nicole, la patiente de Dick, et celle de l'actrice. Mais ça n'avait pas d'importance. Dans son souvenir, l'actrice de *Tendre est la nuit* avait une sorte de rayonnement doré à la Monroe. Il avait lu le roman des années avant et il lui semblait que Fitzgerald avait anticipé Marilyn ou au moins certains de ses traits. Mélangeant les deux personnages féminins, il voyait le portrait de la femme assise en face de lui. Elle aussi avait divorcé mais cela ne l'avait pas guérie. Elle consultait chaque jour son psychanalyste, mais quelle fin aurait la nuit? Comment son roman finirait-il?

— Un beau titre, reprit-elle pour dire quelque chose. La nuit est *tendre*. Parfois. En tout cas, on voudrait qu'elle le soit.

— *Le docteur disparut dans la nuit obscure. La femme, un temps, échappa à sa nuit mentale.*

Elle ne sut pas si le journaliste citait une phrase du roman ou faisait une prédiction pour sa vie future.

— Ça me rappelle quelque chose, plaisanta-t-elle. Il y a des jours où j'ai fini par trouver le sommeil et où je ne voudrais plus me réveiller et avoir encore à continuer tout ça. Ça semble sinistre, non?

Le livre était devenu un sujet dangereux Weatherby la lança sur le film.

— Je vous verrais bien jouer Nicole. Vous savez que j'ai suggéré le rôle du médecin à Laurence Olivier.

— Epatant! Il s'y connaît en folles. Mais pas avec moi. Pour rien au monde je ne me ferai soigner par lui, même à l'écran.

— Pourquoi vous ne le feriez pas avec Montgomery Clift?

— Deux personnes folles ensemble. Parfait! Et puis, la Fox ne m'a pas proposé le rôle.

Quand ils se séparèrent, le journaliste remarqua sa pâleur. Elle devait manquer de sommeil. Ils promirent de se revoir. Il la regarda s'éloigner et la dernière chose qu'il vit d'elle fut son dos. Elle n'avait pas de belles jambes.

Marilyn se précipita pour acheter le roman de Fitzgerald. Elle fut fascinée par l'histoire du riche et célèbre psychanalyste Dick Diver (en anglais et en argot, ces noms évoquent le sexe masculin plongeant dans le corps de la femme, fit-elle remarquer ensuite à Weatherby) qui épouse son ancienne patiente. Elle lut comment Nicole avait subi enfant des abus sexuels de son père et était devenue schizophrène. Elle avait lu d'autres romans de Fitzgerald. Mais pas celui qui racontait sa propre histoire. Dans une biographie du romancier, elle découvrit qu'il s'était inspiré aussi de celle de sa femme, Zelda, pour peindre Nicole. Elle connaissait leur histoire d'amour. Lorsqu'en décembre 1954 elle s'était envolée vers New York pour changer sa carrière d'actrice et entamer celle de patiente analytique, elle s'était fait enregistrer en aller simple sous le nom de Zelda Zonk. Elle ne voulait plus être la blonde stupide. Elle avait mis une perruque noire. Zelda partait à la recherche de Nicole, mais elle ne le savait pas. Une phrase du roman la frappait maintenant. « Hollywood était la ville des séparations infimes, un univers de séparations fragiles et de toiles peintes. » C'est ça qu'elle fuyait en fuyant loin de Greenson. Ça : les différences insensibles. L'inanité de toutes choses. Elle voulait que le temps prenne un sens, que tout ne soit plus tout le temps réversible. Que se marque une différence entre l'insanité et ce qu'elle ne pouvait nommer autrement que le désir. Le contraire de la folie n'est pas la raison.

En septembre, John Huston avait croisé à la Scala Robert Goldstein, qui avait remplacé David O. Selznick à la tête de la Fox.

— Où en êtes-vous avec votre adaptation de *Tendre est la nuit* ? demanda le cinéaste.

— Depuis deux mois, David a abandonné ce projet, répondit le producteur ; c'est maintenant Henry Weinstein qui le conduit, en gardant Jennifer Jones, la femme d'O. Selznick, et avec le soutien technique du Dr Greenson...

— Quoi ? coupa Huston. Greenson ! Lui qui voulait m'empêcher de faire mon *Freud* et qui maintenant joue les « conseillers techniques » pour un film mettant en scène un psychanalyste ! Avec Jennifer, en plus, la patiente de Wexler, avec qui il partage son cabinet. Quel bâtard, ce mec !

Produit par la Fox, *Tendre est la nuit* fut tourné au printemps 1961 en Suisse et sur la Côte d'Azur par Henry King, dont ce fut le dernier film. Greenson ne figure pas au générique, mais il a inspiré à son ami Weinstein le choix d'un scénariste et infléchi dans le détail le travail de celui-ci. Il voulut rendre moins noir le personnage de Diver, moins fatale son attirance pour Nicole. Moins désespéré le jeu de mort qu'ils jouaient. Comme si la partie que les personnages avaient tous deux perdue signifiait que sa propre vie avait été dépourvue du sens qu'il avait cherché à y mettre. Il ne parla jamais à Marilyn de ce roman ni du film.

New York, Clinique psychiatrique
Payne Whitney,
février 1961

Une fois de plus, Marilyn retourna à New York. Quand elle prenait l'avion pour s'y rendre, elle ne savait plus si elle voyageait dans le passé ou dans l'avenir. Lorsque son divorce avec Arthur Miller est prononcé en janvier, Billy Wilder dit : « Le mariage de Marilyn avec Joe DiMaggio a échoué parce que la femme qu'il avait épousée était Marilyn Monroe, et celui avec Arthur Miller parce qu'elle n'était pas Marilyn Monroe. » Après l'accueil sévère de son dernier film, Marilyn pense que sa carrière d'actrice est dans l'impasse. Dans l'appartement de la 57e Rue Est, elle passe ses journées dans le noir de sa chambre à coucher, écoutant des chansons sentimentales, amaigrie et bourrée de calmants. Sans manger ni parler. Elle ne voit personne, sauf W.J. Weatherby.

Après quarante-sept séances en deux mois, débordée et effrayée par sa chute, Marianne Kris décide de la faire hospitaliser. Sous le nom de Faye Miller, elle est internée dans la clinique psychiatrique Payne Whitney. On ne lui demande pas son accord ; on lui fait signer un papier. Elle a tant pris de drogues qu'elle est confuse et ne sait pas ce qu'elle signe. Marilyn a trente-quatre ans, l'âge de sa mère, Gladys, lorsqu'elle avait été placée définitivement.

Marilyn écrit aussitôt à Paula et Lee Strasberg, ses plus proches amis à New York.

> Chers Lee et Paula,
>
> Le Dr Kris m'a fait entrer à l'hôpital de New York dans une division psychiatrique et placée sous les soins de deux médecins idiots. Ni l'un ni l'autre ne devraient être mes médecins. Vous n'avez pas eu de nouvelles parce que je suis enfermée avec tous ces pauvres dingues. Je suis sûre de finir comme eux si je reste dans ce cauchemar. Je t'en prie, aide-moi, Lee, c'est vraiment le dernier endroit où je devrais être. Peut-être que si tu appelais le Dr Kris et que tu l'assurais que je suis encore sensée et que je pourrais retourner suivre tes cours... Lee, je me souviens de ce que tu as dit une fois en cours : « l'art va beaucoup plus loin que la science ». Et la science, ici, j'aimerais l'oublier, comme ces cris de femmes, etc. Je t'en supplie, aide-moi. Si le Dr Kris te dit que je suis très bien ici, tu peux répondre que je ne suis pas du tout bien ici. Je n'appartiens pas à ce lieu.
>
> Je vous aime tous les deux.
>
> Marilyn

On ne lui autorise qu'un coup de téléphone. Elle appelle Joe DiMaggio qui réside en Floride. Elle ne lui a pas parlé depuis six ans. La nuit même, il prend un vol pour New York, et exige qu'on la laisse quitter la clinique. Quatre jours plus tard, Marilyn sort et passe sa convalescence de l'autre côté de Manhattan, dans un hôpital situé sur l'Hudson River. Elle y reste du 10 février au 5 mars 1961. De là, décidée à faire de Greenson son seul et unique analyste, elle lui écrit une lettre qu'on a longtemps crue perdue et qui échoua dans les archives de la 20th Century Fox où elle fut retrouvée en 1992.

Cher Docteur Greenson,

Par la fenêtre de l'hôpital, je vois la neige recouvrir la verdure. Je vois l'herbe et les frêles buissons à feuillage persistant, mais les arbres m'attristent... les branches nues et lugubres annoncent peut-être le printemps, et promettent l'espoir. Avez-vous vu *Les Désaxés* ? Dans l'une des scènes, on peut se rendre compte combien nu et mystérieux est parfois un arbre. Je ne sais pas si cela apparaît à l'écran... je n'aime pas la façon dont ils ont monté le film.. Mais, ça va vous faire rire, bien que moi, en ce moment je sois tout sauf gaie, la scène où Roslyn enlace cet arbre et danse autour de lui a fait scandale et les autorités religieuses y virent une sorte de masturbation. On trouve toujours un plus freudien que soi, n'est-ce pas ? Mais Huston n'a pas voulu la couper au montage.

Comme j'écris ces lignes, quatre larmes muettes ont coulé le long de mes joues. Je ne sais pourquoi.

Je n'ai pas dormi de la nuit. Parfois je me demande à quoi sert la nuit. Pour moi, ce n'est qu'un affreux et long jour sans fin. Enfin, j'ai voulu profiter de mon insomnie et j'ai commencé à lire la correspondance de Sigmund Freud. En ouvrant le livre, la photographie de Freud m'a fait éclater en sanglots : il a l'air tellement déprimé (je pense qu'on a pris cette photo peu avant sa mort), comme s'il avait eu une fin triste et désabusée. Mais le Dr Kris m'a dit qu'il souffrait énormément physiquement, ce que je savais déjà par le livre de Jones. Malgré cela, je sens une lassitude désabusée sur son visage plein de bonté. Sa correspondance prouve (je ne suis pas sûre qu'on devrait publier les lettres d'amour de quelqu'un) qu'il était loin d'être coincé ! J'aime son humour doux et un peu triste, son esprit combatif.

Il n'y avait aucune chaleur humaine à la Payne Whitney, et cette clinique m'a fait beaucoup de mal. On m'a mise dans une cellule (une vraie cellule en béton et tout) pour les grands *agités*, les grands dépressifs, mais j'avais l'impression d'être enfermée pour un crime que je n'avais pas commis. J'ai trouvé ce manque d'humanité plus que barbare. On m'a demandé pourquoi je n'étais pas bien là-bas (tout était sous clef ; il y avait des barreaux partout, autour des lampes électriques, sur les armoires, aux toilettes, aux fenêtres... et les portes des cellules étaient trouées de petites fenêtres pour que les patients soient toujours exposés à la vue des surveillants. Il y avait aussi le sang et les graffitis des patients précédents). Je leur ai répondu : « Il faudrait que je sois cinglée pour me plaire ici. » Les autres pensionnaires hurlaient dans leur cellule... Dans ce moment-là, je me disais qu'un psychiatre digne de ce nom devrait leur parler, devrait les aider à alléger au moins temporairement leur misère et leur peine. Je pense que les médecins devraient apprendre quelque chose, mais ils ne sont intéressés que par ce qu'ils ont étudié dans les livres. Peut-être qu'ils pourraient en apprendre davantage en écoutant les êtres humains dont la vie est une souffrance. J'ai l'impression qu'ils se soucient plus de leur discipline et laissent tomber leurs patients et ne les abandonnent qu'après les avoir fait « plier ». On m'a demandé de me joindre aux autres patients, d'aller en ergothérapie. « Pour quoi faire ? » ai-je demandé. « Vous pourriez coudre, jouer aux dames, aux cartes, ou même tricoter. » Je leur ai expliqué que le jour où moi je pourrais faire cela, ce ne sera plus moi. Ils n'auront plus rien entre leurs mains. Ces choses étaient au plus loin de moi. Ils m'ont demandé si je me pensais différente des autres patients et je me suis dit que s'ils étaient assez stupides pour poser de telles questions, je leur ferais une réponse toute bête : Oui, je le suis. Je ne suis que celle que je suis. Quand je m'entends vous écrire ça, je souris maintenant, parce que vous, vous savez bien que je ne sais pas du tout qui je suis, et que le jeu d'échecs me passionne parce qu'on ne sait qu'au dernier coup quelle partie se jouait.

Le premier jour, j'ai effectivement pris contact avec une autre patiente.

Elle m'a demandé pourquoi j'étais si triste et m'a conseillé de téléphoner à un ami pour rompre ma solitude. Je lui ai dit qu'on m'avait assuré qu'il n'y avait pas de téléphone à l'étage. A propos d'étage, ils sont tous bouclés ; on ne peut pas entrer ni sortir. La patiente a eu l'air surpris et elle m'a accompagnée à la cabine téléphonique. En attendant mon tour, j'ai remarqué un garde (c'était bien un garde puisqu'il portait un uniforme), et quand j'ai voulu décrocher le combiné, il me l'a arraché des mains en me lançant : « Vous, vous n'êtes pas autorisée à téléphoner. » La fille qui m'a montré le téléphone avait l'air pathétique. Après l'esclandre du garde, elle m'a dit qu'elle n'aurait jamais imaginé qu'on m'aurait traitée comme ça, puis elle m'a appris qu'elle était hospitalisée pour troubles mentaux. « J'ai fait plusieurs tentatives de suicide », m'a-t-elle répété au moins quatre fois.

Les hommes veulent atteindre la lune mais personne ne s'intéresse au cœur humain. Pourtant, il y aurait beaucoup à faire. (A propos, c'était le thème original des *Désaxés*, mais personne ne s'en est aperçu. Sans doute parce qu'ils ont tellement changé le script et aussi à cause de la mise en scène.)

Plus tard :

Je sais que je ne serai jamais heureuse, mais je peux être gaie ! Je vous ai déjà dit que Kazan prétendait que j'étais la fille la plus gaie qu'il ait connue, et croyez-moi il en a connu ! Il m'a *aimée* pendant un an et, une nuit où j'étais terriblement angoissée, il m'a bercée jusqu'à ce que je m'endorme. Il m'avait aussi conseillé d'entreprendre une analyse et c'est lui qui a voulu que je travaille avec Lee Strasberg.

Est-ce Milton qui a écrit : « Les gens heureux ne sont pas encore nés » ? Je connais au moins deux psychiatres qui sont plus optimistes.

Ce matin, 2 mars : Je n'ai pas fermé l'œil de la nuit. Hier, j'ai oublié de vous dire quelque chose. Quand on m'a mise dans la première chambre, au sixième, on ne m'a pas dit que j'étais dans une section psychiatrique. Le Dr Kris m'a affirmé qu'elle passerait me voir le lendemain. On m'a fait un examen médical et on m'a même palpé les seins pour s'assurer que je n'avais pas de grosseur mammaire. J'ai protesté, mais sans violence, en expliquant que le médecin qui m'avait fait entrer, un imbécile du nom de Lipkin, m'avait fait subir un examen complet un mois plus tôt. Ensuite, l'infirmière est venue et j'ai remarqué qu'il n'y avait pas de sonnette pour l'appeler. J'ai demandé des explications et elle m'a appris que j'étais dans une section psychiatrique. Après son départ, je me suis habillée et c'est là que j'ai rencontré la fille pour le téléphone. J'étais en train d'attendre devant la porte de l'ascenseur qui est comme toutes autres portes sans poignée et sans numéro. Vous voyez, ils sont tous retirés, c'est comme dans les cauchemars ou les nouvelles de Kafka. Après que la fille m'a parlé de ce qu'elle s'était fait à elle-même, je revins dans ma chambre en sachant qu'on m'avait menti pour le téléphone. J'ai repensé au mot « trancher » et je me suis assise sur le lit en essayant de penser à ce que je ferais dans la même situation si j'étais en train d'improviser au cours de théâtre. Qu'est-ce que je ferais ? Alors je me suis dit qu'on ne graisse pas une roue tant qu'elle ne grince pas. J'avoue que j'ai poussé le grincement un peu loin, mais j'ai pioché l'idée dans *Troublez-moi ce soir*, un film dans lequel j'ai tourné. J'ai pris une chaise et je l'ai lancée contre la fenêtre, exprès, et c'était pas facile parce que je n'avais jamais rien cassé de ma vie. À part moi... Rires, comme on dit dans les scénarios. Cela a fait un bruit infernal, rien que pour casser un petit peu de verre. J'ai dû m'y reprendre à plusieurs fois pour obtenir un petit morceau de verre brisé que j'ai caché dans ma main. Ensuite je me suis assise tranquillement, comme une petite fille sage. Quand ils sont venus, je leur ai dit que puisqu'ils me traitaient comme une cinglée j'allais me conduire comme une cinglée. J'avoue que la suite est grotesque mais c'est vraiment ce que j'avais fait dans le film, sauf que c'était avec une lame de rasoir. J'ai menacé de me taillader les veines s'ils ne me laissaient pas sortir... je ne l'aurais jamais fait, car comme vous le savez, je suis une actrice, et je ne m'infligerais jamais de marques ni de blessures, j'ai trop la vanité de mon corps. Je n'ai pas voulu coopérer parce que j'étais en complet désaccord avec leur façon d'agir. Comme je refusais de bouger, ils se sont mis à quatre pour me transporter à l'étage supérieur, quatre costauds, deux hommes et deux femmes. J'ai pleuré tout le long du chemin et on m'a enfermée dans la cellule dont je vous ai parlé et la grosse vacharde m'a ordonné de prendre un bain. Je lui ai expliqué que je venais juste d'en prendre un et elle m'a répliqué qu'on devait prendre un bain chaque fois qu'on changeait d'étage. Le directeur, qui ressemblait à un principal de collège (bien que le Dr Kris l'appelle « administrateur »), m'a interrogée en se prenant pour un analyste. Il m'a dit que j'étais très, très malade, et ce depuis des années. C'est un type qui méprise ses patients. Il s'est étonné que je puisse travailler dans mon état dépressif et prétendait que ça devait gâcher mon jeu. Tout ça avec une assurance et sur un ton définitif. Je lui ai fait remarquer que Greta Garbo et Charlie Chaplin et Ingrid Bergman étaient peut-être parfois déprimés, eux aussi, quand ils tournaient. Je trouve ça aussi stupide que de dire qu'un champion comme DiMaggio ne pouvait pas frapper une balle s'il était déprimé.

A propos, j'ai de bonnes nouvelles. J'ai été utile à quelque chose. Joe prétend que je lui ai sauvé la vie en l'adressant à un psychothérapeute. Il dit qu'il s'est repris après notre divorce, mais il dit aussi que s'il avait été à ma place, il aurait demandé le divorce. Pour Noël, il m'a envoyé un champ entier de poinsettias. J'étais tellement surprise ! Mon amie Pat Newcomb était là quand on me les a apportés ; je lui ai demandé qui les avait envoyés et elle m'a dit : « Il y a une carte. Attends... MEILLEURS VŒUX, JOE. » Je lui ai dit : « Il n'y a qu'un Joe. » Comme c'était le soir de Noël, je l'ai appelé et je lui ai demandé pourquoi il m'avait envoyé les fleurs. Il m'a dit : « D'abord, pour que tu me téléphones... et puis qui d'autre t'enverrait des fleurs ? Tu n'as que moi au monde. » Il m'a proposé de prendre un verre ensemble un de ces jours. Je lui ai fait remarquer qu'il ne buvait jamais. Il m'a dit que maintenant il buvait de temps en temps, et je lui ai dit que j'étais d'accord, mais qu'il devrait choisir un endroit avec des lumières très, très tamisées ! Il m'a demandé ce que je faisais pour Noël ; je lui ai expliqué que j'étais avec une amie et il m'a dit qu'il allait venir. J'étais vraiment contente de le voir, même si j'étais déprimée et que je pleurais sans arrêt. Il vaut mieux que je m'arrête là, vous avez d'autres choses à faire. Merci de m'avoir écoutée.

Marilyn M.

À la lettre tapée par sa secrétaire May Reis, Marilyn ajouta ces mots manuscrits : « Il y a quelqu'un, un ami très cher, lorsque je prononçais son nom, vous avez toujours levé les yeux au ciel et lissé votre moustache. Il a été pour moi un ami tendre. Très tendre. Je sais que vous ne me croyez pas mais je me fie à mes instincts. C'était comme une affaire sans lendemain, mais je n'avais jamais connu ça avant. Maintenant je ne regrette rien. Il est très attentionné au lit. D'Yves, aucune nouvelle, mais je m'en moque. J'ai un souvenir fort, tendre, merveilleux. Je suis presque en larmes. »

Greenson commença une réponse qu'il n'envoya pas, pensant qu'il valait mieux agir sur Kris pour la faire sortir et que les interprétations viendraient après. On trouva ce mot dans ses archives.

Chère Marilyn,

N'attendez pas de moi que je critique ou condamne ceux qui vous soignent ou essaient de vous soigner, et certainement pas ma collègue et amie Marianne Kris. Ce qui se passe, c'est que vous n'êtes pas folle mais que l'hôpital vous rendrait folle en effet, si vous y restiez. ˉ 'hôpital, c'est le lieu où vous perdez des enfants quand vous faites des fausses couches, et le lieu où vous vous retrouvez enfant quand on vous y soigne pour vos dépressions ou vos états suicidaires.

Marilyn ne voulut jamais revoir Marianne Kris, mais – négligence ou intention – la garda parmi les légataires de son dernier testament, rédigé trois semaines avant d'entrer à Payne Whitney. Kris reconnut ensuite qu'elle avait fait « une chose terrible. Une terrible, terrible chose. Ce n'est pas ce que je voulais, mais c'est ce que j'ai fait ». Elle continua d'échanger des lettres avec Greenson et Anna Freud à propos de son ancienne patiente.

Au début du printemps, Marilyn décida de rentrer en Californie et supplia un Greenson très réticent de la prendre comme patiente « à plein temps ». Ils reprirent les séances. En mai, alors que Marilyn était à nouveau repartie à New York, d'où elle l'appelait chaque jour, Greenson décrit à Marianne Kris son projet thérapeutique : « Par-dessus tout, j'essaie de l'aider à ne pas se sentir seule, ce qui l'amène à fuir dans la drogue ou à s'impliquer avec des gens très destructeurs, qui rentreront dans une relation sadomasochiste avec elle... C'est le genre de programme qu'on a normalement avec une adolescente qui a besoin de conseils, d'amitié et de fermeté, et elle semble très bien le prendre... Elle a dit que pour la première fois elle était impatiente de venir à Los Angeles, parce qu'elle pourrait me parler. Bien entendu, cela ne l'empêche pas d'annuler plusieurs séances pour aller à Palm Springs avec Mr F.S. Elle me fait des infidélités comme avec un parent... »

Quelques jours après, de New York Marilyn téléphona à son analyste californien qu'elle avait décidé de revenir à Los Angeles de façon définitive. La ville où elle était née. La ville où elle n'aurait pas voulu mourir, pour rien au monde. La ville où elle mourra.

Los Angeles, Beverly Hills Hotel,
1er juin 1961

Cet après-midi-là, André de Dienes travaillait dans son jardin quand il se rappela soudain que c'était l'anniversaire de Marilyn. Sans avoir la moindre idée de l'endroit où elle était, il rentra dans la maison, décrocha le téléphone et demanda aux renseignements le numéro du Beverly Hills Hotel. Lorsqu'il pria la standardiste de lui passer la suite de Marilyn Monroe, elle le connecta immédiatement. Il se mit à chanter « Joyeux Anniversaire » dans le combiné. Marilyn reconnut sa voix et ravie lui proposa de venir la rejoindre tout de suite. Elle se trouvait seule dans le bungalow n° 10. Il se réjouit comme un enfant d'un cadeau attendu. « Le week-end approche, je pourrai peut-être la persuader de passer quelques jours avec moi ! » se dit-il. À son arrivée, elle parut très joyeuse et sortit du caviar et deux bouteilles de champagne du petit frigo. Ils discutèrent longtemps de choses et d'autres. D'un coup la conversation prit un tour sombre. Elle se sentait malheureuse, exploitée par la Fox et voulait retourner à New York.

De Dienes l'interrogea :

— Pourquoi as-tu laissé si souvent des équipes de centaines de personnes attendre que tu daignes enfin apparaître ? Tu ne te rends pas compte que chaque heure de retard coûte des milliers de dollars au Studio ? Quand on a voyagé ensemble en 1945, tu étais toujours levée à l'aube, toujours maquillée et coiffée de bonne heure... Comment as-tu pu faire poireauter toute une équipe de tournage, jour après jour ? Qu'est-ce que c'est que ces caprices ? Tu n'étais pas comme ça avec moi.

— André, répondit Marilyn d'une petite voix chagrinée : c'est souvent plus fort que moi. Trop épuisée pour me lever. Tu te souviens comme j'étais malade dans ta voiture pendant ces longues heures de route quand on se promenait le long de la côte Ouest ? Tu conduisais sans arrêt, jour et nuit, et moi je tombais de sommeil. Pendant le tournage, je me sentais de même, épuisée et ayant besoin de repos. Parfois, si je sortais avec un ami et que l'on buvait un peu, mes nuits devenaient trop courtes et trop agréables pour aller travailler si tôt. C'est humain, non ? Je suis tout simplement sur les genoux, et tout ce travail est devenu trop lourd pour moi. À présent, le Studio me ridiculise en déclarant ouvertement que je suis en train de devenir folle !

À mesure qu'ils discutaient, elle devenait de plus en plus amère et abattue. Elle se tenait toute droite parmi les piles habituelles de malles et de valises, ravissante et triste. Au cours de ces brèves heures de conversation elle sourit très peu. Elle avait du mal à retenir ses larmes. André aperçut le lit défait dans la pièce voisine et se mit à la serrer dans ses bras.

— Si nous faisions l'amour, tu te sentirais mieux.

— Je viens de subir une opération. Tiens-toi ! Tu veux ma mort ou quoi ? Excuse-moi, André, mais j'ai besoin de repos.

Elle lui tendit sa veste, le raccompagna à la porte du bungalow et lui souhaita bonne nuit. André parcourut une dizaine de mètres, puis ôta ses souliers et revint sur ses pas, glissant sur la pointe des pieds dans la véranda. Il s'assit dans la fraîcheur parfumée du soir, à quelques mètres de la fenêtre de sa chambre. Il voulait savoir ce qu'elle allait faire : se préparait-elle à sortir, ou attendait-elle de la visite ? En fait, elle éteignit les lumières et alla se coucher. À travers les fenêtres ouvertes, la brise soulevait les voilages en Nylon. Dans la pénombre, on aurait dit des fantômes. Fuyant cette apparition, de Dienes quitta les lieux pour de bon.

Le lendemain, il fonça à Beverly Hills lui acheter des fleurs et une belle coupe italienne en céramique, la remplit d'oranges, puis y joignit une lettre où il s'excusait d'avoir voulu lui faire l'amour. Il donna un pourboire généreux au groom de l'hôtel et lui recommanda de s'assurer que le cadeau serait remis à Marilyn en personne. Il sut qu'elle le reçut, car le jour suivant il trouva une des fleurs sur son paillasson. Elle avait également glissé sous la porte une enveloppe pleine de photos d'elle prises par le studio. Elle devait être passée devant chez lui en route vers l'aéroport.

Un an plus tard, de Dienes regardait une série de photos inédites de Marilyn sans maquillage qu'il avait prises en 1946. Il avait l'intention de la présenter au magazine *Life* sous le titre « Qui est-ce ? », sûr que personne ne la reconnaîtrait. Tout à coup, sans savoir pourquoi, il décida de prendre une pelle et de creuser dans son jardin, espérant retrouver d'autres négatifs de Marilyn. Tout en déblayant la terre, il fut assailli d'idées morbides, il eut l'impression de creuser une tombe. Tout ce qui avait été en papier s'était complètement désagrégé, mais les négatifs s'étaient protégés les uns les autres et, à sa grande surprise, il en découvrit plusieurs de Marilyn presque intacts. Un cliché la montrait regardant vers le soleil, une expression funèbre sur le visage. Quand il avait pris cette image, elle avait dit : « André, je contemple ma propre tombe. » Une autre la présentait couchée sur le dos, les yeux fermés, faisant la morte. Au moment de préparer cette série de photos et de retrouver celles traitant de la mort, André ignorait que Marilyn était en train de traverser la période la plus noire de sa vie. Il était tellement pris par son travail qu'il n'avait pas le temps de lire les journaux et de suivre les péripéties du tournage de *Quelque chose doit craquer*.

Quelques semaines après, alors qu'il continuait à travailler sur les photos, il fit une série de cauchemars. Il voyait le cercueil de sa mère sous son lit. Marilyn y apparaissait régulièrement. Les souvenirs lointains remontèrent. À l'époque, il ne s'appelait pas André de Dienes. Pas pour elle. Elle le surnommait W.W., *Worry Wart*, la verrue qui s'inquiète. Elle l'avait ainsi baptisé parce qu'il s'inquiétait de tout. Chaque fois qu'elle l'appelait W.W. au lieu d'André, cela la faisait rire. C'était, à l'envers, ses initiales : M.M. Lui l'appelait « patte de dinde », parce que lors de leur session de photos dans les montagnes elle avait souvent les mains violacées à cause du froid.

Un matin de juillet, se réveillant en sursaut après un autre de ses rêves troublants, André décida de se rendre sur-le-champ au bureau de poste le plus proche sur Sunset Boulevard. Il ne savait pas où elle habitait et adressa un télégramme à Marilyn au studio où elle tournait. PATTE DE DINDE. AI FAIT UN MAUVAIS RÊVE À TON SUJET LA NUIT DERNIÈRE. APPELLE-MOI STP. BISES. W.W. Il ne reçut ni lettre ni coup de fil en réponse.

Le soir du 4 août 1962, de Dienes alla au cinéma. En rentrant, pendant qu'il cherchait ses clefs devant la porte d'entrée, il entendit le téléphone sonner. Il se précipita, mais arriva trop tard. Longtemps après, il continuait de penser que c'était Marilyn qui avait cherché à le joindre. Peut-être sans être consciente : on ne sait jamais qui on est susceptible d'appeler quand on est sous l'influence de l'alcool ou de la drogue. Personne ne sait combien d'appels elle a passés au cours de cette nuit-là, ni à qui. Le lendemain, André était en train de se raser quand on a annoncé à la radio que Marilyn était morte durant la nuit. Les premières minutes, il resta sous le choc, abasourdi. Un peu plus tard, tandis qu'il regardait ses photos étalées sur son long plan de travail, il redevint plus calme. Il contempla la première image de Norma Jeane souriante, puis les suivantes où elle paraissait plus sérieuse et enfin la dernière série où elle était morte. Il avait passé plusieurs semaines à préparer ces clichés. C'était comme s'il avait su.

Vingt ans après, reclus dans sa petite maison de Boca de Canon Line, André de Dienes rassemblait ses souvenirs. Un jour, il lui fit une scène : elle avait gâché sa vie et s'il n'avait pas eu la bêtise de tomber amoureux d'elle, il aurait continué d'être un photographe à succès. Elle se mit en colère à son tour : « Qui t'a demandé de tomber amoureux de moi ? Je voulais devenir actrice ! Pas ta bonne ni ta putain ! » La scène dégénéra en une atroce dispute. Elle se rhabilla et quitta la maison à pied. Le temps qu'il prenne la voiture pour la chercher et la raccompagner, Marilyn avait disparu.

Trente-six ans ont passé sur cet amour, la durée de sa courte vie. Marilyn aurait maintenant cinquante-six ans. Il faudrait dire la fin de notre histoire, pensait André. La fin ? Je ne sais pas. En fait, elle n'a jamais fini ou bien elle n'a été qu'une succession de fins. J'ai en mémoire notre dernière rencontre, mais pendant ces dix-sept ans où nous ne sommes pas parvenus à nous perdre complètement l'un l'autre, chacune de nos rencontres avait le goût des adieux.

André de Dienes ne prenait presque plus de photos depuis une dizaine d'années lorsqu'il mourut en 1985 dans sa maison des collines au-dessus de Sunset Boulevard. Il vivait dans sa chambre noire, tirant et retirant des négatifs. La plupart de ceux de Marilyn furent introuvables dans l'inventaire après décès. Il fut enterré à quelques pas de la crypte de Marilyn, au Westwood Village Mortuary, sur Wilshire Boulevard.

Santa Monica, Franklin Street,
1er juin 1961

En mai, Marilyn avait emménagé dans un autre quartier de Los Angeles, 882 North Doheny Drive, près de Rancho Park et non loin des studios de la Fox. Un appartement qu'elle laissa vide. Juste une malle de livres, un coffret de maquillage, quelques portants d'habits. Aucune photo, aucun trophée. Rien qui rappelât le cinéma. Hollywood, la ville aux images, la reprenait à New York, la ville des mots. Maintenant, elle ne voulait plus parler. Elle voulait se cacher des mots et des images. Elle voulait un endroit pour dormir, gavée de Nembutal, entre deux visites à Greenson, tous les jours à partir de seize heures, pour les mots et les silences, ou à Hyman Engelberg, pour les pilules et les injections. Elle demanda à Ralph Roberts, son masseur et chauffeur, de tendre sur les baies de son appartement des rideaux qui fermaient l'accès au jour.

C'est lui qui quelques mois plus tôt avait ramené en voiture Marilyn après sa sortie de la clinique

Payne Whitney. Elle obtint de la production que dans *Les Désaxés*, Roberts joue le rôle d'un conducteur d'ambulance. Un soir, elle emprunte la Pontiac Firebird toute cabossée de Roberts, et va dans un *drive-in food* sur Wilshire. Elle commande son plateau, et quand elle s'en saisit quelques instants plus tard, voit que par erreur on lui a donné un *Happy Meal* pour enfant. Elle ouvre la boîte-surprise de couleurs vives et tombe sur une figurine à assembler qui représente une blonde en train de tourner inlassablement sur un carrousel, prisonnière d'un mouvement de répétition infinie. Elle entend la voix de la serveuse qui grésille dans le haut-parleur : « Client suivant. Et pour vous, ce sera ? » À deux heures du matin, sur son lit non défait, cherchant la nuit, elle repasse ces phrases comme si elle les voyait : « Le carrousel tournait, le carrousel tournait. Les mots n'étaient pas faciles à trouver. Le carrousel tournait et je laissais ma chance passer. »

Le 1ᵉʳ juin, elle adresse à son analyste un télégramme où elle annonce son propre anniversaire, comme on se fait à soi-même un cadeau de peur que les autres ne vous oublient ce jour-là. CHER DOCTEUR GREENSON. DANS CE MONDE DE GENS, JE SUIS CONTENTE QUE VOUS EXISTIEZ. JE RESSENS DE L'ESPOIR, BIEN QUE J'AIE AUJOURD'HUI TROIS CINQ.

Elle renoue avec Frank Sinatra, qu'elle rencontre à la soirée d'anniversaire de Dean Martin, une semaine plus tard à Las Vegas. Il restera son amant jusqu'au début de 1962.

À la fin du mois, elle retourne à New York pour y être opérée de calculs biliaires, sa deuxième hospitalisation en cinq mois. Elle écrit à Greenson : « Sur le balcon de ma chambre, avec le docteur qui m'a opérée, j'ai regardé les étoiles, et j'ai dit : " Regardez-les, elles sont si brillantes et si solitaires. Notre monde est un monde de semblant. " »

Quand elle sort douze jours plus tard de la clinique de la 50ᵉ Rue Ouest, une nuée de photographes encercle la femme la plus célèbre au monde. Ils l'assaillent de questions, lui arrachent des autographes, essayent de toucher sa peau ou de frôler son sweater. Elle prend peur. Pendant quelques minutes, elle se sent mise en pièces. Ces appels, elle le sait, elle le sent, les photographes entre eux les appellent *wolf calls* (des appels de loup). Elle aimait qu'on l'apprécie, elle aimait qu'on l'aime ou qu'on fasse au moins semblant, mais cette fois, c'est autre chose, une dévoration. Un cauchemar dont elle a peine à s'échapper. Elle a presque envie de demander qu'on la conduise chez le Dr Kris, mais elle ne pourrait plus lui parler, depuis l'hôpital des fous.

L'été se déroule sans que Greenson se décide à partir en vacances. Il la voit maintenant sept jours sur sept et lui prend un tarif préférentiel de 50 dollars la séance. Il écrit à Kris : « Je suis effrayé du vide de sa vie en termes de relations d'objet. Fondamentalement elle est narcissique. Tant bien que mal nous progressons, mais je ne parierai rien sur la profondeur du trouble ni sa durée. Sur le plan clinique, j'ai isolé deux problèmes : sa crainte obsessionnelle de l'homosexualité, et son incapacité à endurer les blessures morales. Elle ne peut souffrir la moindre allusion à des faits homosexuels. Pat Newcomb s'était fait faire des mèches de la même couleur que ses cheveux. Elle en conclut aussitôt que cette femme voulait prendre possession d'elle, et entre dans une violente colère contre elle. »

Quant à son attitude à l'égard des hommes, Greenson était effrayé par son goût croissant pour les rencontres de hasard. Un jour, elle lui dit qu'elle a couché avec un des ouvriers qui refaisaient son intérieur. Un inspecteur du District Attorney de Los Angeles lui rapporte qu'il était tombé sur Marilyn en train de faire l'amour avec un homme dans l'ombre d'un couloir de cinéma. Dans un compte rendu qu'il fait à Anna Freud, le psychanalyste relève une « peur des hommes masquée par un besoin de séduction qui l'amenait à se donner littéralement au premier ou au dernier venu ».

Désormais, il juge Marilyn perdue pour la psychanalyse. Elle était en réalité perdue dans sa psychanalyse. Comme un noyé qui entraîne son sauveur au fond, elle attirait le thérapeute toujours plus vers le sombre, le bas, le vide. Elle s'offensait au moindre signe d'irritation de sa part et ne pouvait admettre l'idée d'une quelconque imperfection chez certaines personnes qu'elle idéalisait. « Elle était dans tous ses états tant que la paix n'avait pas été rétablie », écrit Greenson à Anna Freud. « Maintenant, avec elle, j'improvise. Elle est vraiment très, très malade. Je ne vois aucune solution capable d'apporter à Marilyn l'apaisement qu'elle recherche. » Son inaptitude à supporter ce qu'elle percevait comme des offenses et sa crainte anormale de l'homosexualité furent, comme il le dit plus tard, « les facteurs décisifs qui devaient la conduire à la mort ».

Les amis de Marilyn, Allan Snyder, Ralph Roberts, Paula Strasberg et Pat Newcomb commençaient à dire que le psychanalyste prenait une trop grande emprise sur sa vie. « Il n'est pas ton ange gardien ; il est devenu ton ombre, ou plutôt, toi la sienne » lui dit Pat, et Roberts racontera ensuite qu'à cette époque, loin de vouloir sevrer Marilyn de tout médicament, le psychiatre autorisait la dose de trois milligrammes de Nembutal par jour et la lui fournissait lui-même. Snyder commenta des années plus tard : « Je n'ai jamais aimé Greenson, ni son rôle auprès d'elle. Il ne lui faisait pas du bien. Il lui donnait tout ce qu'elle réclamait ; il la gavait de n'importe quelles drogues. Il y avait selon lui quelque chose de malsain dans sa relation avec sa patiente, quelque chose qui tenait à l'argent. L'argent », insistait-il. Et il avait trouvé une confirmation le jour où il avait découvert que Greenson figurait en bonne place dans les registres de paie de la Fox.

Chacun de ses quatre analystes a dû venir sur un tournage la soutenir au cours de la thérapie et la remettre sur pied : Margaret Hohenberg sur *Bus Stop* ; Anna Freud sur *Le Prince et la danseuse* ; Marianne Kris sur *Certains l'aiment chaud* ; Greenson sur *Le Milliardaire* *Les Désaxés* et *Quelque chose doit craquer*. Marilyn répondait à ses amis qu'elle était contente d'obéir. Pour une fois que quelqu'un la guidait et lui disait ce qu'il fallait faire. Elle ajoutait qu'elle aurait même accepté que son psychanalyste lui dise qui il fallait être.

Los Angeles, Wilshire Boulevard,
automne 1961

Elle n'aimait plus les voitures, ne voulait plus en avoir une à elle. Elle avait vendu la Cadillac noire convertible aux sièges en cuir rouge, donné la Thunderbird noire à Strasberg, renoncé à la Cadillac blanche louée pour le tournage des *Désaxés*. Marilyn se fit conduire par Ralph Roberts dans la direction de l'océan. Sur Wilshire, elle vit les maisons basses éparpillées sans dessein autour de l'axe interminable. Quelque chose de faux émanait de ce non-lieu, de ces bâtiments sans qualités. Elle se souvint de la première fois qu'elle s'était rendue aux studios de la Fox pour un test en Technicolor. Elle avait visité les décors, ces rues et ces squares représentant tous les climats et les époques, en apparence si solides. Elle avait eu du mal à se convaincre de l'irréalité des façades dont le revers montrait la structure de planches et de plâtre. L'ensemble formait un écheveau de temps, un espace de rêve, mais si crédible. Ici, l'illusion était inverse. Marilyn se dit qu'il fallait beaucoup d'imagination pour croire que ces décors de carton-pâte étaient de vraies maisons, où de vraies gens se débattaient avec l'amour, la cruauté, l'argent. Il n'y avait personne sur les trottoirs. Personne ne marche dans cette ville, sauf moi, pensait-elle.

Elle fit arrêter la voiture et continua à pied, sans but. Prenant à gauche vers Pico, elle resta un temps à regarder depuis le pont au-dessus du Santa Monica Freeway les voitures se croiser dans le rose du soir, une procession d'animaux las. Comme des images proférées dans un rêve, elle déchiffra les tracés des phares blancs : des yeux vides qui ne regardaient rien. Quand la nuit tomba complètement, elle aperçut un homme arrêté devant une station-service. Elle le dépassa. Bien qu'elle portât sa perruque noire, l'homme, très jeune, la reconnut. Il aurait eu bien du mal à imaginer Marilyn Monroe une heure plus tôt lisant Dostoïevski, Marilyn qui depuis des années aimait s'entretenir avec le poète et écrivain Carl Sandburg et avait suivi des cours de littérature à l'UCLA : elle était follement belle et enfermait l'homme entre désir et effroi. Elle n'était qu'un corps. Un corps à pénétrer en espérant rester quitte de l'âme qui s'y tenait.

L'homme la fit monter dans son Oldsmobile marron et la mena dans une petite maison verte sans étage aux peintures décrépites, à deux blocs de la plage, dans une rue de Venice Beach. Superba Avenue. Santa Clara ? Milkwood ? San Juan ? Qu'importait. Si, il faudrait s'en souvenir demain quand elle raconterait ça au docteur. « Les détails, il n'y a que ça qui compte, les noms, les noms... » Et puis, Venice, c'était là qu'était la tombe de la mère de sa mère, Della, la folle qui avait tenté de l'étouffer sur un oreiller quand elle était bébé. Elle l'avait raconté au sauveur. Il avait même fait un jeu de mots entre *mother* (mère) et *smother* (étouffer).

Ensuite, elle avait demandé à l'homme de la prendre par-derrière, vraiment par-derrière, avait-elle précisé. Surpris, il eut le sentiment d'un don, d'un cadeau qu'elle lui faisait. Elle livrait le plus intime de son être, la plus ancienne part d'elle-même. Elle s'était allongée sur le ventre. Il s'était enduit du gel qu'elle lui avait tendu et il l'avait pénétrée, immobile et brûlante, pas très longtemps, mais avec vigueur et même avec hargne. Relevant d'une main les cheveux qui couvraient son profil gauche, il la vit serrer dans son poing droit un peu du drap chiffonné, comme si c'était un doudou, une chose tendre et tiède, odorante. Elle le frottait doucement contre le bas de son visage. Il lui demanda : « C'est bon, tu me sens ? » Puis : « Je ne te fais pas mal, dis ? Tu veux que j'arrête ? » Elle ne répondit à aucune des questions, et continua de frotter simplement le drap à ses lèvres sans rien dire. Il dut se retirer, triste de sa tristesse. Ils se séparèrent en se disant des mercis maladroits.

Elle rapporta cette scène à Greenson le lendemain.

— Je sens dans votre récit une rêverie, comme si cela n'était pas réellement vécu. Vous étiez là, mais en même temps, ce n'était plus vous. Vous cherchiez en fait à vous délier de l'emprise de cet homme. Le

212

drap est ce que nous appelons « un objet transitionnel ». Nous avons tous nos objets transitionnels. Le plus frappant est cette boucle que vous faites sur vous-même. Comme si vous disiez à l'homme : « Tu n'auras pas ma bouche, tu n'entendras pas ma voix. L'anus, force-le tant que tu veux, c'est comme si ce n'était plus une partie de moi. » Vous savez, contrairement à la bouche, qui est pour nous associée à la voix et à l'identité, l'anus est lié à la honte, à la dépossession, au gâchis, à la vulnérabilité.

Elle n'avait rien répondu. Elle avait senti quelques larmes couler, qu'elle n'essuya pas.

Santa Monica, Franklin Street,
juin 1961

À mesure que sa cure avançait et que le transfert devenait intense et chaotique, les rapports entre Marilyn et la famille Greenson devinrent toujours plus étroits. Marilyn gardait toujours au frais une bouteille de Dom Pérignon chez son analyste afin de se servir une coupe de champagne à la fin de sa séance. Régulièrement elle restait dîner avec eux et ne rechignait pas à faire la vaisselle. Elle adorait la cuisine mexicaine où la famille se rassemblait et la pièce de séjour aux murs lambrissés remplie de livres et d'œuvres d'art. Depuis le balcon elle voyait le jardin, la piscine et un bizarre arbre sacré en dessous duquel était planté un dieu polynésien de deux mètres dont la bouche semblait rire des visiteurs.

Après vingt-cinq ans de mariage, Ralph et Hildi restaient très dévoués l'un à l'autre et très proches de leurs enfants. Greenson se décrivait comme un juif de Brooklyn qui avait épousé une brave fille suisse. Il l'appelait « la femme qui a tout rendu possible » et elle voyait en lui ce qui lui manquait : organisé face à son désordre, ouvert et accueillant à l'opposé de sa réserve timide. Agée de vingt et un ans et étudiante en art à l'Otis Art Institute, Joan avait pris l'habitude quand elle était petite de rester hors de la vue des patients et son implication dans le traitement de Marilyn fut une innovation dont elle se réjouit sans en comprendre les causes. Quand la star arrivait, Joannie l'attendait devant la porte et Greenson, retenu par une conférence à l'Université, demandait souvent à sa fille de l'accompagner pour une promenade. Parfois, toutes deux faisaient avant ou après la séance un tour vers le Réservoir voisin de la villa. Marilyn apprit à Joannie à danser et à se maquiller comme une fille sexy. Danny, le fils, âgé de vingt-quatre ans et étudiant en médecine à l'UCLA, vivait encore chez ses parents et se lia lui aussi à Marilyn. Militant à l'extrême gauche contre l'engagement au Vietnam, il devisait politique avec l'invitée du soir. Les enfants Greenson savaient que le comportement de leur père était étrange pour un freudien strict, mais il les convainquit que la thérapie traditionnelle ne serait pas efficace et que Marilyn avait grand besoin d'un exemple de famille stable afin de pouvoir à son tour en fonder une. Il leur dit aussi qu'il la trouvait si charmante et vulnérable que lui seul pouvait la sauver. L'analyste espérait ainsi offrir à sa patiente la chaleur et l'affection d'une famille heureuse. Il voulait compenser les manques de son enfance et calmer sa solitude. Mais en l'accueillant ainsi dans sa maison, il essayait aussi de se rendre lui-même réel, de paraître à ses yeux comme un être humain parmi d'autres. Il pensait que les patients devaient voir que l'analyste avait ses émotions et ses faiblesses et offrait un modèle fiable et constant en dépit de ses fragilités. Il s'efforçait de les amener à accepter que l'être humain était imparfait et que l'on devait apprendre à vivre dans l'incertain.

Bien qu'il se demandât souvent jusqu'où cela irait, ce traitement par l'amour de transfert comme la décision peu orthodoxe et très controversée d'intégrer Marilyn dans sa vie d'une famille réparatrice étaient délibérés. Un an auparavant, il avait fait une découverte. Déçu par le traitement d'une jeune schizophrène et plein de culpabilité devant son total échec thérapeutique, il avait demandé à Anna Freud de venir d'Angleterre comme consultante. Elle avait refusé. Le cas semblait désespéré lorsque, un peu par hasard, l'analyste demanda à Joannie de conduire cette patiente chez lui. La réponse de la malade fut surprenante. Alors qu'elle bavardait avec Joannie dans la voiture, elle se mit à ressembler tout à coup à une saine jeune personne. Après cela, Greenson demanda régulièrement à sa fille de l'emmener en voiture. Les améliorations disparaissaient dès que sa fille et sa patiente se séparaient, mais celle-ci avait fait ses premiers progrès significatifs lorsqu'il l'avait prise comme un membre de sa famille.

Un soir de juillet, les Greenson donnèrent une réception pour l'anniversaire de leur fille. Marilyn avait aidé aux préparatifs et vint à la soirée. Dès qu'elle arriva, après la stupeur initiale, plusieurs garçons dansèrent avec elle et bientôt, tous firent la queue pour ça. Les autres filles ne trouvèrent plus un cavalier et en particulier, personne ne dansait avec une jolie Noire qui avait été la reine de la soirée avant son arrivée. Marilyn le remarqua et s'adressa à elle : « Tu connais un pas de danse que j'aimerais pouvoir faire, mais je ne sais pas comment. Tu veux bien me l'apprendre ? » Elle se retourna vers les autres et cria : « Arrêtez-vous quelques minutes, elle va m'apprendre une nouvelle danse. » Le fait est que Marilyn connaissait cette danse, mais elle laissa la fille lui apprendre, cherchant à détourner vers elle l'attention focalisée sur son seul corps. Elle était très consciente de la solitude des autres, répétera Greenson, ému par cette scène.

Santa Monica, Franklin Street,
fin juillet 1961

Après dix-huit mois de cure, son psychanalyste estimait que Marilyn était entrée dans une phase décisive. Il lui demanda les raisons de ses difficultés à dire les répliques du scénario. Elle raconta qu'elle avait été très atteinte par ce qu'un critique avait écrit de ses apparitions au cinéma : « Marilyn est en fait une actrice du muet égarée sur les écrans du parlant. » Elle pensait que c'était vrai, que son visage exprimait ce que les mots ne pouvaient pas dire.

— Pourquoi bégayez-vous sur le plateau et pas dans la vie, pas ici, par exemple ? demanda Greenson.

— La peur.

— Peur de quoi ? De ne pas être entendue ou d'être entendue ?

— Vous compliquez tout. La peur des mots. C'est comme si mes lèvres ne voulaient pas les lâcher.

— Oui, le langage sépare. Une parole dite est une parole perdue. Alors, vous bégayez, vous refermez votre bouche sur les premières syllabes. Vous ne pouvez pas non plus vous séparer du langage.

— Cela me fait repenser à quelque chose. Enfant, lorsque je bégayais, je butais surtout sur les *M*. J'étais plus que timide. Mais autant ça ne me gênait pas qu'on me regarde et même je rêvais souvent qu'on me voyait toute nue, autant je pensais qu'il valait mieux me taire. Au moins on n'aurait pas à me reprocher une mauvaise parole. Je me souviens. A l'Emerson Jr High School de Van Nuys, vers treize ou quatorze ans, j'étais déléguée de classe et je devais ouvrir les séances en disant : " *M-m-minutes of the last m-m-meeting...* (M-m-maintenat, les m-m-minutes de la précédente réunion m-m-mensuelle). Je bégayais comme une folle. Ensuite, à l'école, on m'a appelée *Mlle MMMM*. Et vous savez quoi ? Lorsque Ben Lyon a choisi *Marilyn Monroe* comme nom d'artiste, il a pris comme initiales la lettre que j'avais le plus de mal à dire. Et la première fois que je me suis retrouvée devant une caméra dans *Scudda Ho ! Scudda Hey !*, mes premiers mots sur celluloïd étaient *Mmmm*. Ils ont dû couper, et dans le film je suis muette.

« J'ai toujours eu du mal avec les mots, reprit-elle après un silence. Du mal à apprendre mes lignes et à les dire. Ça a duré quelque temps après mes débuts d'actrice. Maintenant, j'ai trouvé comment éviter de bégayer. Je murmure. J'ai fait de ma peur une arme, un piège à hommes.

— Le *M*, c'est aussi la lettre de la mère. Vous savez, dans la plupart des langues européennes que je connais, le mot mère commence avec la lettre *M*. Les psychanalystes d'enfants Anna Freud et Dorothy Burlingham ont établi que les enfants élevés loin de leur mère connaissent un retard de langage.

— Je connais Anna Freud, elle m'a analysée avant vous, vous ne saviez pas?

— Ce son, *Mm...* est autoérotique, reprit Greenson agacé de l'interruption, et c'est sans doute ce qui explique que le mot *moi* commence lui aussi par un *M*.

Marilyn ne sut que dire. Elle déroba son visage jusque-là tourné vers l'analyste et replia ses avant-bras sur sa poitrine.

Décembre 1953. Ralph Greenson se rend à New York pour les rencontres semestrielles de l'American Psychoanalytic Association. Sept ans avant de rencontrer Marilyn, il donne à son exposé le titre : « À propos du son *Mm...* » Il écrit ces lignes : « Murmuré, chantonné, le son *Mm...* fait revivre l'expérience, souvenir ou fantasme, du plaisir éprouvé contre le sein de la mère. Il est l'écho du murmure sans mots de la mère quand elle nourrit ou berce son enfant. Le fait que le son *Mm* soit produit lèvres fermées semble indiquer que c'est le seul son que l'on puisse faire et répéter tout en gardant quelque chose de précieux à l'intérieur de la bouche. C'est le son que l'on fait quand on a le sein en bouche ou qu'on l'attend. »

Rééditant un an avant sa mort son article de 1949 sur « La langue maternelle et la mère », Greenson revient sur la nécessité dans certaines cures, de parler au patient dans sa langue d'enfance, et ajoute en note de bas de page : « Lorsqu'une situation d'impasse se produit dans une analyse, il faut considérer la possibilité que le patient et son analyste n'ont pu communiquer dans la même langue. Par exemple, je n'enverrai pas une fille née à Brooklyn et devenue une actrice d'Hollywood à un analyste guindé et cultivé venu d'Europe centrale. Ils ne parleraient pas la même langue. » Peut-être l'impasse où il avait été conduit par l'analyse de Marilyn n'était-elle pas due à l'absence d'une langue commune, mais au fait que l'un et l'autre avaient en quelque sorte échangé leurs langues maternelles? Tandis qu'il l'attirait dans la langue analytique, elle l'amenait à sombrer dans les images de cinéma.

En parallèle à ses séances, Marilyn continuait de faire provision de calmants divers auprès d'Engelberg. Bien que souvent confronté à ce type de maladie par sa clientèle de gens de cinéma, Greenson mesura mal la profondeur et l'ancienneté de la dépendance de Marilyn. Elle avait commencé à prendre des drogues dès ses premiers essais de films à dix-huit ans, puis avait alourdi et diversifié les doses : barbituriques, narcotiques, amphétamines. Ni Greenson, ni Engelberg, ni Wexler ensuite ne réussirent à la détacher des médicaments. John Huston dira à sa mort : « Ce n'est pas Hollywood qui l'a tuée. Ce sont ces putains de médecins qui l'ont tuée. Elle était dingue des pilules. Ils l'ont accrochée aux pilules. »
À aucun moment Greenson ne risqua un véritable diagnostic sur le cas de Marilyn qu'il suivit pendant

trente mois. Il commença par noter les symptômes de paranoïa et de réaction dépressive. Les collègues de la Los Angeles Psychoanalytic Society haussaient les épaules : « Il ne comprend pas que la thérapie par adoption réparatrice ne fait que remettre sous ses yeux ce qu'elle n'a jamais eu : un foyer ; et ce qu'elle ne serait jamais : une fille aimée de ses parents, une mère, une sœur », dit l'un d'entre eux. Cependant, lorsqu'il échangeait avec eux des réflexions sur Marilyn, Greenson s'inquiétait un peu.

— Est-ce que je ne suis pas en train de transgresser les règles, de franchir les limites ? demanda-t-il à Wexler. C'est un cas pour toi. J'ai découvert des indices de schizophrénie. Elle a eu une enfance atroce, et, fantasme ou réalité, je ne sais, elle parle d'abus sexuels commis sur elle. (La seule chose dont il fût vraiment certain, c'est qu'il avait affaire à un psychisme fragile qui à tout instant pouvait s'effondrer.) J'ai fait comme avec nos schizophrènes : mettre au premier plan les besoins et le travail psychique de ma patiente, et au second mes visées personnelles de thérapeute. J'ai voulu laisser ses mots et ses sentiments entrer en moi. Mais je devrais me faire plus transparent, tu ne crois pas ?

— Non, lui répondit Wexler. Va au contraire plus loin dans cette voie non orthodoxe. Il est ridicule de croire que le psychanalyste silencieux derrière le patient est une sorte de non-entité sur laquelle tout est projeté. Je ne crois pas qu'il faille longtemps pour que le patient se rende compte si je suis brillant ou stupide. S'il me dit : « Espèce d'enfant de salaud », je ne crois pas qu'on puisse simplement se dire : ceci s'adresse à son père, pas à moi. Peut-être que je suis réellement un enfant de salaud. De même, moi, quand je dîne avec des patients, ils savent tous que je suis tel ou tel type de personne. L'idée que l'on ne pourrait pas avoir de relations réelles avec ses patients en dehors du bureau me paraît déraisonnable, injuste et tout simplement idiote.

— Et le corps du patient, crois-tu que c'est franchir une limite que de le toucher ? interrogea Greenson en passant un doigt sur sa fine moustache.

— Ne reprenons pas ces débats interminables, comme dans notre institut de formation lorsque nos collègues discutent si c'est conforme aux règles de tendre un Kleenex au malade en train de pleurer de façon éperdue. Bon nombre d'analystes répondent non, parce que cela interférerait avec le transfert... S'ils savaient combien leurs analystes sont névrosés, s'ils avaient un regard sur ce qui se passe dans les instituts de psychanalyse, les gens renonceraient à entreprendre une cure. C'est paradoxal, mais les psychanalystes qui comme moi ne sont pas médecins de formation ont beaucoup moins peur du corps, du leur et de celui de leur patient.

Quelque temps après la mort de leur patiente commune, Milton Wexler et Ralph Greenson envisagèrent un projet de recherche pour la Foundation for Research in Psychoananalysis de Beverly Hills, et un livre qui aurait traité des *Echecs de la psychanalyse*. Ce livre ne fut jamais écrit.

Santa Monica, Franklin Street,
septembre 1961

Dans les derniers jours de septembre 1961, arrivant à sa séance, Marilyn trouva son psychanalyste dans sa piscine assis sur une petite barque à rames. Il aimait rester ainsi pendant des heures. Il appelait ça le *Lac Greenson*. Ce bercement doux et hypnotique lui apportait la paix. Roses et camélias parfumaient l'air. Il lisait. Il méditait. Parfois, il fumait un cigare. Il a eu cinquante ans le 20 septembre. Un tournant, confie-t-il à Anna Freud. Il ne se sent « pas plus vieux, mais plus sage ». Six ans auparavant une attaque cardiaque lui a donné la conviction aiguë de sa propre mortalité. Il regarde le temps comme précieux et aspire à pouvoir se concentrer sur son propre travail créatif.

Attelé à son livre sur la technique et la pratique de la psychanalyse, il vient juste d'écrire une centaine de pages consacrées à la résistance. Il va entreprendre un chapitre sur le transfert, un « contresens à contretemps », une suite d'erreurs sur la personne permettant d'atteindre la vérité du patient. Il prévoit que ce chapitre pourrait être encore plus long que le précédent. Il voudrait terminer ce livre avant la fin d'année si ses patients et les horaires trop lourds ne l'en empêchent pas et il doit prochainement s'en entretenir avec son éditeur de la côte Est. Aussi, il décide de démissionner de son poste de doyen à l'institut de formation et limite ses activités professionnelles. Lui qui adorait y briller, il renonce même à se rendre au congrès de l'American Psychoanalytic Association.

De Marilyn, il voudrait vraiment s'éloigner aussi, mais il la voit seule au monde et admet avoir un faible pour les femmes en détresse. Il espère encore être capable de dominer les forces de mort à l'œuvre en elle et comprendre quelque chose dans ce processus qui la détruit. Mais il éprouve aussi envers elle une ambivalence croissante, jugeant qu'elle se montre exceptionnellement exigeante en termes de temps et d'émotions et trop malade pour mener une psychanalyse classique.

Dans les premiers jours d'octobre, Marilyn rencontra lors d'un dîner le jeune frère du Président, Robert Kennedy, ministre de la Justice, venu à Los Angeles pour une réunion officielle. Pour se préparer à cette soirée, Greenson lui donna des consignes précises quant aux vêtements. Elle voulait porter un long fourreau noir qui aurait mis en valeur la pâleur de sa peau. Cette robe était l'élément stratégique : elle voulait qu'on voie ses seins le plus possible. C'était le type même de comportement autodestructeur qu'il essayait d'écarter. Le dîner eut lieu chez Peter Lawford, qui avait épousé une sœur Kennedy. Au cours de la soirée, Marilyn se mit à boire, et à mesure que la nuit avançait il devint évident qu'elle ne pourrait pas rentrer seule chez elle. Bob Kennedy et son attaché de presse lui proposèrent de la ramener dans son petit appartement de Doheny Drive.

Dix jours plus tard, la Fox lui annonça qu'elle devait tourner *Quelque chose doit craquer*. Convaincue que Cukor la méprisait, et que se révélerait bientôt cette part d'elle-même qui détestait le cinéma et voulait arrêter de tourner, elle menaça de se suicider. Greenson, croyant possible un passage à l'acte, décida une nouvelle désintoxication, mais à domicile cette fois, car il se souvenait de l'épisode de la Payne Whitney Clinic. Le living-room de Marilyn devint son hôpital, avec ses lourds rideaux bleus en triple épaisseur. Le psychanalyste obtint de la Fox un cachet important et un poste de conseiller spécial de Marilyn Monroe et de consultant technique sur le film à venir.

— Vous savez, dit-elle à Greenson venu le soir chez elle, j'ai trouvé ma définition de la mort. Un corps dont il faut se débarrasser. Les survivants ne pensent qu'à ça. Un peu comme les hommes quand ils vous suivent dans la rue. Le sexe aussi, c'est souvent un corps dont il faut se débarrasser. Un corps en trop dont ils espèrent se défaire en faisant un petit tour à l'intérieur. J'ai rédigé un testament à New York, au cours de ma première analyse avec la Hongroise.

J'avais prévu comme épitaphe : « Marilyn Monroe – blonde : 94-53-89. »

Dans un rire étouffé, elle ajouta :

— Je crois que je vais m'y tenir, quitte à réviser les mensurations.

Rentré à Santa Monica, le psychanalyste tenta de comprendre ce que les récits et les poses sexuelles de Marilyn provoquaient en lui. Un dégoût, une tristesse même. Assis face à elle, l'odeur écœurante de la décoloration oxygénée de ses cheveux venait jusqu'à lui et il n'avait aucune envie d'en approcher la main ou les lèvres. Cette odeur, il ne cessa jamais de la sentir. Greenson n'aimait pas ce genre de femmes, ce type de corps. Il préférait les minces, les brunes, et trouvait Marilyn trop enfant et trop américaine. Quand il la recevait, il était retenu dans un état d'admiration non désirante pour son corps. Il le trouvait beau, sexy, mais pas sexuel.

Il chercha à comprendre pourquoi il ne la désirait pas, ne la regardait même plus. Ce qui donne forme à un mot, ce sont les consonnes, se dit-il, pas les voyelles. Ce qui donne forme et ligne à une phrase, ce sont les articulations, la syntaxe, pas les mots qu'elle agence. Un corps, c'est un peu pareil à une phrase. La chair, les formes ne suffisent pas à donner envie de le prendre, il faut qu'en lui se devinent une structure, des os, des attaches. Une forme. Marilyn n'était que chair. Quand il la voyait amener son corps comme on apporte un objet et le poser dans le fauteuil avec l'air de dire « ça te dit ? » au lieu que la peur se change en désir, l'excès causait un dégoût.

Berkeley, Californie,
5 et 27 octobre 1961

À la demande de la station de radio KPFA-FM,
Ralph Greenson prononça en octobre deux conférences sur « Les diverses formes de l'amour ». Il
décrit l'Amérique et les Américains comme négli-
geant l'amour et préférant chercher le succès,
l'argent, la renommée et le pouvoir. Il propose une
distinction : « Tout le monde veut être aimé, peu de
gens peuvent et veulent aimer. L'amour est en général confondu avec la satisfaction sexuelle ou avec
l'apaisement des tensions et des guerres à l'intérieur
des couples. » Il voit dans la télévision un écran qui
vous empêche de rencontrer les autres, de les aimer
ou de les haïr. Pour beaucoup, dit-il, l'amour est une
idée étrange, et pour certains, perverse. L'amour
n'est pas inné. Un bébé ne naît pas avec la capacité
d'aimer. Il essaie de survivre, de respirer et de se
nourrir. Beaucoup d'adultes restent dans cet état, les
alcooliques, les drogués, les boulimiques, ou ceux qui
sont attachés aux sensations de danger. Pour eux, il

n'y a personne en face, personne en particulier. L'autre n'est qu'un pourvoyeur qui fait taire la souffrance et le manque.

Lorsqu'il rentra chez lui après la deuxième conférence, il repensa à Marilyn, et à cette phrase qui s'imposait à lui chaque fois qu'il voulait repenser son cas : un amour sans amour.

Au cours de la dernière année de sa vie, les relations de Marilyn avec son analyste devinrent passionnelles. Greenson entendait incarner le père qui lui avait fait défaut, laissant à Hildi les soins d'une mère. Il assumait de satisfaire son fantasme d'un foyer retrouvé et effacer de sa vie tout ce qui pouvait faire mal. Marilyn se mit à lui téléphoner à toute heure du jour et de la nuit pour discuter de ses rêves, angoisses et inhibitions. Ses hésitations à propos d'un scénario et même ses rendez-vous amoureux étaient traités comme des éléments relevant de sa cure. Le psychanalyste commença à annuler régulièrement ses rendez-vous avec d'autres patients à son bureau de Roxbury Drive et à se précipiter chez lui pour rencontrer en privé Marilyn. Il décida même de faire désormais certaines séances avec sa patiente allongée sur le divan.

Marilyn trouvait cette relation à la fois flatteuse et satisfaisante, mais le milieu des Studios commençait à trouver que la situation du couple Ralph et Marilyn pourrait faire un bon scénario. John Huston, dont les rapports avec la psychanalyse et les psychanalystes avaient été passionnés, éclatait de rire devant cette tragi-comédie. « Ce n'est plus *Le Prince et la danseuse,* disait-il en référence au film anglais et costumé de Marilyn, c'est le psychanalyste et sa doublure. » S'il avait été moins paresseux, il en aurait bien fait un film. « Bon scénario, pensait-il. Chacun sans le savoir se fait le metteur en scène de l'autre. Chacun joue le rôle de ce qu'il ne savait pas être : lui un artiste, elle une intellectuelle. Chacun est finalement devenu le rêve de l'autre. Avant de se rencontrer et hors de leur rencontre ni l'un ni l'autre n'était fou ; ensemble ils le deviennent. » Bien plus tard, en 1983, Huston éprouva beaucoup de plaisir à se venger des rebuffades de la famille freudienne lors de la préparation de son *Freud, passion secrète* en incarnant à l'écran, dans le *Lovesick* de Marshall Brickman, le rôle d'un psychanalyste chevronné qui supervise et remet dans le droit divan un collègue qui s'est follement épris de sa patiente.

Un samedi après-midi de la fin novembre, Greenson demande à Marilyn de venir chez lui pour une deuxième séance le même jour. Il l'envoie sèchement dire à Ralph Roberts l'attendant dans la voiture devant la porte qu'il devait rentrer définitivement à New York, parce qu'il avait choisi quelqu'un d'autre pour le remplacer auprès de Marilyn. « Deux Ralph dans une vie, c'était un de trop. » Sans discuter, Roberts se rendit dans l'appartement de Marilyn, prit sa table de massage et s'en alla. Greenson félicita sa patiente de savoir se séparer d'un tas de gens qui se servaient d'elle. S'être débarrassée de tous ceux qui l'exploitaient était un progrès de sa cure. Il en informa aussitôt Marianne Kris.

Quelques jours plus tard, une femme d'âge mûr, au profil d'oiseau gris et déplumé, entra dans le patio devant l'appartement de Doheny, juste en contrebas du Sunset Strip. Derrière la porte émaillée de noir de l'appartement, elle trouva Marilyn Monroe qui n'était pour elle que le nom d'une star de cinéma. Elle appuya sur le bouton et attendit longtemps avant que vienne ouvrir une blonde aux yeux bleus, et aux cheveux presque blancs, nu-pieds, vêtue d'un kimono rouge et les cheveux ébouriffés par le sommeil. « Bonjour ! dit la dame d'une voix douce. Je m'appelle Eunice Murray. Le Dr Greenson m'a dit que vous m'attendiez. » À la mort de Marilyn, elle raconta qu'elle avait été engagée en premier lieu pour la conduire de son appartement au cabinet du psychiatre et la ramener, répondre à la porte et au téléphone et faire l'entretien et le ménage. En fait, Murray était infirmière psychiatrique de formation et Greenson l'avait placée auprès de Marilyn pour surveiller son comportement. Whitey Snyder, le maquilleur de Marilyn, la considérait comme une dame très étrange, qui chuchotait sans arrêt. Chuchotait et écoutait. Elle était tout le temps là, et répétait tout au docteur. Elle avait elle-même une fille prénommée Marilyn et s'adressait à sa patronne en l'appelant par ce prénom. Marilyn, elle, l'appela toujours Mrs Murray.

Greenson ne pouvait cependant apaiser le besoin de Marilyn de travailler, de jouer. Sans les compensations désirées et détestées de son activité créatrice, elle retomba dans la dépression. C'est dans cet hiver triste qu'elle envoya à Norman Rosten ce court poème.

> *À l'aide. À l'aide. À l'aide.*
> *Je sens la vie de plus en plus proche*
> *Alors que ce que je veux c'est mourir.*

Depuis l'anniversaire de ses trente-cinq ans, Marilyn parlait sans cesse à son psychanalyste de la souffrance physique due à la séparation d'avec un amant. Lors d'une séance, après des pleurs très intenses et bruyants, elle commence à se calmer et à se consoler avec l'idée que l'analyse va l'aider à se rassembler, à se réunifier. Tandis qu'elle prononce ces paroles, Greenson remarque qu'elle caresse doucement et en rythme le tissu mural au-dessus du divan, les yeux à moitié fermés. Après une pause elle dit :

— Vous êtes bon pour moi. Vous essayez vraiment de l'être. Elle continue à caresser le mur en silence. Lui aussi se tait. Après quelques minutes, les yeux secs, elle s'arrête de caresser le mur, rajuste ses vêtements légèrement défaits et dit :

— Je me sens mieux maintenant ; je ne sais pas pourquoi, mais je me sens mieux. Peut-être, c'était votre silence. Je l'ai ressenti comme s'il était chaud et réconfortant et non pas froid comme certaines fois. Je ne me sentais plus seule.

Au début, Greenson ne comprit pas que son bureau était à ce moment-là pour elle une sorte d'objet transitionnel. La caresse au mur semblait avoir beaucoup d'autres significations. Elle caressait le mur comme elle aurait caressé quelqu'un, comme si elle avait voulu être caressée par son amant ou par lui. La caresse au mur était – Greenson ne le comprit qu'après – la répétition de quelque chose de plus infantile. Le mouvement rythmique, les yeux mi-clos, l'effet apaisant de sa non-intervention, tout cela aurait dû lui indiquer qu'elle vivait une expérience de transfert transitionnel.

Dès qu'il commença à parler, elle l'interrompit pour dire que ses mots lui semblaient une intrusion. Il attendit et dit ensuite d'une voix douce qu'il avait l'impression, tandis qu'elle pleurait, qu'elle se laissait glisser dans le passé. La caresse au mur pouvait avoir ramené une sensation de bien-être venue de l'enfance. Marilyn répliqua :

— J'étais seulement à peine consciente de la caresse. Surtout, j'aimais la qualité de votre tenture. Sa texture. On aurait dit de la fourrure. C'est étrange : comme si la tenture me répondait obscurément.

— Dans la détresse d'être allongée sur le divan, dit l'analyste, vous avez ressenti en caressant le mur, que ma présence silencieuse était un peu comme être rassurée par une figure maternelle.

— Vous savez, je ne suis pas d'accord avec vous, répliqua Marilyn après une pause. Cela peut paraître étrange, mais c'était de caresser le papier peint qui m'avait aidée, et aussi je suppose le fait que m'ayez laissée faire. Cela me rappelle lorsque je pleurais en m'endormant quand j'étais enfant tandis que je tenais dans les bras mon petit panda favori. J'ai gardé ce panda pendant des années. J'ai même des images de moi enfant avec lui. Bien sûr, sa fourrure était très, très douce, et plus tard il est devenu lisse, mais je le ressentais toujours comme doux.

Par la suite, elle fit des rêves où l'analyste se trouvait parmi les points noirs et blancs, images qu'ils relièrent à celle de son panda et de sa barbe qu'elle appelait sa fourrure. Greenson, sans trop savoir pourquoi, s'était laissé pousser la barbe. Wexler avait ri : « Je n'ai jamais bien compris les hommes qui se laissent pousser la barbe. Si c'est pour être plus virils, c'est raté : ils ne se rendent pas compte qu'ils font ressembler le bas de leur visage au sexe de leur mère. » Greenson ne répondit rien et le regarda comme on regarde les fous.

Santa Monica, Franklin Street,
automne 1961

Greenson collabore au scénario de *Captain Newman M.D.* Il écrit à Leo Rosten, l'auteur du livre : « Milton Rudin a obtenu de Universal 12,5 % de droits sur le film pour moi. C'est bien le moins : comme tu le sais, le psychiatre du film, c'est moi à 100 % et 90 % des personnages sont mes anciens patients. » Au même moment, il prend en main la préparation de *Quelque chose doit craquer*. En novembre, David Brown, le producteur, apprend qu'il est remplacé par Henry Weinstein, qui avait fait ses débuts de producteur dans *Tendre est la nuit*. Dépité d'avoir à céder la place, on lui explique que c'est une des conditions à la signature de Marilyn. Greenson avait assuré que si Brown était remplacé par Weinstein, il garantissait la ponctualité de la star et le film serait terminé dans les temps. « Ne vous inquiétez pas, je peux lui faire faire ce que je veux. » Le tournage doit débuter le 9 avril et Cukor s'attend au pire, furieux qu'on ait débarqué Brown. Le fait que le nouveau producteur connaisse le psychiatre de Marilyn n'y changerait rien. « Vous vous croyez capable de faire venir Marilyn à l'heure sur le plateau ? Je vais vous dire une bonne chose. Même si vous colliez le lit de Marilyn avec Marilyn dedans sur le plateau inondé de lumière, elle ne serait pas à l'heure pour la première prise de vues ! »

À mesure qu'approchait la fin de l'année, la cure de Marilyn s'intensifia. Devenus trop proches l'un de l'autre, la patiente et l'analyste ne savaient plus qui ils étaient eux-mêmes. Peu à peu, le psychanalyste et sa patiente avaient échangé leurs inhibitions. Marilyn, qui n'était au début que la copie de Marilyn, se fia moins à son image pour se rassurer elle-même et séduire les autres. Elle commençait d'admettre que les mots aussi pouvaient tenir chaud, constituer une enveloppe, un vêtement. Greenson venait d'un monde de culture et de langage, brillait par la parole et avait choisi la psychiatrie après la médecine pour mettre à une certaine distance le corps et l'image de l'autre. Il se mit à multiplier les conférences et les lectures, s'offrant en corps et en effigie à la dévoration d'un public qui ne venait pas pour comprendre et entendre, mais pour toucher des yeux et prendre en soi la voix de l'artiste. Il s'enfonça de plus en plus dans les méandres du cinéma et investit l'usine à images d'Hollywood. Lié depuis des années à plusieurs Studios dont les directeurs ou les producteurs étaient souvent ses patients, il devint en particulier l'interlocuteur privilégié de la Fox. Selon une note retrouvée dans les archives : « Le psychanalyste ne veut pas qu'on le prenne pour un montreur de marionnettes, mais l'instant d'après, il dit qu'il peut amener sa patiente à faire tout ce qu'il lui dirait de faire. Il détermine les scènes qu'elle doit tourner ou non, choisit parmi les prises celles qu'il estimait les meilleures, et toutes les décisions artistiques entrent dans son ressort puisqu'il a obtenu finalement d'avoir accès à la salle de montage. »

Beverly Hills, Roxbury Drive,
automne 1976

C'est sans doute vers 1976 que Ralph Greenson commença son article demeuré inédit : « L'écran du transfert, rôles et vraie identité ». Il avait découvert dans les *Archives Freud* une séquence troublante concernant les frontières de l'analyse et l'amour. Fasciné par sa découverte, il en fit part à Milton Wexler :

— C'est seulement maintenant que je comprends pourquoi Anna Freud n'a pas voulu que l'on fasse un film sur son père. La question Marilyn n'était pas essentielle. L'essentiel c'était l'amour, qui est la matière dont est fait le cinéma.

Wexler haussa les épaules.

— La belle affaire ! Et il t'a fallu tant d'années pour comprendre que la passion est d'abord une représentation, un jeu d'acteur ?

— J'aime le cinéma, les acteurs me touchent, l'écran me fascine. Tu crois que j'aurais voulu être comédien, non. Au vrai, c'est plus grave : j'aurais voulu être metteur en scène, faire ce que justement on ne peut ni ne doit pas faire dans une cure. Ecrire les répliques, bâtir l'histoire, dérouler les scènes.

— Tu es trop narcissique pour ça. Le metteur en scène n'est pas dans la scène...

— Sur tout cela, interrompit Greenson, je compte faire un article à la fois historique et théorique : « Pourquoi Freud, passionné d'images, n'aimait pas le cinéma ».

— Laisse tomber ! Tu ne me parles que du cinéma. Et la passion amoureuse ? Et l'amour ? Avec Marilyn, c'était de l'amour que tu mettais en scène ? Tu ne m'as pas répondu.

— Je n'ai pas fait quoi que ce soit de sexuel avec elle, tu le sais. C'est vrai, elle m'a pris et je l'ai prise, d'une certaine façon. Mais les crétins qui me soupçonnent d'avoir eu avec elle des relations amoureuses et sexuelles ne peuvent pas comprendre ça. Son corps ne me bouleversait pas sexuellement. Je l'admirais, bien sûr, mais je ne le voyais presque plus. J'entendais, loin dedans, emprisonné, un enfant – je ne dis même pas une petite fille – un enfant qui avait toujours eu peur de parler, parce que, comme ça, on ne pourrait pas la prendre en faute. Je ne couche pas avec des enfants.

— Manque de désir ou manque d'amour, qu'est-ce qui t'a permis de ne pas céder ? La cure et l'aliénation qu'elle y a cherchée – et trouvée – auraient peut-être été moins destructrices pour elle si tu avais couché avec elle. Vous ne vous seriez sans doute pas abîmés l'un l'autre comme vous l'avez fait. Et peut-être serait-elle encore en vie. Je ne comprends pas. Qu'est-ce qui t'a permis de sortir, pas trop mal finalement, de ce qu'il faut bien appeler votre passion? Votre cinéma?

— Une autre fois, si tu veux bien. J'ai à faire.

Greenson sortit et claqua la porte derrière lui.

Santa Monica, Franklin Street,
décembre 1961-janvier 1962

La dernière séance de la journée était réservée chaque jour à Marilyn. Elle se faisait conduire tôt dans l'après-midi sur la colline où était perchée l'hacienda. Descendant d'un bond de la Dodge Coronet modèle 1957 conduite par Eunice Murray, elle arpentait le trottoir bordé de hauts palmiers, regardant de loin la vaste maison en stuc blanc, entourée d'une belle pelouse et dont les fenêtres donnaient d'un côté sur l'océan et de l'autre sur la ville en contrebas, comme une mer dont les vagues repoussent le sable à l'horizon. De la rue, dans sa pièce de réception au plafond à poutres nues, elle pouvait apercevoir le docteur en chemise et cravate, assis dans son fauteuil en cuir devant un bureau en bois sombre, le dos tourné à l'immense cheminée décorée de céramique mexicaine.

Ce jour-là, après un regard circonspect sur le cabinet, Marilyn s'assit. D'un ton enjoué, Greenson lui lança :

— C'est le troisième film que nous allons faire ensemble. Ne regrettez pas Cecily. Je préfère que vous soyez ma patiente, plutôt que vous jouiez une patiente du maître. Mais pourquoi avez-vous tant de mal sur ce tournage?

— Ce n'est pas nouveau. Pour tous mes films je me suis traînée sur le plateau, et les trois derniers ont été des cauchemars. Mais celui-là, c'est le pompon, j'en rigolerais presque : *Quelque chose doit craquer*, tu parles d'un programme!

Puis elle se tut longtemps, baissant les yeux, tordant ses doigts.

— À la clinique de New York, reprit-elle, je ne vous ai pas dit ce que j'ai fait, avant de lancer la chaise dans la vitre. On ne voulait pas me laisser sortir. Alors, je me suis mise entièrement nue et je me suis collée contre cette glace, comme une image sur un écran.

— Qu'avez-vous dit?

— Rien. Je me suis tenue là, sans rien dire. Docteur, vous savez, j'ai du mal avec les mots. Ce sont les mots qui nous soumettent aux autres sans merci, nous dénudent bien plus que toutes les mains que nous laissons chercher notre peau. Hier soir, à une soirée chez Cecil Beaton, j'ai dansé nue devant cinquante personnes, mais je n'aurais dit à aucune cette simple phrase que j'ai tant de mal à vous dire, même à vous : « Ma mère? Qui, ma mère? Une femme aux cheveux rouges, c'est tout. »

Quand elle quitta sa séance, il faisait étonnamment chaud. Greenson alla s'asseoir près de la piscine. Il déplia le petit papier jaune laissé sur l'accoudoir par sa patiente. C'était un poème, ou plusieurs courts poèmes, écrits à la suite les uns des autres.

Nuit de la nuit – apaisante
Ténèbres – rafraîchissantes – l'air
Semble différent – La nuit n'a
Ni regard ni rien – Silence –
Sauf pour la nuit elle-même.

Vie en des moments étranges
Je suis tes deux directions
Existant davantage lorsqu'il gèle
Solide comme une toile d'araignée dans le vent
Tant bien que mal je reste suspendue, attirée vers le vide
Alors que tes deux directions m'attirent.

Au saule pleureur.
Je me tenais debout sous tes branches
Et tu as fleuri et finalement tu t'es accroché à moi
Quand le vent nous cingla... de terre
Et de sable tu t'es accroché à moi.

Le 4 décembre 1961, sans lui rappeler sa brève cure de Marilyn cinq ans plus tôt, Greenson écrit à Anna Freud : « J'ai repris le traitement de ma patiente suivie pendant plusieurs années par Marianne Kris et qui est devenue borderline, accroc, paranoïde, très malade. Vous pouvez imaginer comme c'est difficile de traiter une actrice à Hollywood, quelqu'un qui a tant de problèmes graves et est complètement seule au monde, mais qui est aussi une grande célébrité. La psychanalyse est encore

243

hors de question et j'improvise sans cesse, souvent surpris de voir où ça me mène. Aucune autre direction vers quoi me tourner. Si je réussis, j'aurai appris quelque chose, mais je dépense un temps fou et autant d'émotions. »

Etrange, la réponse d'Anna ne mentionne pas davantage la thérapie qu'elle a faite avec l'actrice. « Je suis au courant de l'évolution de cette patiente par Marianne, ainsi que de ses propres luttes avec elle. La question est de savoir si quelqu'un peut fournir l'impulsion qu'elle devrait avoir elle-même pour aller bien. » L'un et l'autre semblent s'accorder pour effacer la part prise par Anna à l'état mental de Marilyn, pressentant peut-être qu'au cas où les choses tourneraient mal, sa responsabilité ne serait jamais mise en cause.

Le même mois, à un autre interlocuteur, Greenson écrit : « Elle a traversé une période de profonde dépression paranoïaque. Elle envisage d'arrêter le cinéma, de se tuer, etc. J'ai dû placer des infirmières chez elle, nuit et jour, pour surveiller ce qu'elle prenait comme médicaments, car je la juge potentiellement suicidaire. Marilyn a fait une telle vie à ces infirmières qu'au bout de quelques semaines elles ont toutes renoncé. »

Le 11 décembre, J. Edgar Hoover, patron du FBI, fit savoir à Robert Kennedy que le mafieux de Chicago Sam Giancana projetait de se servir de Frank Sinatra pour intercéder en sa faveur auprès des Kennedy. Trois semaines plus tard, à table chez son analyste, Marilyn s'exclama : « Bon Dieu ! Je dois aller dîner chez les Lawford, et Bobby sera là. Kim Novak va parler de sa nouvelle maison près de Big Sur. Moi, il faut que j'aie des choses sérieuses à dire à Bobby ! » C'était le deuxième dîner avec le frère Kennedy et elle ne voulait pas qu'il se termine comme le premier, les seins hors de la robe, dans le vomi et les pleurs. Elle révisa son cahier de vocabulaire puis recensa avec Danny Greenson les problèmes politiques susceptibles de fournir un sujet de conversation. Elle prit des notes. C'étaient des critiques d'un point de vue de gauche – à l'époque le jeune étudiant combattait le soutien apporté au régime sud-vietnamien. Elle voulait aussi parler de la Commission des activités antiaméricaines, des droits civils, etc. Elle tenait à impressionner. Bobby fut effectivement impressionné, dans un premier temps. Puis il vit Marilyn consulter sa liste dissimulée dans son sac à main et se moqua d'elle. Elle avait coutume depuis des années de préparer ainsi ses sujets de conversation pour paraître toujours à son avantage. Quand on se dit qu'on est soi-même une erreur, on n'a pas envie de s'entendre dire qu'on a fait des fautes.

Marilyn passa l'après-midi de son dernier jour de Noël chez les Greenson avec son ex-mari, Joe DiMaggio. La nuit, parlant avec Joannie et Joe, elle s'apaisa. Ils burent du champagne. Mais lorsque Greenson entra dans la pièce, elle parut agitée, troublée. DiMaggio la questionna. Asservie à l'amour que lui portait son analyste, elle voyait à peine la part qu'elle prenait à son emprise. Elle raconta à son ex-mari que l'analyste la conseillait dans tous les domaines importants : quels amis elle devait conserver, avec qui elle devait sortir, quel genre de films elle devait tourner, où elle devait habiter, combien elle devait payer Eunice Murray, dont il venait de lui ordonner de doubler le salaire.

Un mois plus tard, estimant nuisible sa fréquentation intense des frères Kennedy, et aussi souhaitant prendre un peu de champ par rapport à Marilyn, le psychanalyste lui enjoignit de s'offrir quelques vacances au Mexique avant de commencer *Quelque chose doit craquer*. Elle sentait en lui une évolution qu'elle n'aurait pas su définir, et commençait à le voir comme un être de passion plus qu'un sauveur aimant. Insensiblement leur lien changeait de nature. Il y avait en quelque sorte un moi pour deux, une seule pensée inconsciente, un seul amour, mais de soi.

Marilyn avait eu, comme une autre, son histoire d'amour. Chacun la sienne. Certains en ont plusieurs. Quelques-uns d'innombrables. Ou toujours la même ? Toutes ne s'écrivent pas. Comment écrire cette sorte d'amour dans lequel chacun dévoilait ce qu'il ne savait pas qu'il était ? Il arrive qu'on en meure. Et puis, cet amour pouvait-il se dire ? Il y a ces mots qu'on ne dit que lorsque ce n'est plus vrai : « Je t'aime ». Et ces autres mots : « Je ne t'aime plus », qu'on dit pour que ce soit vrai. On ne dit jamais : « Je t'aime », sans que cette phrase ait aussi – et parfois seulement – le sens de : « Aime-moi ! » L'attachement de Greenson prenait des résonances inquiétantes. Une sorte de folie amoureuse à deux avait résulté de leurs relations toujours plus intimes. Mais cet amour était une passion, avec chutes, relances, impasses, larmes amères et noires délices. Une passion de transfert. Si l'amour est toujours réciproque – chacun aime pour être aimé – la passion est asymétrique. Comme l'amoureux, le passionné aime aimer. Mais plus secrètement, en proie à l'amour de la haine, il aime aussi ne pas aimer et sans doute ne pas être aimé.

Brentwood, Fifth Helena Drive,
février 1962

Lorsque Marilyn avait décidé d'y revenir, tout en gardant son appartement de New York, Los Angeles n'était plus la ville qu'elle avait connue dans son enfance et sa jeunesse. Atteignant six millions d'habitants, elle était devenue une sorte d'animal plat et informe, qui étendait en tous sens ses autoroutes sans fin, telles des veines chargées du sang coagulé d'un trafic baignant dans la vapeur cuivrée du brouillard de pollution. Chaque bloc faisait clignoter ses *diners* en forme de vaisseau spatial, et un peu plus loin, la flaque de néon d'un supermarché ouvert vingt-quatre heures par jour éblouissait la nuit. Sur les collines d'Hollywood, un octogone de béton proposait des résidences « avec vue sur le cinéma » dans le quartier où depuis trente ans les villas de style Méditerranée des étoiles du muet se cachaient parmi les palmiers géants et les eucalyptus.

Depuis son retour à Los Angeles huit mois plus tôt, Marilyn habitait dans une résidence au 882 Doheny

Drive, près de Greystone Park, au nord de Beverly Hills. Un studio sans charme et sur la porte un nom, Stengel, celui de sa secrétaire. Les nombreux déménagements qu'elle avait faits avaient été compliqués par la nécessité de transporter à chaque fois son piano, le *Baby Grand* blanc. Elle avait vécu dans elle ne savait combien de maisons, chambres d'hôtel ou appartements différents ; le foyer YMCA d'Hollywood comme le Château Marmont ; l'hôtel de putes Biltmore et le Beverly Hills Hotel ; un appartement sur la voie ferrée à Van Nuys ou une suite royale à Manhattan. Elle avait dormi, dans des garages retapés et les appartements présidentiels du Carlyle mais pas une seule fois dans sa propre maison. « Une superstructure sans fondations », ainsi s'était-elle décrite à un journaliste quelque temps auparavant.

Au début de l'année, Marilyn acheta une maison dans le quartier de Brentwood, une section de West Los Angeles qui avait l'avantage d'être balayée par les vents venus de l'océan et d'avoir gardé la forme d'une ville et même d'un village dans le tissu gangrené de la Cité de Nulle Part. Le quartier avait surtout l'intérêt d'être à mi-distance des studios de la Fox sur Pico Boulevard et de la maison de son analyste à Santa Monica. Elle avait décidé de devenir propriétaire à la suite d'une séance où Greenson avait dit en la reconduisant à la grille : « Portez-vous bien. Voulez-vous que l'on vous raccompagne chez vous ? » Ça sonnait drôle, *chez vous*, avait pensé Marilyn. Elle se rendait compte qu'elle n'avait pas de « chez elle », qu'elle n'en avait jamais eu. Elle répondit : « Vous savez quoi ? Récemment, à une réception, on m'a demandé de signer le livre d'or. À côté de mon nom, que je n'écris jamais sans un temps d'hésitation, dans la colonne : adresse, j'ai écrit : " Nulle part ". »

Après deux hospitalisations psychiatriques et deux interventions chirurgicales, elle voulait maintenant une maison à elle, mais une maison comme la sienne à *lui*. Car c'était l'attrait unique de la maison que Marilyn acheta par un contrat préparé par Mickey Rudin : elle était la réplique, moins belle et moins grande, de celle de son psychanalyste. Une fausse hacienda dans un quartier simple, paisible, au fond d'une impasse. Elle y vécut six mois à peine.

À l'arrière, une petite piscine, un peu de gazon et quelques arbres sur un terrain en pente qui donnait sur un ravin profond. À l'intérieur, peu de choses. Des carreaux de faïence, des masques accrochés aux murs, une pendule offerte par Carl Sandburg, des poteries de différentes couleurs et un calendrier aztèque décoraient les pièces froides, comme inachevées. Le mobilier était maigre, comme si Marilyn n'était pas sûre de la maison ni de celle qui l'occupait. En compagnie d'Eunice Murray, elle se rendit à Mexico en février pour y acheter des meubles de style hispanique et faire en plus petit la réplique de celle du docteur. « Vous savez, lui avait dit la gouvernante, qui lui avait fait embaucher son gendre, son frère et deux amis, sa maison je la connais bien, c'est moi qui la lui ai vendue. »

Marilyn aimait cette maison du Fifth Helena Drive, ses poutres sombres au plafond brutes et sans ornement. Sur sa terrasse elle sentait la force des arbres, qui lui faisait penser à la solidité des bras d'hommes quand ils vous contiennent sans vous emprisonner. Elle aimait les murs en crépi blanc, rugueux comme la peau d'une mère qui travaille de ses mains. Le sol couvert d'une moquette blanche enveloppait les pas quand on entrait dans la chambre. Greenson lui avait dit : « Elle sera pour vous l'enfant que vous avez perdu, le mari dont vous êtes divorcée. Eunice sera une présence maternelle et moi, non loin, je vous protégerai comme un père. La maison vous donnera la sérénité. » Les maisons, elle ne les avait pas comptées, mais il y en avait eu cinquante-sept en trente-cinq ans. Cette fois, c'était la bonne. La dernière. Celle où elle s'arrêterait. Où elle cesserait d'avoir peur.

Le dernier film pour le contrat Fox, la dernière maison pour faire plaisir à Greenson, ça faisait un peu page tournée, mais c'était bien ainsi. Et après tout, même chez Greenson, elle pouvait envisager un jour de se rendre à sa dernière séance.

— J'ai appris que tu as acheté une maison, lui dit André de Dienes quand il la rencontra quelque temps après.

— Ouais, et mon psychanalyste m'a félicitée de ce choix. Un grand saut dans la résolution de mon attachement transférentiel, n'est-ce pas ? Tu parles ! J'ai quitté Beverly Hills, à trois rues de son cabinet, et je suis à deux pas de son domicile de Santa Monica. J'ai même eu une drôle d'impression quand j'ai vu qu'il habitait sur Franklin Street. Moi, j'ai vécu quelque temps, quand j'avais vingt ans, comme ça, sur Franklin Avenue à Hollywood. J'avais quitté mes « parents adoptifs » qui m'avaient hébergée quand j'étais sans engagements et que j'avais faim. Mais j'en avais marre de leurs soirées partouzes, je voulais être chez moi.

— L'important est que tu te trouves bien chez toi à Brentwood.

— Ouais. Ce n'est pas grand-chose, rien, en fait. Mais un rien avec piscine et ce rien me plaît. Tu vois, au fond, ce que j'aime dans cette ville, c'est son absence, son rien. Un assemblage de huttes perdues dans une jungle de sentiments confus, complètement morte. Mais Los Angeles ne fait pas semblant d'être une ville, pas semblant d'être belle. Elle est comme je me sens être quand je ne joue plus : déliée, sans mémoire, pur corps étendu. Elle n'en finit pas d'être. N'en finit pas de disparaître. Ouais ! Suivant le conseil du docteur, j'ai acheté une maison. C'est un début : elle représente une possible sécurité. Je m'y sens chez moi. Pourtant, qu'est-ce que cela veut dire ? C'est chez soi que les fantômes attendent toujours.

Peu avant sa mort, Marilyn eut à remplir un imprimé officiel comportant la mention : Nom du père. Elle inscrivit avec rage : « Inconnu ».

Santa Monica, Franklin Street,
mars 1962

Greenson comprit vite que Marilyn avait l'intention de retourner à New York, dès la fin de son dernier film avec la Fox. Elle considérait toujours que Manhattan était sa vraie adresse. Avant de s'envoler pour la Floride et le Mexique, elle passa douze jours à New York du 5 au 17 février. Chaque jour elle se rendit au cours de Strasberg. Chaque nuit, Greenson lui téléphonait. Ensuite, elle visita à Miami son ex-beau-père, Isadore Miller, juste avant de s'envoler pour le Mexique. Ce voyage fut pour Greenson un court répit. Marilyn, sous bonne garde de Murray, faisait des emplettes. Un amant scénariste de gauche, José Bolaños, quelques rencontres avec le cercle d'exilés communistes Zona Rosa chez Fred Vanderbilt Fried : rien qui pût inquiéter le psychanalyste qui l'avait incitée à prendre des vacances. Vanderbilt était un ami de longue date, ce qu'ignorait sa patiente mais intéressait beaucoup le FBI. Un document daté du 6 mars et ayant pour en-tête : MARILYN

MONROE – SÛRETÉ NATIONALE – C (comme communiste) fut adressé par le bureau de Mexico à Edgar G. Hoover, inquiet de voir la maîtresse du président des Etats-Unis parler à des rouges de sujets concernant la sécurité nationale.

Marilyn fut mise sur écoutes dès la fin de 1961. Plusieurs commanditaires se firent concurrence ou s'allièrent. DiMaggio l'espionnait par jalousie, mais rencontrait souvent le gangster gérant du casino Cal-Neva Lodge sur le Lac Tahoe, Skinny D'Amato, qui écoutait lui-même Marilyn pour le compte de Sam Giancana. Le FBI avait aussi branché un fil sur son téléphone et Edgar Hoover avait mis en garde le président Kennedy contre des tentatives de la mafia pour le déstabiliser à travers sa liaison avec l'actrice. Marilyn téléphonait très souvent de cabines publiques, à New York comme en Californie.

De retour du Mexique début mars, dans un état épouvantable, Marilyn débarque à l'aéroport international de Los Angeles. Elle serre une flasque d'alcool contre son sein et peut à peine marcher. Trois jours plus tard à la cérémonie des Golden Globe Awards, elle arrive saoule, son amant mexicain au bras, portant une robe décolletée dans le dos de couleur verte. Quand on l'acclame pour lui remettre la statue d'or de la meilleure actrice, elle peut à peine monter sur le podium. Son propos de remerciement est haché et indistinct. La plupart des témoins pensent que Marilyn est finie, mais l'après-midi même, elle se rend à la Fox et assure Peter

G. Levathes, vice-président chargé de la production, de son désir de commencer le tournage.

— Vous êtes sûre ? Vous semblez totalement effondrée. Que se passe-t-il ?

Elle ne répond rien. Il lui annonce qu'il a chargé Nunnally Johnson, le scénariste de deux de ses précédents films, de récrire *Quelque chose doit craquer*.

Elle rencontre celui-ci le lendemain au Beverly Hills Hotel.

— Monsieur Nunnally, demande-t-elle à la réception. J'ai rendez-vous.

— Qui dois-je annoncer ?

— Une pute.

Ils vident des bouteilles de champagne. « Cela faisait deux ans qu'elle était en perte de vitesse, expliqua Johnson quelque temps plus tard, et elle était convaincue que ce film la ramènerait au tout premier plan. »

— Parle moins fort, lui dit l'actrice. On nous écoute.

— Tu ne serais pas un peu paranoïaque ?

— Même les paranoïaques ont des ennemis, comme dit la blague qui a cours chez les psychanalystes. Mais parlons du rôle.

— Tu me donnes une idée. Tu te souviens de mon film *Les Trois Visages d'Eve*, il y a quatre ans. Maintenant, je te verrais bien dans « les deux visages d'Ellen » pour *Quelque chose doit craquer*. Une femme aimante et pleine d'enfance et une garce sombre qui revient se venger de l'homme qui l'a tenue pour morte.

255

— Non. Pas de rôle tragique. Assez, c'est assez! N'oublie pas que vous avez Marilyn Monroe. Il faut en tirer parti. Je veux qu'il y ait une scène en bikini. Quant au dédoublement, là aussi, assez c'est assez. Tu sais quoi? Cyd Charisse voudrait être blonde dans le film. On m'a dit pour me rassurer que ce serait juste châtain clair. Mais c'est dans son inconscient qu'elle veut être blonde, conclut-elle d'un air entendu.

Johnson resta songeur, mais il apprit ensuite que la Fox, soucieuse de ne prendre aucun risque, avait fait teindre d'une couleur plus foncée les cheveux de la rivale. Découragé par les changements constants imposés par la Fox, il comprenait que le film était pour la carrière de Marilyn un enjeu majeur et, qu'elle fasse le film ou pas, dans les deux cas elle serait perdante, comme dans certains coups aux échecs. Ou bien le film serait achevé mais raté, ou bien il serait abandonné et elle en serait tenue pour responsable.

Marilyn avait pris une chambre au Beverly Hills avec Bolaños pour les quelques jours où sa maison serait en travaux. À sa séance, le premier samedi de mars, elle arriva très angoissée :

— Nunnally Johnson va envoyer foutre la Fox qui ne sait pas ce qu'elle veut comme scénario. Personne ne sait quelle fin donner au film, comment cette histoire doit finir, en comédie ou en tragédie.

— Vous êtes trop mal pour repartir ce soir. Vous allez rester chez nous jusqu'à ce que ça aille mieux.

Ce n'était pas la première fois qu'elle passerait des nuits chez les Greenson et elle accepta la proposition d'y demeurer le temps nécessaire à son emménagement.

L'analyste installe sa patiente dans une chambre au premier étage. Il éloigne l'amant mexicain, les amants, les maris. Quelques jours après, un soir, DiMaggio vient la chercher pour la ramener chez elle. Greenson, en présence de deux médecins, refuse de laisser Marilyn descendre.

— Elle est sous sédatifs. Je veux la calmer. Revenez quand je vous ferai signe.

Elle apprend que Joe l'attend et veut le voir, mais l'analyste le lui interdit. Elle proteste, crie. Joe insiste. Se tournant vers un des psychiatres qui se formaient à la psychanalyse sous sa supervision, Greenson dit :

— Vous avez là un bel exemple de caractère narcissique. Vous voyez comme elle est exigeante. Il faut que tout se passe comme elle le veut. Elle n'est qu'une enfant. Une pauvre chose !

Le futur analyste n'eut pas besoin d'une longue expérience clinique pour deviner que Greenson était en pleine projection et que c'était lui, la pauvre chose qui se débattait avec sa dépendance inanalysée et était devenu le prisonnier de sa prisonnière.

DiMaggio fit ce qu'il avait fait à la Payne Whitney Clinic : il sauva Marilyn de son internement chez Greenson, non sans postures mélodramatiques des deux côtés. À ce moment-là, les collègues du psychanalyste commencèrent à s'alarmer de le voir de plus en plus interventionniste et autoritaire. Milton Wexler en tête, le Tout-Hollywood psychanalytique trouvait cette histoire singulière. Ce qui pouvait être justifié par des motifs techniques révélait à leurs yeux une faiblesse. Au lieu de permettre à Marilyn de puiser en elle-même les ressources nouvelles de son indépendance et de son autonomie de jugement et d'action, son analyste la rendait plus dépendante en assurant sur elle sa propre domination. Les plus sévères parlaient de « folie à deux » dans un cadre qui se voulait contraignant et techniquement adapté. Les plus indulgents détournaient les yeux de ces pratiques peu orthodoxes mais où aucune loi pénale, morale ou déontologique n'était transgressée. L'autorité personnelle et l'emprise intellectuelle que Greenson exerçait sur l'institution psychanalytique de Los Angeles et sur la formation qui y était dispensée firent taire les critiques et on décida de s'abstenir de toute mise en question d'un traitement qui suscitait ricanements et rumeurs.

Ayant terminé son scénario, Nunnally Johnson quitta la Californie. Marilyn se leva exceptionnellement tôt pour le saluer. Elle se jeta à son cou et l'accompagna à l'aéroport. Après son départ, tout se dégrada très vite. Une nuit, depuis sa nouvelle maison, elle appela Henry Weinstein.

— Tu sais ce que je viens de vivre ? J'ai trouvé l'adresse de mon père, je me suis déguisée, je me suis rendue chez lui et je me suis donnée à lui.

Weinstein réveilla Greenson et lui raconta l'histoire.

— C'est un fantasme qu'elle me raconte souvent. Elle déborde de fantasmes. L'un d'eux est banal chez les jeunes femmes : elle veut aller au lit avec tout ce qui ressemble à un père. C'est son fantasme du moment. Ne me dérange pas pour des conneries pareilles ! Bonne nuit.

Weinstein, assez versé dans la psychanalyse, pensa que le fantasme pouvait bien être la projection de celui de Greenson. Des années après, il dira : « J'ai mal quand je repense à ces deux-là. Je pense que Ralph était le plus dépendant des deux. » Milton Rudin disait de son beau-frère : « Il a tout le temps peur qu'il lui arrive quelque chose. La compassion le perdra. »

Quelques jours plus tard, Greenson annonce à
Marilyn son prochain départ pour l'Europe. Il ne lui
dit pas que l'une des raisons était de pouvoir retrouver Anna Freud à Londres. Les séances suivantes,
elle ne parle pas. L'analyste n'est pas surpris de
sa détresse et voit dans cette crise l'irruption
de massives angoisses d'abandon. La dépendance de
Marilyn s'était intensifiée et ce départ la dévastait.
Hildi n'est pas fâchée de mettre quelque distance
entre son mari et la patiente qui était à elle seule
presque toute sa clientèle. « Ma femme a peur de me
laisser seul à la maison, dit Greenson à un ami.
Je devrais faire interner Marilyn dans un asile. Ce
serait plus sûr. Pour moi. Pour elle, ce serait
mourir. »

Le psychanalyste tergiverse entre partir et rester
auprès d'elle. Il le lui dit. À la fin du mois, un samedi
matin aux aurores, il voit débarquer chez lui Marilyn
bien avant son heure de réveil habituel.

— On m'a installé un chauffe-eau et le plombier m'a dit que je n'aurais pas d'eau pendant trente minutes. Je vais me laver les cheveux ici.

— Si vous y tenez. Mais pourquoi cette précipitation matinale ?

— Peter Lawford doit venir me chercher et m'emmener à Palm Springs où je dois retrouver le président Kennedy pour un week-end.

Elle fait son shampoing, rentre chez elle, se fait coiffer et passe plusieurs heures à s'habiller et se maquiller pour se retransformer en Marilyn. Lawford fait les cent pas dans le couloir. Marilyn sort de sa chambre coiffée d'une perruque noire par-dessus sa mise en plis. Elle le quitte les cheveux mouillés, tout à sa joie de petite fille, heureuse de laisser son sauveur dans le trouble.

Si elle voulait empêcher Greenson de l'abandonner, elle pouvait difficilement trouver meilleur scénario. Ce week-end était précisément le type de situation qui alarmait le psychanalyste. Il voyait à l'œuvre sa tendance à se laisser exploiter et s'inquiétait de la voir accorder à sa liaison avec Kennedy une importance démesurée. Greenson écrit aussitôt à Anna Freud qu'il n'est plus du tout certain de partir en Europe. Il ne veut voir dans la séparation avec sa patiente qu'un problème technique, mais est forcé de reconnaître que pour lui aussi, l'épreuve s'annonce douloureuse. Marilyn pouvait aussi bien basculer dans une vraie indépendance que s'effondrer dans une régression qui ruinerait ses vacances. Il ne sait pas s'il survivra à la tourmente. Il espère qu'elle n'en mourra pas et est envahi par la culpabilité et la rancœur. Weinstein l'incite à ne pas partir. L'analyste est devenu un élément central dans l'existence de l'actrice dont dépend le film en production et il est surpris et inquiet de le voir partir dans de telles circonstances.

Quelques années après, Greenson écrira dans son *Traité* : « Pour beaucoup de patients, les week-ends ou les intervalles entre les séances connotent la perte d'un objet d'amour. L'intermède du week-end a alors valeur de séparation, de détachement, de rupture, de désunion ou de terminaison. Le patient se conduit comme s'il perdait un objet d'amour. Le week-end équivaut alors à un rejet de la part de l'analyste. Mais le simple fait pour eux de connaître l'emploi du temps de l'analyste peut aussi tenir lieu de substitut à celui-ci. Une complication supplémentaire est de savoir ce que le week-end représente pour l'analyste. On touche là au problème du contre-transfert qui sera traité comme tel dans le tome II. »
Ralph Greenson n'écrivit jamais le tome II de son *Traité*.

Santa Monica, Franklin Street,
début avril 1962

Amis new-yorkais de Marilyn, le poète et écrivain
Norman Rosten et sa femme arrivèrent à Hollywood
où ils avaient été engagés pour un film. Marilyn leur
téléphona aussitôt.

— C'est dimanche, allons chez mon psychanalyste.
Je veux vous présenter à lui. J'ai dit à sa femme que
nous arrivions.

Rosten hésitait.

— Est-ce qu'on peut?

— C'est un homme merveilleux, et sa famille
aussi. Vous les aimerez et ils vous aimeront.

— Qu'est-ce que nous ferons? Parler de toi?

— D'accord, aussi longtemps que je n'écoute pas.
Je vous rappelle tout de suite.

Quelques minutes plus tard, elle leur annonça que
non seulement ils étaient invités mais qu'ils pourraient rester et écouter de la musique de chambre :

— De la musique de chambre. Et pas dans une
chambre, dans un beau salon !

Les présentations furent un peu précieuses :

— Mon ami poète et sa femme, une personne chère. Ils forment un merveilleux couple.

Greenson et Hildi furent accueillants, diserts, naturels. Marilyn s'installa à l'écart, très naturelle elle aussi. On eût dit qu'elle était chez elle. Les autres musiciens arrivèrent. Ils formèrent un quatuor. Mozart fut joué par Greenson en amateur dévoué et passionné masquant pas mal de fausses notes par un entrain fougueux.

Après le concert, Norman rappela à Marilyn cette soirée où ils avaient entendu un récital du pianiste russe Emil Guilels, à New York trois ou quatre ans avant. Dans sa robe tapageuse, elle s'était penchée vers son cavalier : « Détends-toi, Norman, chuchota-t-elle avec son fameux petit rire, personne ne sait qui tu es. » Ce souvenir lui revint et elle susurra d'un air mélancolique et enjoué à la fois :

— Oui, c'est toujours comme ça. Quand tu écoutes de la musique, personne ne sait qui tu es. Ils ne viendront pas te chercher.

Rosten ne comprit pas cette dernière phrase. Il prit le psychanalyste à part.

— Est-ce qu'elle va s'en sortir ? Est-ce qu'elle progresse ?

— La méthode que j'utilise pour la soigner peut vous paraître étrange, mais je crois fermement que le traitement doit s'adapter au malade, et non l'inverse. Marilyn n'est pas une patiente analytique. Il lui faut une psychothérapie à la fois analytique et qui la soutienne. Je lui ai permis de fréquenter ma famille et de devenir notre amie parce que je sentais qu'elle avait besoin dans sa vie actuelle d'une expérience qui supplée au manque affectif dont elle a souffert depuis l'enfance. Vous pensez peut-être que j'ai transgressé certaines règles, mais si j'ai de la chance dans quelques années, peut-être Marilyn pourra faire une vraie analyse. Elle n'est pas encore prête. Je me sens en droit de vous le dire, parce qu'elle vous considère, Hedda et vous, comme ses meilleurs amis, et quelqu'un doit pouvoir partager un peu mes responsabilités. J'en ai parlé avec elle et c'est elle qui m'a autorisé à vous en parler.

Quelque temps après, Hedda Rosten quittant Los Angeles salua Marilyn.

— Tu me manqueras. Prends bien soin de toi. Promets-moi que tu te reposeras avant de commencer le plus dur du film.

Marilyn acquiesça :

— Je suis en bonne forme. Du moins physiquement, sinon mentalement. Elle rit et se frappa le front. Tout est là-dedans. Du moins c'est ce qu'ils disent.

Beverly Hills, Rodeo Drive,
25 mars 1962

Elle n'aimait pas le soir. À mesure que le jour baissait, elle devenait instable, sombre, méchante envers elle-même et les autres. Elle se livrait à sa manie crépusculaire. Alarmée par la venue de la nuit comme par une brûlure, elle ne pensait qu'à téléphoner. Des heures. Moins pour parler que pour entendre des voix. C'est pourquoi Greenson avait placé ses séances en fin d'après-midi.

Un soir de printemps, Marilyn appelle Norman Rosten.

— Peux-tu venir? Je dois dîner en ville avec quelqu'un que je veux te présenter.

Quand il arrive, par la porte entrebâillée elle lui glisse :

— Je serai prête dans quelques minutes. Va dans la pièce du fond, tu le reconnaîtras. Je lui ai parlé de toi.

C'était Frank Sinatra. Les deux hommes s'assoient, boivent, devisent. Un quart d'heure passe, deux, trois... Vêtue d'une robe indienne vert clair, Marilyn paraît enfin. Sinatra l'arrache à son ami. Elle murmure :

— C'est un poète. Si tu as besoin d'un bon écrivain pour un film, il est formidable.

Le lendemain matin de bonne heure, elle téléphona à Rosten.

— Qu'est-ce que tu penses de lui ?

Sa voix paraissait impatiente, mais il ne savait pas si c'était de joie ou de panique. Quelques jours plus tard, Rosten repartit vers l'Est. Ils burent quelques coupes d'adieu chez elle devant la piscine.

— La prochaine fois, tu t'y baigneras, dit-elle. Je ferai une piscine party.

— Je te promets que je resterai avec toi dans l'eau jusqu'à ce qu'on me repêche.

— Justement, on a fait quelques essais pour *Quelque chose doit craquer*. Je dois être nue dans une piscine. J'espère qu'ils me donneront aussi quelques paroles déshabillées pour aller avec. »

Une dernière coupe de champagne, un dernier baiser. De ceux, abrégés et raides, qu'on échange quand l'un et l'autre pensent confusément qu'on pourrait bien ne jamais se revoir.

— Embrasse tout le monde pour moi. Je te quitte, je vais chez mon docteur.

Ils se revirent. Une fois. Un dimanche de mars, le dernier. La veille au soir, Marilyn avait assisté à une soirée pour lever des fonds pour Kennedy. Elle avait dansé avec Bobby et n'avait pas quitté les deux frères.

Le président regagne Washington tandis que Marilyn se réveille à midi. Angoissée, elle appelle aussitôt Norman et le convoque Fifth Helena Drive.

— Au fond de l'impasse. C'est là que je suis.

Elle sort du salon et accueille Rosten. Titubante, elle croise les pans de son peignoir ; chair triste, paupières gonflées, face bouffie. Abrutie de sommeil, elle s'approche de la fenêtre, protégeant ses yeux.

— Seigneur, ça va vraiment être un dimanche sinistre.

Pour lui remonter le moral, Rosten lui propose d'aller dans Beverly Hills voir les galeries d'art. Sur Rodeo Drive se tient une exposition de peinture moderne. Elle commence à se détendre et à s'amuser. Elle achète une petite peinture à l'huile, une étude en rouge, abstraite. Puis son œil tombe sur une sculpture de Rodin – un bronze représentant les visages d'un homme et d'une femme dans un baiser. Une image lyrique et puissante. Elle dit « passionnée », mais ce n'est pas le mot juste. L'attitude de l'homme lui paraît farouche, rapace, presque brutale, celle de la femme innocente, docile, humaine. Marilyn contemple la statue pendant quelques instants, puis décide de l'acheter. Le prix dépassait mille dollars. Rosten lui suggère de réfléchir.

— Non, dit-elle, si on réfléchit trop longtemps à quelque chose, ça veut dire qu'on n'en a pas vraiment envie.

Elle fait un chèque. Pendant le trajet du retour, Marilyn tient la sculpture en équilibre sur ses genoux et la fixe intensément. Elle dit, enthousiaste :

— Regarde-les tous les deux. Comme c'est beau, il lui fait mal, mais il veut l'aimer aussi.

Dans ses yeux, l'exaltation et la peur. Rosten se souvient de leur visite de l'aile Rodin au Metropolitan Museum de New York des années plus tôt. Ils étaient restés une heure devant des mains de Rodin.

Au retour, à mesure qu'elle se rapproche de Brentwood, Marilyn est prise d'une humeur maussade.

— Nous allons nous arrêter chez mon psychanalyste. Je veux lui montrer la statue.

— Maintenant ? demande l'ami inquiet du tour que prennent les événements.

— Bien sûr ! Pourquoi pas maintenant ?

— On ne va pas chez les gens sans s'être annoncé.

Marilyn s'arrête devant chez elle, va téléphoner, tandis que Rosten l'attend dans la voiture. Elle revient en annonçant qu'ils ont la permission de passer chez son médecin. Elle se jette dans la voiture, et crie avec un petit rire :

— En route pour chez mon docteur.

Greenson les accueille courtoisement. Marilyn pose aussitôt la sculpture sur le buffet près du bar.

— Qu'en pensez-vous ?

L'analyste répond que c'est un magnifique objet d'art. Marilyn très nerveuse n'arrête pas de toucher les visages de bronze. Sa voix devient querelleuse.

— Eh bien, qu'est-ce qu'elle signifie ? Est-ce qu'il la baise ou fait-il semblant ? J'aimerais savoir.

Furieuse, d'une voix aiguë, elle répète :

— Qu'est-ce que vous en pensez, docteur? Qu'est-
ce que ça veut dire? Qu'est-ce que c'est que ça? On
dirait un pénis.

Elle désignait une sorte d'ergot en bronze attaché
au moulage, qui semblait transpercer le corps de la
femme. Après un examen, Greenson conclut que ce
n'est pas un pénis. Marilyn ne cesse de répéter :

— Qu'en pensez-vous, docteur? Qu'est-ce que cela
signifie?

— Quoi? Le cadeau lui-même ou le fait que vous
me l'ayez donné? Ce don veut dire qu'on se sert
souvent des liens avec celui dont on dépend pour
l'attacher lui-même.

— Ce n'était pas un cadeau. Je le garde!

Rosten raccompagna chez elle Marilyn en rage. Ils
burent quelques coupes de champagne. Elle semblait
être un peu plus gaie. Elle plaça la sculpture avec précaution sur la table du living-room et se recula pour
mieux l'admirer. Elle ne dit plus rien. Le soir, elle
n'arriva pas à dormir. Roméo n'avait pas voulu de
son baiser. Elle regarda autour d'elle. Les meubles et
objets qu'elle avait achetés au Mexique n'étaient pas
encore arrivés. Dans la salle de séjour, il n'y avait
qu'une chaise et une table basse et dans la cuisine,
des placards et les appliques avaient été arrachés par
le précédent occupant. Selon son rituel nocturne,
deux téléphones, l'un blanc et l'autre rose, tous deux
munis de longs cordons, avaient été placés sous des
coussins dans la chambre d'invités. Sur le sol de sa
chambre, un tas de sacs de magasins divers, un élec-
trophone et des disques.

Elle avait écrit une fois à Greenson – elle le lui avait redit cent fois – qu'elle ne savait pas à quoi servait la nuit. La réponse était simple : à attendre. À dire à l'autre qui tarde : « Reviens ! » Cette nuit-là, l'autre n'était personne. Il s'appelait Nembutal, Librium, Midtown, Demerol, Hydrate de chloral. Lorsque la limousine du studio vint la chercher le matin, la maison semblait déserte et personne ne répondit à la porte. Deux heures plus tard, Greenson découvrit Marilyn sous une fine couverture de satin blanc, plongée dans un coma médicamenteux.

Santa Monica, Franklin Street, avril 1962

Pour *Quelque chose doit craquer,* Marilyn devait toucher 100 000 dollars, soit un tiers de la somme versée à Dean Martin qui jouait le mari remarié et oublieux. Dean avait toujours eu beaucoup d'affection pour Marilyn, mais elle lui semblait plus paumée que jamais. Sinatra était en train de la quitter et s'était fiancé à Juliet Prowse en janvier. Lorsque Peter Lawford avait présenté Marilyn à Robert Kennedy, Sinatra s'était réjoui que le ministre de la Justice en lutte contre la mafia et le protecteur de la réputation de son frère tombe à son tour sous le charme d'une de ses ex. Et Marilyn, de son côté, était tombée en bloc sous le charme des Kennedy. Maintenant, c'était l'heure du plus jeune, Bobby. Ils s'accouplèrent furtivement, maladroitement, l'Attorney General et la déesse blond platine. Dean Martin, quoique ami et associé de Sinatra, aimait trop Marilyn pour la laisser se débattre avec les frères et leur entourage politique ou mafieux. D'une certaine façon, elle lui faisait de la peine, et il lui devait de faire ce film : Dean avait été choisi sur son insistance.

— Demain, c'est quoi ? demanda Marilyn encore debout dans l'entrée de Greenson.

— Le 9 avril, répondit l'analyste.

C'était le début du tournage. Comme la rentrée des classes. Un truc mortel auquel on ne pouvait échapper qu'en faisant la morte ou l'imbécile. Marilyn devait reprendre le chemin des studios, et sous la direction de Cukor, encore, qui la détestait depuis que ses troubles et ses absences avaient manqué faire tourner au fiasco *Le Milliardaire*.

— Celui-là, s'emporte Marilyn face à Greenson, ce n'est pas qu'il n'aime pas les femmes, on couche avec qui on veut. Il les hait. Au point de ne pouvoir poser sa caméra sur elles. Il ne peut même pas essayer de saisir ce qu'elles pensent, ce qu'elles désirent. Non, il attend qu'elles tombent, que le rimmel, le maquillage et les larmes se fondent en une pâte dégoûtante. Vous savez, il a tenu à faire installer le plateau de tournage de *Quelque chose doit craquer* dans sa propre maison ; ça en dit long. Trop occupé à se regarder, lui, ses beaux objets, sa piscine, sa maison luxueuse. Vous savez ce qu'il fait, le soir avec ses mignons autour de la piscine ? Je le sais parce que j'ai un ami homo qui fait partie de son cercle. Il fait un concours de fausses Marilyn. Ils se déguisent, imitent ma démarche, ma voix de petite fille idiote et vicieuse. Rassurez-vous, il ne vous aime pas non plus, mon bon docteur. Quand on lui demande si je suis en mesure de tourner, il répond : «Je n'en sais rien, demandez à son psychiatre. »

Greenson écoutait et se demandait si c'était vraiment ce film et ce metteur en scène qu'elle rejetait ou bien le personnage de la blonde idiote qu'elle devait jouer à nouveau, après le rôle tragique de son dernier film, *Les Désaxés*.

— J'ai rencontré Cukor. Je n'ai pas eu l'impression qu'il ne m'aimait pas. Il m'a même demandé de l'aider à vous faire jouer correctement. Il ne vous déteste pas.

— Tu parles ! Un journaliste lui a demandé ce qu'il pensait de moi. Il a répondu que j'étais si nerveuse que je ne pouvais pas être raccord d'une prise à l'autre, et qu'il fallait demander pourquoi à mon psychiatre. Eh bien, Monsieur Cukor, non je ne sais pas à quoi, *à qui* me raccorder d'un plan à l'autre. Non je ne suis pas la même d'une prise à l'autre, parce que je ne me sens pas en continuité avec moi-même, mais séparée, toujours. Et toujours à me demander comment on veut que je sois à ce moment précis.

Après un temps, elle reprit son souffle.

— Pourtant, j'aime bien ce scénario. Suite à un naufrage, une femme se retrouve sur une île tropicale avec un bel homme ; elle est déclarée morte ; son époux se remarie ; la femme, miraculeusement sauvée, revient réclamer son mari. Ses enfants ne la reconnaissent pas. Elle se fait passer pour une baby-sitter. Son mari est troublé, mais la deuxième femme le garde sous sa coupe...

Greenson l'interrompit :

— Je connais ; j'ai lu le scénario et je connais le film dont c'est le *remake, My Favourite Wife (Ma femme préférée)*. Pourquoi ne pouvez-vous pas jouer Ellen ? Vous n'aimez pas qu'on ne vous reconnaisse pas en tant que personne, qu'on vous coupe, qu'on vous prenne votre image ?

— Vous ne comprenez rien. Vous avez vous-même souligné un jour que les hommes qui m'avaient le plus marquée avaient été des photographes : André de Dienes, Milton Greene et maintenant, George Barris que je viens de retrouver. Des hommes de regard. Mais justement, voir n'est pas connaître. Je veux être vue, sans cesse vue, sous tous les angles, par tous les yeux, par tous les regards, ceux des hommes et ceux des femmes ; mais c'est pour ne pas être connue.

— Et pourquoi avez-vous si peur d'être filmée et si envie d'être photographiée ?

Marilyn se tut. Quand elle sentait qu'elle allait au fond, quand elle voyait venir la mort et savait qu'il n'y aurait la main de personne pour lui faire traverser la route et l'emmener à l'école le jour de la rentrée, elle ne connaissait qu'un recours : se faire prendre en photo, se trouver dans l'image. L'image est une magie et parler une détresse. « J'ai du mal avec les scènes de films, pas avec les séances de photos », disait-elle à Milton Greene du temps où ils vivaient ensemble à Weston, Connecticut.

— Je vous ai posé une question, relança l'analyste.

Marilyn reprit à haute voix :

— J'ai peur quand je dois parler, jouer des scènes, dire des mots écrits devant l'œil de mort de la

caméra. Dans la photo, on me prend, on me tire
– c'est le mot, n'est-ce pas : *to shoot* (tirer). On dit *tirer*
une scène, un plan, comme on tire au fusil. Mais sans
un mot ; pas comme au cinéma parlant. Je préfère les
hommes qui font leur affaire et la mienne sans
phrases et sans me demander en plus des com-
mentaires. D'ailleurs, vous savez quoi ? Ce qui me
tient sur les tournages et me permet de jouer ? Ça
s'appelle aussi un *shot*. Depuis *Sept ans de réflexion*,
c'est ce que m'injecte Lee Seigel, le médecin de la
Fox à la seringue magique. *Play it again, Lee. A good
youth shot.* Tire-moi un bon « coup de jouvence ».
  Et Marilyn repart.

  Les débuts de *Quelque chose doit craquer* furent un
cauchemar. Les premières prises durent être repous-
sées au 23 avril et Marilyn en profita pour repartir à
New York où elle assista à un dîner en l'honneur de
JFK dans une *penthouse* sur Park Avenue. Elle arriva
à cette soirée à vingt-deux heures bien sonnées,
sublime de pâleur, une braise blanchie près de
s'éteindre, une princesse de cendre. S'approchant
avec nonchalance du Président, elle lui dit : « *Hi,
Prez !* » Il se retourna, lui sourit et répondit : « *Hi !*
Venez, que je vous présente quelques personnes. »
Puis ils disparurent. Avant de repartir pour Hollywood, Marilyn alla voir Lee Strasberg. Ils discutèrent
du film en préparation, une scène après l'autre, plusieurs jours de suite. À son retour à Los Angeles, une
surprise l'attendait. Le scénario de Nunnally Johnson
qu'elle avait appris et répété avait été intégralement

réécrit par George Cukor et le scénariste Walter Bernstein.

Le soir du 22 avril, un dimanche, au sortir de sa séance chez Greenson, Marilyn dans un état de panique intense se fit conduire à Hermosa Beach, dans le sud de Los Angeles. Là elle sortit du lit sa vieille coiffeuse Pearl Porterfield afin qu'elle teigne et coiffe ses cheveux pour affronter les caméras le lendemain aux aurores. Pearl avait coiffé des stars du muet, et notamment les cheveux en vagues douces et blanches de Mae West. Comme elle faisait toujours, Marilyn se fit aussi décolorer les poils du sexe. Le tournage commença sans elle. Elle ne put se lever d'une semaine et ses seuls contacts furent les visites quotidiennes de son analyste. Dans le film, c'était Cyd Charisse, jouant la seconde femme de Dean Martin, qui consultait son psychanalyste pour comprendre ce qui lui arrivait. Le 30 avril, contre l'avis de son médecin, Marilyn se rendit au studio et tourna pendant environ quatre-vingt-dix minutes avant de s'effondrer dans sa loge et de se faire raccompagner chez elle. Elle fut contrainte de garder la chambre de nouveau du 5 au 11 mai.

Tandis qu'elle s'efforçait de se remettre et que Cukor se résignait à tourner des séquences où elle n'apparaissait pas, la peur gagnait la direction de la Fox. Le Studio tournait au même moment en Europe *Cléopâtre* sous la direction de Mankiewicz, un monstre qui engloutissait des millions de dollars. Avec les problèmes rencontrés sur les deux productions, la faillite menaçait. Greenson avait garanti que Marilyn se trouverait chaque jour sur le plateau et que le film serait fini à la date fixée. Il n'avait pas prévu qu'elle tomberait physiquement malade. Les cadres de la Fox téléphonaient régulièrement au psychiatre pour lui rappeler ses engagements et pour essayer de comprendre pourquoi la star pourrait vouloir la faillite du Studio. Etait-elle vraiment malade ? Faisait-elle du sabotage parce qu'elle était sous-payée ? Faisait-elle une dépression ? Se droguait-elle ? Greenson répondait par des mémos rassurants.

Beverly Hills, Roxbury Drive, mai 1962

Ce jour-là, Marilyn arriva à sa séance décomposée.

— Il paraît que ça y est, que vous allez vraiment partir et me quitter. C'est Joannie qui me l'a appris avant-hier.

— En effet, comme je vous l'ai déjà dit...

— Oui, mais je n'y croyais pas. Maintenant, ça y est?

— Je vais prendre des vacances et faire un voyage en Méditerranée avec Hildi. Elle doit d'abord rendre visite à sa mère en Suisse : elle a eu récemment un accident cardiaque. Et moi, je dois rencontrer au retour mon éditeur à New York, pour discuter de mon livre sur la technique psychanalytique. J'ai droit à des vacances, non? Et puis, je ne vous quitterai pas; je dois faire à Jérusalem une conférence sur le transfert.

— Oui... Non... Merde! Hier, j'ai fait un effort, j'étais au studio vingt minutes avant l'heure, à six heures du matin, et pour un simple test de maquillage. J'ai travaillé jusqu'à quatre heures de l'après-midi, puis je suis venue à ma séance. Mais aujourd'hui, quand j'ai su que Hildi allait partir et vous aussi, vraiment partir, je me suis évanouie une demi-heure après être arrivée sur le plateau et on a dû me ramener chez moi. Vous ne vous rendez pas compte. Je suis sortie du lit en morceaux. J'ai transporté mon corps jusqu'à la salle de bains, comme celui d'une autre. *Quelque chose doit craquer?* Oui. Moi !

— J'ai pensé à quelque chose, répondit l'analyste. Si je vous donnais un objet qui m'appartient, comme ça, en gage, vous me le rendriez à mon retour, ce serait une sorte de lien matériel, de talisman entre nous. Tenez, par exemple une pièce de ce jeu d'échecs en verre. Qu'en dites-vous ?

Le soir, après avoir raccompagné Marilyn sur le seuil de sa villa, Greenson s'assit à son bureau et transcrivit les phrases échangées durant la soirée. Il commença aussitôt un article pour montrer comment avec ce type de patient, il avait dû agir et non pas seulement dire. Donner et non pas attendre et recevoir. L'article, qui aborde la place et le rôle d'objet transitionnel dévolu au jeu d'échecs comme substitut à l'analyste, resta à l'état d'ébauche et ce n'est que douze ans après la mort de sa patiente qu'il put enfin le reprendre et le terminer. Ecrire pour oublier. Ecrire pour effacer qu'il avait perdu la dernière partie d'échecs. Il hésitait encore : comment parler d'elle sans la nommer ? En cas de publication, chacun reconnaîtrait sa patiente innommée, même sous le titre neutre qu'il avait donné à son papier afin d'éviter le ton passionnel : « Objets transitionnels et transfert ». C'est le seul texte publié par Greenson où il mentionne, sans la nommer, sa patiente la plus célèbre.

J'avais annoncé à une patiente jeune et émotionnellement immature que j'allais assister à un congrès international en Europe dans trois mois. Elle avait développé une relation de transfert extrêmement dépendante à mon égard. Nous avions travaillé intensivement les déterminants multiples de son agrippement et de sa dépendance et nous n'avions fait que peu de progrès. Et puis un jour la situation changea dramatiquement lorsqu'elle m'annonça qu'elle avait trouvé quelque chose qui pourrait l'aider à franchir l'absence. Ce n'était pas un nouvel aperçu d'elle-même, ce n'était pas une nouvelle relation qu'elle avait nouée, c'était une pièce de jeu d'échecs. La jeune femme avait reçu en cadeau il y a peu un jeu d'échecs en ivoire sculpté. La veille de sa séance, elle avait regardé le jeu à travers la lumière scintillante d'une coupe de champagne. Soudain elle fut frappée par la ressemblance du cavalier blanc du jeu d'échecs avec moi. Immédiatement cela lui donna une sensation de confort et même de triomphe. Le cavalier blanc était son protecteur. Il lui appartenait, elle pourrait l'emporter partout où elle irait. Il agirait sur elle, et moi je pourrais faire mon voyage heureux en Europe sans avoir à me faire du souci. Je dois avouer que malgré mes inquiétudes, j'éprouvai comme un soulagement. La principale difficulté que devait affronter ma patiente pendant mon absence était une représentation publique d'une grande importance à laquelle elle devait participer sur scène. Et maintenant elle était sûre de réussir parce qu'elle envisageait de cacher son cavalier blanc dans un mouchoir ou dans une écharpe, et qu'il la protégerait de sa nervosité, de son angoisse, de sa malchance. Je fus ensuite soulagé et ravi d'apprendre alors que j'étais en Europe que la performance avait été un immense succès. Cependant, peu après elle m'adressa plusieurs coups de fil paniqués. Ma patiente avait perdu le cavalier blanc et était hors d'elle-même, terrorisée, endeuillée comme un enfant qui a perdu sa couverture rassurante. Un de mes collègues qui la suivait pendant cette période me dit ensuite que toutes ses interventions n'eurent aucun effet sur sa détresse. Il me suggéra même d'abréger mon voyage et de revenir. Je détestais l'idée d'interrompre les vacances et n'étais pas sûr que mon retour serait utile. Étonnamment, ce fut le cas.

Dès que je la retrouvai, je vis s'atténuer son anxiété et sa dépression. Il devint alors possible de travailler pendant plusieurs mois sur la façon dont elle m'avait utilisé comme une sorte de talisman, de porte-chance, plus que comme un analyste. Le talisman, la pièce du jeu d'échecs, lui avait servi comme un moyen magique de détourner le mal et le malheur. Il l'avait protégée contre la perte de quelque chose de précieux.

Beverly Hills, Roxbury Drive,
8 mai 1962

À toutes les séances, Marilyn était de nouveau en retard. Le psychanalyste lui demanda si c'était lié à son prochain départ.

— Quand je m'habille pour venir, je le fais le plus lentement possible. Ça me rend heureuse de me dire que je suis en retard. On m'attend, on me veut. On n'y tient plus de me voir. Je me rappelle les années où personne ne me voulait, ne me voyait, ne m'attendait. J'étais la petite, celle qui rend des services, même pour ma mère.

— Surtout pour elle ? En fait, c'est le retour d'un père que vous avez toujours attendu !

— Je ressens une satisfaction étrange à punir maintenant ceux qui m'attendent. Mais ce n'est pas après eux que j'en ai. C'est aux personnes d'autrefois. Ce n'est pas Marilyn Monroe qui se fait attendre, c'est Norma Jeane. Vous savez, j'ai cru longtemps qu'être aimée, ça voulait dire être désirée. Aujourd'hui, je pense qu'être aimée, c'est mettre l'autre à terre, à votre merci. À propos. Maintenant, j'ai deux cavaliers sur mon échiquier. Deux frères. J'en aime un, je crois. L'autre me désire comme un enfant interdit devant un gâteau. Voilà, ce sera tout pour aujourd'hui, comme dit le Dr Greenson.

De retour de sa dernière séance avant le départ de son analyste pour l'Europe, Marilyn presse au creux de sa main la figure d'échecs. Elle se sert à boire et regarde à travers la coupe le cavalier déformé par une anamorphose dorée. Elle pleure. Pourquoi ce voile de verre toujours entre moi et ma mère, entre moi et mon image ? Elle se souvient du tournage des *Désaxés*. Miller et Huston voulaient lui faire jouer une Roslyn quasi invisible derrière une fenêtre alors qu'un homme la cherchait du regard. Et dans la scène suivante, elle devait scruter avec inquiétude son image dans un miroir pendant qu'elle se maquillait. « Au diable les fenêtres, les glaces. Montrez-moi. Directement. Ne me mettez pas sous verre », avait-elle crié au metteur en scène.

Elle griffonne quelques lignes dans son bloc-notes :

Mardi 8. Il m'a fait un cadeau. Un échiquier. Un jeu de rois et de fous. Les pièces peuvent toutes tuer, prendre. La plus forte est la reine. Le roi est mort dès le début. Je ne sais pour qui je joue. J'avance mes pièces dans le noir.

Je n'aime pas écrire. Il faudrait que je trouve autre chose. Peut-être que j'aime trop lire. Les livres, ceux que j'aime vraiment, la première fois que je les lis, j'ai l'impression que c'est comme si je les relisais, comme si je les avais déjà lus. Un peu comme certains êtres que vous rencontrez avec la certitude qu'en fait vous les retrouvez. Aujourd'hui, je suis tombée sur cette phrase de Kafka : « Le capitalisme n'est pas seulement un état de la société, c'est un état de l'âme. » Les livres, je ne les termine pas. Je n'aime pas les dernières pages. Les derniers mots. Les dernières prises. Les dernières séances.

Très tard, le même jour, Greenson frappa à la porte de Wexler.

— Je peux te parler ?

— D'elle ?

— Evidemment, de qui d'autre ! Je vais te confier ma folle. Méfie-toi. Elle est attachante à un point inimaginable. Tu sais, elle a traversé enfant des choses terribles, vraiment terribles, des viols, des séductions par ses pères adoptifs. Au début, je croyais que ces abus sexuels étaient des fantasmes. Je crois qu'ils ont eu lieu. J'ai l'impression d'être débordé. Je n'y arriverai pas. Dès la première séance, deux choses ont été claires pour moi. 1. Nous ne ferions pas une analyse classique, avec le cadre bien délimité et la scénographie du divan tournant le dos au fauteuil. 2. Nous ne nous séparerions que par la mort, la sienne ou la mienne.

— Vaste programme ! Qu'attends-tu de moi, un *baby-sitting* ?

— Je pars en Europe pour six semaines. Je ne peux la laisser seule et je ne suis pas sûr que même avec toi elle pourra survivre quand tu prendras le relais des séances.

— Tant que tu y es, emmène-la avec vous.

— Freud le faisait bien avec ses patients préférés.

— Il faisait aussi des analyses gratuites et invitait ses patients à déjeuner chez lui ou à son cabinet. Il était très bavard en séance et il a analysé sa propre fille... Ça prouve quoi ? Que Freud était parfois non freudien et violait les règles qu'il avait lui-même établies. C'est tout !

— Tu ne me comprends pas. Depuis deux ans, je tente de désintoxiquer Marilyn des barbituriques. En fait, j'ai continué à lui en procurer. Même l'automne dernier quand elle terminait les prises de son film et me consultait sept fois par semaine. Et Hyman lui fait les injections miracles de Lee Seigel dans mon dos. Mais la psychanalyse elle-même est devenue pour elle une drogue. Avec une étonnante rapidité, une dépendance mutuelle s'est instaurée entre elle et moi. Je dépends de sa dépendance envers moi. Il faut que tu saches qu'en mon absence, je l'ai autorisée à appeler mes enfants si elle a besoin de quoi que ce soit.

— Tu n'en fais pas un peu trop ? questionna Wexler. Une seconde, je vais te lire quelque chose.

Il se leva, prit dans une pile sur l'étagère un ensemble de pages agrafées et lut :

— « La psychanalyse n'est pas le traitement le plus approprié pour les cas d'urgence ou pour les premiers soins psychiatriques. Lorsqu'une telle situation se présente en cours d'analyse, il faut habituellement entreprendre une psychothérapie non analytique. Le désir de soulager la misère du patient est fondamentalement contraire à l'analyse et à la compréhension de ses problèmes.» C'est signé Ralph R. Greenson, M.D.

— Arrête! Comment soigner sans intervenir, au besoin par la force? La force de l'amour est la seule dont nous disposons. Je suis son analyste, je veux incarner une image paternelle positive, un père qui ne la décevrait pas, qui éveillerait sa conscience ou lui prodiguerait, à tout le moins, de la bonté.

— Mais où ça s'arrête, la thérapie par l'amour? L'amour, tu le sais, ne fait pas toujours défaut chez nos patients schizophrènes ou limite. L'amour fabrique de la folie en l'autre, aussi sûrement que le manque d'amour.

— Je ne pense pas. Pas dans mon cas. Tout est une question de degré. Mais je ne décrirais pas comme une emprise d'amour ma relation à Marilyn.

— Roméo, qui est ta Juliette? Relis la pièce : elle finit mal! conclut le collègue tandis que Greenson quittait le cabinet sans un mot, regardant dans le vague.

Université Ann Arbor,
Michigan, 1969

Sept ans après la mort de l'actrice, Ralph Greenson fut invité à faire une conférence sur la technique psychanalytique. Il n'aimait plus autant qu'autrefois ces exercices de haute voltige où il se donnait en représentation, mais il avait accepté par amitié pour un ancien collègue qui avait quitté la Californie pour enseigner à l'Université. Par fidélité aussi à la mémoire de Marilyn, se disait-il. D'une voix mal assurée, il commença son exposé.

— « *Les erreurs dans les débuts de traitements psychanalytiques et psychothérapeutiques.* Voici le thème dont je voulais vous entretenir pour votre formation clinique dans cette belle université d'Ann Arbor. Peut-être parce que le Michigan est loin de la Californie, peut-être parce que Marilyn Monroe s'efface de ma mémoire comme de la vôtre, jeunes étudiants, je voudrais parler d'elle comme je n'ai pu le faire publiquement jusqu'ici.

« En 1960 je n'étais pas exactement un débutant et pourtant, quand me fut adressée l'actrice, j'eus aussitôt le sentiment qu'il me faudrait oublier ce que je savais et repartir de rien. Après sa mort ce fut terrible. J'avais le sentiment qu'il fallait continuer. J'ai continué. J'étais bouleversé et mes patients étaient bouleversés. Certains trouvaient que j'étais sans réaction. Ils étaient furieux contre moi de me voir aussi froid et impersonnel. Ils me demandaient comment j'avais pu recommencer à travailler le jour d'après ou comment j'avais pu prendre une telle patiente. Ils étaient en colère contre moi qui avais décidé, pour pouvoir la voir tous les jours, de réduire ou de supprimer leurs propres séances. D'autres patients me disaient qu'ils étaient désolés pour moi. Comme s'ils me disaient la formule rituelle des condoléances : "Je suis désolé pour votre perte." Et j'entendais le double sens : " la perte qui vous a frappé ", mais aussi : "je vous ai perdu, vous n'êtes plus vous-même ". Ils entraient en sympathie et ils pleuraient. Avec quelques-uns d'entre eux, je me mis à pleurer et je ne pouvais pas le cacher, et ils me voyaient pleurer. Avec d'autres encore j'avais des larmes aux yeux, et ils ne le voyaient pas.

« Sept ans ont passé, et je suis toujours dévasté. Je ne sais pas si je pourrai surmonter cela complètement un jour. Bien sûr, Marilyn avait eu plusieurs thérapeutes avant moi, mais je m'interroge sur ce que j'aurais dû faire, moi, pour la sauver. Peut-être était-ce une sorte de folie des grandeurs de croire que je pouvais réussir là où d'autres avaient échoué.

Dans une étude ancienne consacrée aux joueurs pathologiques, j'ai discerné une connexion entre le besoin du joueur de s'exposer au destin et son aspiration à la toute-puissance. Peut-être que ma décision de prendre Marilyn Monroe en charge n'avait été qu'un jeu trop ambitieux, une mise trop audacieuse. Peut-être voulais-je passer à la postérité comme " l'analyste de Marilyn Monroe ". Peut-être qu'à la fin le joueur avait perdu. Je crois que j'ai joué au poker quand il aurait fallu jouer aux échecs. Ou ne pas jouer du tout. Elle était une pauvre créature que j'ai essayé d'aider et que finalement j'ai blessée. Peut-être que mon jugement avait été brouillé par mon besoin de toute-puissance. Bien sûr, je savais que c'était un cas difficile, mais qu'est-ce que j'aurais dû faire ? L'adresser à un débutant ? Je sais que son amour était narcissique, et qu'elle me vouait sûrement une haine à la mesure de sa dépendance. Mais j'avais oublié mon vieux précepte : " Chaque jour, un vœu de mort bien conscient et assumé, et pas besoin de psychanalyste ".

Hollywood Heights, Woodrow Wilson Drive, avril 1970

Le nom de son psychanalyste n'apparaît dans aucun compte rendu du décès de l'actrice Inger Stevens. La veille de sa mort, elle portait un tailleur-pantalon grège, un chemisier noir et sa coiffure, comme toujours haut relevée en une pâtisserie de boucles blondes, allongeait encore sa ligne. Son visage n'était pas plus triste qu'à l'ordinaire, et ses yeux d'un bleu délavé laissaient passer un regard froidement désespéré. Dans la nuit du 30 avril 1970, elle fut retrouvée par une amie, Lola McNally, gisant sans connaissance dans sa maison, Woodrow Wilson Drive, presque à l'angle de Mulholland Drive. Elle ouvrit les yeux et dit quelque chose d'incompréhensible. Conduite en ambulance à l'hôpital, elle y fut déclarée « morte à l'admission ».

L'enquête fut menée par le même coroner que pour Marilyn, le Dr Noguchi, qui conclut à une surdose de barbituriques. Trois hypothèses furent envisagées : un meurtre déguisé en suicide, un accident cardiaque consécutif à une absorption massive d'alcool et de drogue, un suicide réussi. Les conditions de sa mort sont restées suspectes : elle venait de signer un contrat pour une série télévisée dont le titre : *Le Jeu le plus mortel*, résonnait étrangement quand on regardait son corps recroquevillé, la face tournée contre le sol de la cuisine. Dans sa chambre, le tapis avait été retiré. Elle avait acheté une nouvelle garde-robe en vue du tournage et semblait très excitée par cette reprise d'activité. Le téléphone ne se trouvait pas dans la salle de séjour comme d'habitude mais dans la chambre où il n'y avait pas de prise. Son bras était contusionné, elle avait une coupure au menton et son sang révéla la présence d'un médicament contre l'asthme, maladie dont elle ne souffrait pas. Elle avait invité à dîner chez elle l'acteur Burt Reynolds, qui ne fut jamais mis en cause par l'enquête et qui douze ans plus tard allait devenir, sous la direction de Blake Edwards et d'après un scénario de Milton Wexler, « L'homme qui aimait les femmes ». Wexler ne sera pas le seul lien entre l'actrice morte et la psychanalyse d'Hollywood. Ralph Greenson avait été longtemps son analyste.

Inger Stevens avait fait une brève carrière de cinéma dans les années soixante. Elle était née deux ans avant Marilyn et comme elle, avait commencé comme modèle et *chorus girl*, puis avait suivi à New York le même enseignement de théâtre de l'Actors Studio. Elle voulait devenir une « vraie actrice », disait-elle. On ne sait pas si elle et Marilyn se connurent alors, ou auparavant, à Hollywood. Quittant son Kansas familial, elle avait débarqué du bus Greyhound, seule et sans bagages à Union Station. Personne ne l'attendait. Comme Marilyn, mais aux marges, elle pouvait jouer les rôles comiques, dramatiques ou romantiques et quand on lui proposait des apparitions sexy, répondait simplement : « J'espère qu'on ne m'y enfermera pas. » Son rôle le plus remarqué était celui d'un épisode de *The Twilight Zone* de 1960, « L'autostoppeur », où une femme hallucinée croit prendre sa mort en stop dans une traversée d'Ouest en Est.

Lorsqu'en lisant le *Los Angeles Times*, il apprit la mort d'Inger Stevens, Greenson travaillait sur un livre qui aurait traité des échecs de la psychanalyse, une sorte de suite à *Technique et pratique de la psychanalyse*, publié trois ans plus tôt. Il repensa aux dernières heures de l'autre blonde. Puis il se dit que le seul moyen pour ne plus penser à l'une comme à l'autre serait de faire un article sur ces *Swinging Chicks of the Sixties*, actrices sans rôles, perdues dans leurs rêves d'une image de soi brillante, où il traiterait de leurs échecs, non de son propre échec à les guérir par l'amour. Il retrouva une lettre qu'Inger lui avait écrite peu d'années avant : « Je vis dans un constant sentiment d'insécurité, une timidité paralysante, que je masque par de la froideur. Les gens me croient distante, je suis simplement apeurée. Je suis si souvent déprimée. Je viens d'un foyer désuni, mon mariage a été un désastre, et je me sens constamment seule. »
Greenson referma le dossier où il avait classé les notes de l'analyse d'Inger. Il se rejeta en arrière dans

son fauteuil, ferma les yeux et revit son beau et triste visage, ses yeux d'enfant. Il réentendit sa voix faussement assurée au timbre sourd.

— Une carrière? Ça ne vous serre pas dans ses bras, une carrière, n'est-ce pas, docteur? La chose qui me manque le plus est d'avoir quelqu'un avec qui partager les choses. Je me suis toujours jetée et perdue dans des amitiés et des amours où j'étais la seule à donner. Vous ne pouvez pas vivre comme ça. Sinon, vous finissez dans Union Station avec autour de vous sept mille personnes qui vont et viennent sans vous voir.

— Il y a votre travail d'actrice. Les gens aiment vous voir à l'écran.

— Ce n'est pas moi qu'ils voient. Je suis très fière de bien faire ce que je fais. Je voudrais réussir ma vie. Je ne veux pas mourir en me disant que j'ai descendu la route, rampé jusqu'au trou, et c'est tout. J'aimerais laisser quelque chose derrière moi, avoir contribué à ce que ma génération a apporté. Et ce sera par mon travail d'actrice.

L'analyste ne put s'empêcher de penser qu'en fait elle avait été une mauvaise actrice, et sans savoir trop pourquoi, il décida de ne pas assister à la crémation du corps de sa patiente, annoncée pour le surlendemain. Il n'écrivit jamais son ouvrage sur les échecs de l'analyse, non plus que l'article auquel il pensait sur le suicide des patients ni celui sur les starlettes des années soixante d'Hollywood. Trop de larmes remuées. Les cendres d'Inger allèrent dans le Pacifique, jetées par une main amie depuis le Pier de Santa Monica.

Beverly Hills, Roxbury Drive,
10 mai 1962

Recevant pour la première fois Marilyn à sa consultation de midi, Wexler fut surpris par sa pâleur bouffie. Il pensa à une poupée vieille, un ballon d'enfant oublié dans un coin d'une chambre du passé. Maintenant c'était à lui de traiter la patiente que Greenson avait abandonnée à son sort. Il savait qu'elle souffrait, mais n'aurait pas voulu l'enfermer dans un « trouble de l'identité ». Tout le monde disait ça : Marilyn ne sait pas qui elle est. Quelque temps avant, elle avait reçu, sur le pas de sa porte à Brentwood, une bonne venue proposer ses services. Marilyn lui serra la main avec chaleur.

— Je n'arrive pas à croire que vous êtes Marilyn Monroe, dit la femme.

— Eh bien, je n'en suis pas sûre moi-même. Je suppose, puisque tout le monde le dit.

Mais était-ce là un signe de folie ? Wexler avec son expérience des acteurs et des gens en vue avait plutôt tendance à penser que sont fous ceux qui se prennent pour la personne dont ils portent le nom, dont ils jouent le rôle social ; et le fait qu'elle parle d'elle à la troisième personne et dise souvent à haute voix : « Veux-tu que je sois elle ? » lui paraissait au contraire d'une profonde sagesse.

Wexler resta le collègue et l'ami de Greenson depuis l'après-guerre jusqu'à la mort de ce dernier, en 1979. Il l'avait soutenu autant qu'il avait pu dans ce qu'il fallait bien appeler son épisode dépressif ou son deuil mélancolique. Mais il trouvait que son collègue n'avait pas pris la bonne voie. Pour guérir les schizophrènes, il fallait non pas accueillir leur désagrégation, mais d'abord voir leur destructivité et la contenir, au besoin par la force ou la haine. Dans les années soixante, Wexler fut mis en cause devant les instances déontologiques de la Los Angeles Psychoanalytic Association pour le traitement d'une schizophrène à laquelle il avait appliqué ses méthodes. Il était accusé par une patiente de l'avoir physiquement attaquée. Greenson, qui occupait le bureau voisin, avait fait irruption lorsqu'il avait entendu les cris. Il avait ceinturé son collègue et l'avait maintenu au sol pour le séparer de sa patiente hurlante. Le président de la société, Leo Rangell, décida d'ouvrir une procédure contre lui. On se pencha sur l'étrange comportement de Wexler, qui soutenait qu'une grande proximité physique et psychique – mais aussi une violence assumée – étaient nécessaires dans les cures de patients schizophrènes. Ses pratiques cliniques avaient été auparavant dénoncées. Wexler, qui avait été dans sa première carrière District Attorney à New York avant de devenir psychanalyste, se défendit lui-même de ces accusations. Il rapporta un épisode litigieux survenu alors qu'il soignait ses premiers schizophrènes. « C'était une patiente très grande et toute en muscles. Un jour elle vint à ma rencontre et me balança un coup dans les testicules. Par réflexe, je lui ai mis mon poing dans la figure. Elle m'a dit : " Pourquoi avez-vous fait ça ? " C'était la première phrase sensée qu'elle disait depuis des années. J'ai pris un rôle très actif en interdisant toute provocation sexuelle ou agressive de la part de la patiente, car c'était là une menace pour la relation thérapeutique. Lorsqu'elle voulait utiliser la force contre moi, je lui faisais comprendre clairement que j'emploierais une force équivalente contre elle. Lorsque ensuite, selon une fréquence qui d'ailleurs diminua rapidement, je fus à nouveau attaqué par elle, je fis ce que je devais pour l'immobiliser, et lorsque la provocation physique dépassait les limites, provoquant chez moi un ressentiment violent et le désir de mettre fin rapidement à son comportement agressif, je faisais un peu plus qu'inhiber ses mouvements et je répondais à la force par la force, comme je lui avais annoncé. À une seule exception près, il n'y a jamais eu d'affrontement verbal ou physique qui ne se soit terminé par un apaisement mutuel et un échange affectueux. Ma patiente oublia rarement de me remercier d'avoir mis un terme à ses menaces et aux forces qui l'avaient submergée. Chaque bataille amenait une amélioration clinique et je pus contenir ses deman-

des et ses violences avec un dosage croissant de violence, d'affection, d'interprétation et d'éducation. La
cure des schizophrènes revient à leur administrer des
doses croissantes d'amour et l'affrontement physique
en est un moyen. »

Wexler ne fut finalement pas condamné par ses
pairs, et quand il repensait à ces débats vingt ans plus
tard, il souriait. « Pauvre Romi ! Dans " le cas Marilyn ", il n'a pas su voir l'agression sous la dépression,
et répondre coup pour coup, corps à corps à la destructivité de sa pas si douce patiente. C'était son
affaire. Quant à mes chers collègues de la LAPSI, je
n'aime pas les opportunistes ni les hypocrites. Je préfère encore les cyniques qui prennent le pouvoir et le
risquent à ceux qui ont peur de le perdre. »

Wexler avait rêvé d'être écrivain. Sur le tard, il voulut écrire un roman qui se serait appelé *Roméo et Marilyn*, mais ne le fit pas. Non par fidélité à la mémoire
de l'ami disparu, mais par incapacité créatrice à se
lancer si tard dans une si longue tâche.

Los Angeles, Pico Boulevard,
mai 1962

Le 10 mai, Greenson et sa femme s'étaient envolés enfin vers l'Europe pour quatre semaines. Cette disparition à un moment particulièrement critique pour Marilyn reste un mystère. À plusieurs confrères il raconta qu'il partait faire des interventions publiques ; à la Fox il déclara que sa femme était malade et devait se faire soigner dans une clinique suisse et à Marilyn qu'il s'agissait de la santé de sa belle-mère.

Quatre jours plus tard, après trois semaines de tournage où elle n'avait presque pas travaillé, Marilyn se leva trois heures avant de monter dans la limousine qui l'emportait à travers les rues désertes de Los Angeles en direction de Pico Boulevard. La Lincoln Continental noire descendit les collines basses de Brentwood en soulevant un énorme nuage de poussière visible depuis Century City. Pour atteindre le nouveau bungalow qui devait lui servir de loge, elle devait passer devant les bâtiments administratifs dominant le site du Studio. Au sommet d'un immeuble métallisé, les bureaux de direction occupaient une position stratégique et surveillaient facilement les allées et venues de leurs stars.

Parmi les notes brèves et tronquées des deux dernières années de sa vie, Marilyn a écrit dans un carnet rouge :

> Ceci n'est pas un Journal, à qui je dirais et redirais jour après jour : « Cher Journal ». Un carnet, et des états de moi, aussi décousus et sales que mes vêtements entassés partout ici...
>
> J'ai appris que les membres du service de sécurité de la Fox, dont plusieurs étaient de vieux copains, notaient mes heures d'arrivée et de départ dans des rapports confidentiels. Rage. Depuis, certains matins, je descends de voiture devant une petite entrée de service et j'envoie la limousine traverser la grille de l'entrée principale. Sans moi! Même les jours où je manque vraiment à l'appel, ma voiture aux vitres teintées arrive et s'arrête bien visiblement devant mon bungalow. Etre là ou pas, quelle différence? Et pour qui? Pourquoi? Quand je considère la petite durée de ma vie, l'éternité qui la précède et la suivra, ce petit espace que je remplis, je m'effraie et m'étonne de me voir ici plutôt que là. Pas de raison que je sois ici plutôt que là, à présent plutôt qu'un autre jour. Avec eux, les renards de la Fox, je vais jouer aux échecs. Les échecs, ça me connaît...

Marilyn, qui avait disparu de nouveau après le premier tour de manivelle de *Quelque chose doit craquer*, réapparut pour trois jours et demi de tournage début mai. Puis, le 17, elle quitta le studio en pleines prises de vues. Elle devait chanter deux jours plus tard au

Madison Square Garden en l'honneur du président des Etats-Unis qui fêtait son quarante-cinquième et dernier anniversaire. Le comité exécutif de la Fox avait prié l'actrice de ne pas quitter le plateau pour se rendre à New York. Refusant la publicité invraisemblable qu'allait donner au film cette performance de l'une de ses plus grandes stars, le studio adressa à son avocat, Mickey Rudin, une lettre de deux pages la menaçant de renvoi. « Au cas où Miss Monroe s'absenterait, cet acte constituerait un manquement délibéré à ses obligations. Au cas où Miss Monroe reviendrait et où le tournage du film reprendrait, une telle reprise ne serait pas considérée comme constituant un renoncement de la Fox au droit de renvoyer Miss Monroe comme dûment stipulé dans son contrat. »

Henry Weinstein, lui, se rendit compte que Marilyn était décidée à aller à New York quoi qu'il arrive. « Ecoutez, on a là une fille qui sort vraiment de la rue, qui a été abandonnée par sa mère et dont le père a disparu. Une fille qui a vécu dans une misère noire. Et là, elle va chanter *Happy Birthday* pour le président des Etats-Unis. Elle est incapable de résister. » Il ne fut pas écouté.

C'est à la même époque que Norman Rosten envoya à Marilyn une bande magnétique d'une demi-heure où il lisait de la poésie pour une radio locale. Il savait qu'elle aimerait ces poèmes, mais surtout espérait qu'elle comprendrait qu'il pensait à elle. Elle était très seule et faisait face à une crise. Elle disait que c'était comme aux échecs, ce qu'ils appellent *Zeitnot* : la détresse de penser qu'on n'aura plus le temps de penser. Plus le temps de penser sa détresse. Il croyait que ces poèmes l'aideraient, qu'ils seraient ses délégués auprès d'elle. Quand il arriva à Hollywood peu de temps après, sa secrétaire lui dit qu'elle emportait sa bande partout avec elle dans son sac, comme une sorte de porte-bonheur. Elle venait d'acheter un nouveau magnétophone.

Un soir, elle voulut que Norman écoute ses poèmes avec elle. Elle allait tout préparer. Il arriverait tôt, Eunice ferait du café, et ils écouteraient ensemble. Etendue sur le lit, elle pourrait faire avancer ou reculer la bande par autant de REWIND qu'on voudrait, et comme ça, elle s'endormirait tandis que l'appareil s'arrêterait automatiquement. C'est-à-dire, bien sûr, ajouta-t-elle, s'il devait partir avant la fin. Lorsqu'il arriva, elle était en pyjama. Le café prêt. Ils burent et parlèrent de son travail, de ses projets, des siens. De sa femme et de sa fille. De son travail à Hollywood, et quand il quitterait Hollywood. Elle espérait que son film allait bien avancer. Elle se sentait anxieuse mais déterminée. Elle se mit au lit, Norman s'assit sur le plancher, à côté du magnétophone. Elle dit : « J'ai pris un somnifère juste avant ton arrivée. Je vais peut-être m'endormir tout en écoutant ta voix. OK ? Et je vais peut-être m'éclipser avant la fin. »

New York, Madison Square Garden,
mai 1962

Un gémissement assourdissant annonça l'arrivée
d'un énorme hélicoptère qui se posa sur la piste du
studio de la Fox, près du plateau 14. Peter Lawford
sauta de l'appareil emprunté à Howard Hughes et se
précipita dans la loge de Marilyn pour l'escorter
jusqu'à l'engin bleu royal qui l'emmena à l'aéroport d'Ingelwood. Deux heures plus tard, Marilyn
s'embarqua de Los Angeles pour l'aéroport de New
York, qui ne s'appelait pas encore JFK. Le gala en
l'honneur du Président serait la première fois qu'elle
monterait sur scène devant un vaste public depuis sa
légendaire apparition devant des milliers de GI's en
Corée. Dans l'avion, elle chantait *Happy Birthday*.
Comme les 17 000 spectateurs du gala, elle avait payé
1 000 dollars pour y assister, et avait dit à Joan Greenson : « Normal. Avec ton père, voilà des années que je
paie pour parler. Maintenant, il faut que je paie pour
chanter. » Assistée de Joannie, elle avait répété son
hommage pendant des jours.

Elle allait retrouver John Kennedy qui était son amant épisodique. Six jours plus tôt, c'est son ex-mari, Arthur Miller, qui avait dîné à la droite de Jackie Kennedy lors d'un banquet en l'honneur d'André Malraux. À la table d'honneur, les écrivains Saul Bellow, Edmund Wilson et Robert Penn Warren, les peintres Andrew Wyeth et Mark Rothko, le musicien Leonard Bernstein, et, représentant le théâtre et le cinéma, George Balanchine, Tennessee Williams, Elia Kazan et Lee Strasberg. Marilyn n'était pas là. Les époux Kennedy semblaient entériner le partage qui traçait le destin de l'actrice et qu'elle avait tenté de rompre en vivant à New York et en épousant Miller : d'un côté, les mots et la culture, de l'autre le corps et les images.

Revenue à New York, Marilyn Monroe était heureuse comme une enfant admise parmi les grandes personnes. Elle sillonnait la ville en taxi. Elle ne demandait pas d'aller *Downtown* ou *Uptown*, mais « dans cette direction, par ici, par là ». La ville était une fête dont elle était la reine, un échiquier qu'elle dominait par la beauté et la puissance de ses mouvements. Elle jouait des coups imaginaires sur quadrillage des blocs sans trop savoir contre qui. Le roi blanc, absent, autour duquel toute la partie s'organise. Les autres figures. La mère, reine noire. Marilyn, reine blanche. Greenson, cavalier blanc. Ou noir ? Les Kennedy, deux fous noirs. Manhattan la vengeait d'Hollywood. Manhattan était plus qu'un souvenir : un récit, une histoire qui lui parlait d'elle.

Les villes sont comme des langues. Certaines, on peut les trouver belles, on ne les parlera jamais. À Los

Angeles, les noms ne voulaient plus rien dire. Elle lisait SUNSET STRIP, ANAHEIM ou EL PUEBLO et cela ne désignait qu'une couleur indécise, une marque ethnique, un tracé infini. Ces noms étaient comme ceux des rêves : elle les voyait, étranges et familiers, beaux ou affolants, mais ne les comprenait pas. Dans Manhattan au contraire, les discontinuités forçaient Marilyn à être elle-même le lien entre les temps traversés et les choses vues. Sans parler à personne, elle s'y sentait reliée. New York était la ville des liens et lui faisait oublier la ville des séparations, des distances infinies entre les êtres et des limites infimes entre le réel et la fiction.

Elle rejoignit tard dans la soirée son appartement de la 57ᵉ Rue Est, et reçut le lendemain matin une lettre de la Fox mettant fin à son contrat. Elle pensa un instant que si Greenson avait été là, ça ne se serait pas passé comme ça. Mais un doute la prit. Au contraire, le psychanalyste, si lié à Weinstein et Rudin que le Studio les appelait l'« équipe Marilyn », n'était-il pas parti précisément pour signifier à la Fox qu'il se désintéressait de son sort comme de celui du film ? Troublée, elle assura difficilement les répétitions de sa prestation prévue pour le lendemain. Le soir venu, lors de la répétition chez elle, le musicien Richard Adler eut du mal à lui faire redire pour la trentième fois : *Happy Birthday to you.* Il eut peur de cette voix de peine qu'il entendait monter d'elle, de ce souffle éteint, de cette articulation empêchée. Sa parole devenait une caresse d'air et de plaisir que sa bouche laissait échapper. Au fil des heures, son interprétation était de plus en plus chargée de sexe, et quand, après Ella Fitzgerald, Peggy Lee et Maria Callas, Marilyn Monroe chanta enfin devant la foule, elle donna à voir et à entendre une parodie d'elle-même.

Bobby Kennedy assiste avec son épouse à la fête organisée par le Parti démocrate, mais JFK est seul. Jackie n'est pas là. Peter Lawford, le beau-frère du Président, présente ainsi la star : « Non seulement elle est ponctuelle, mais pointilleuse. » Après une longue attente en coulisse pendant laquelle il doit improviser quelques mots, elle surgit du noir, titubante, une flamme bleutée, toute chair dehors. Cousue dans sa robe, elle entre en scène d'un pas de geisha, comme encombrée de ses formes offertes aux milliers de spectateurs. Lawford annonce « *The late Marilyn Monroe* ». *Late* signifie *en retard*, mais aussi *feue*. On pourrait traduire ce qui est un jeu de mots ou un lapsus par : « Voici enfin que disparaît Marilyn Monroe. » La foule rit dans l'ombre. Marilyn a réalisé le vœu fait avec Truman Capote : être en retard à son propre enterrement. Entravée par son fourreau neige, elle trébuche un peu sur ses talons aiguilles, enlève de ses épaules une étole de fourrure blanche, effleure le micro du bout des doigts, désigne le Président quelque part dans le noir, ferme les yeux, passe sa langue sur ses lèvres et commence à chanter. Cassé, flottant, rauque, son chant semble dire : ils m'ont tous laissée tomber, Joe, Frank, Arthur, Roméo, parce que j'étais une fille mauvaise. Ils vont voir, eux et quarante millions d'Américains, comme je suis vraiment mauvaise.

Après le spectacle, à la soirée donnée chez Arthur Krim, un magnat du théâtre new-yorkais, Robert Kennedy s'agite comme un papillon de nuit autour d'une flamme. Plus tard dans la soirée, le Président et Bobby entraînent Marilyn dans un coin tranquille où ils ont une conversation animée d'un quart d'heure. Puis on voit Marilyn danser cinq fois au cours de la soirée avec Bobby sous le regard effaré de sa femme, Ethel. Au petit jour, le dimanche, le Président et Marilyn Monroe quittent la fête pour prendre l'ascenseur privé jusqu'au sous-sol de l'immeuble de Krim. De là, ils traversent le tunnel menant à l'hôtel Carlyle et montent directement dans la suite de Kennedy.

Elle ne revit jamais John Kennedy. Après cette nuit, le Président décida de rompre et de nier les rumeurs qui commençaient à circuler sur leur liaison. Bien que plusieurs photographies aient été prises de Marilyn avec les deux frères, une seule existe encore. Des agents des services secrets vinrent au petit matin saisir les négatifs des clichés dans le labo photo du magazine *Time*.

Quand elle avait vu Marilyn, juste avant son départ, Joannie Greenson avait trouvé une sorte de poupée sous calmants, molle et avachie. Elle lui avait donné, pour la route, pour l'épreuve, comme elle le lui glissa à l'oreille, un petit livre pour enfants : *L'histoire de la petite locomotive qui pouvait,* afin qu'elle l'emportât à New York avec elle. Mais quand la star blanche était montée sur la scène du Madison Square Garden, sa robe était si serrée qu'il est impossible qu'elle ait gardé contre sa peau le livre ou le cavalier des échecs. Remontée par les tranquillisants et le champagne, le froid au cœur, elle était entrée dans l'immense bouche noire, aveuglée par les projecteurs, traînant après elle l'ombre de sa peur. De son retour à Los Angeles, elle raconta à Joannie ce terrible moment : « Tout le monde a parlé de ma robe à six mille dollars en tissu transparent si collante que Jean-Louis avait dû la coudre sur moi. Ils n'ont pas compris. Ce n'était pas ma robe qui était une peau, mais ma peau qui était et reste un vêtement de chair, ma peau qui me sert à n'être pas nue. »

Beverly Hills, Roxbury Drive,
21 mai 1962

Dans les papiers posthumes de Ralph Greenson archivés à l'UCLA se trouve l'ébauche d'un livre qu'il projetait : *Les Médicaments et les drogues dans la situation psychanalytique*. Au chapitre 12, on lit : « Quand je partis cinq semaines en vacances, j'ai jugé bon de ne pas laisser cette patiente sans les médicaments qu'elle devait prendre lorsqu'elle était déprimée ou agitée. Sinon, elle risquait de se sentir rejetée et de passer à l'acte. Je prescrivis un antidépresseur à effet rapide en combinaison avec un sédatif, le Dexamyl. J'espérais qu'elle se sentirait mieux si elle avait quelque chose de moi dont elle dépendrait. Je peux résumer la situation en disant que pendant ces vacances, je pensais qu'elle ne pourrait pas faire face à ses angoisses dépressives et à sa solitude. Lui donner des pilules, c'était lui donner à avaler quelque chose de moi, quelque chose qu'elle prendrait à l'intérieur, afin qu'elle puisse surmonter le sentiment de vide terrible qui la déprimait et la rendait folle. »

Son psychanalyste était parti. Elle était partie. Il ne revenait pas. Elle revint. Soutenue par les amphétamines, Marilyn se présenta au travail à six heures quinze le matin du lundi 21 mai, trente-trois heures après le gala de New York. Elle avait fait savoir à Cukor qu'elle était prête à tourner les scènes prévues pour la journée, mais que les gros plans étaient hors de question. On voyait qu'elle était malade et Whitey Snyder comprit qu'aucun maquillage n'effacerait les marques d'épuisement de son week-end. Il lui maquilla tout le corps avec une préparation spéciale, un litre de base *sun tan* de chez Max Factor, une demi-tasse de blanc ivoire et une goutte de « blanc de clown ».

Le mercredi, elle tourna enfin la scène de la piscine. Marilyn tirait Dean Martin du lit de Cyd Charisse. Normalement pour ce genre de scène, l'actrice ou sa doublure portait un maillot chair. Personne ne s'attendait à ce qu'elle tourne la scène nue. Quand on la vit sortir après s'être défait de son maillot sous l'eau, la réaction fut incroyable. Tout le monde voulait être sur le plateau. Weinstein appela les gardiens de la sécurité pour protéger l'entrée du studio. Ayant vaincu sa fièvre avec des amphétamines et soulagé ses maux de tête avec du Demerol, Marilyn passa quatre heures dans l'eau tandis que les obturateurs cliquaient et que Cukor faisait tourner les caméras. Comme Pat Newcomb, l'attachée de presse, il avait compris que c'était pour la publicité du film une chance à ne pas rater.

La majeure partie de la journée de tournage suivante fut perdue. Mais elle fut remplacée par une séance de photos nues. Cukor avait invité trois photo-graphes : William Woodfield, Lawrence Schiller et Jimmy Mitchell. Vendues pour un prix total de 150 000 dollars, cinquante-deux photos furent aussitôt publiées par soixante-dix magazines dans trente-deux pays. Des films où elle apparaissait nue, Marilyn en avait fait lorsqu'elle était starlette. Et depuis, elle avait continué, presque nue, dans les limites imposées par le code de censure : *Niagara, Bus Stop,* et quinze mois plus tôt *Les Désaxés.* Cette fois encore, la scène ne l'avait pas paniquée. Au contraire, dans la piscine elle s'était sentie renaître. Pas seulement parce qu'elle avait perdu six kilos en quelques semaines et avait retrouvé ses mensurations. C'était toujours la même chose étrange. Ce n'était pas le corps qui lui faisait honte : c'était la parole. Elle n'avait pas compris qu'après leur rupture en 1956, Natasha Lytess fit paraître un article venimeux où elle prenait sa nudité comme le signe même d'un déséquilibre psychique. « Toujours nue, allant de son lit à sa baignoire, toujours nue, allant de la cuisine au jardin, sans se rendre compte de rien, devant les habilleuses, les maquilleuses, les coiffeurs », écrivait celle qui avait été sa compagne d'appartement et de lit pendant un temps et avait influencé son jeu d'actrice dans vingt-deux films de 1948 à 1955, jusqu'à ce que Paula Strasberg la remplace pour *Sept ans de réflexion.* « On aurait dit, poursuit Natasha, que d'être nue la calmait, la conduisait à une sorte d'hypnose. Interminablement, elle interrogeait son image dans le miroir

311

en pied, assise ou debout, la lèvre pendante, les yeux lourds et mi-clos, absorbée dans son propre reflet. »

L'obsession de Marilyn pour les miroirs avait commencé avec elle. On la trouvait souvent arrêtée devant sa propre image. Adulte, ses amis et ses collègues la voyaient sans cesse se détaillant dans un miroir à trois faces, rajustant le tombé de sa robe ou la courbure d'un sourcil. Il lui était presque impossible de croiser une glace sans s'y chercher. Truman Capote raconte qu'un jour il l'avait vue assise pendant des heures devant son reflet. Il lui avait demandé ce qu'elle faisait, et elle avait répondu : « Je la regarde. »

Au début des années cinquante, un soir dans un night-club de Los Angeles. Billie Holiday chantait. Marilyn était accompagnée de son costumier, Bill Travilla. Il lui dit qu'un exemplaire de son calendrier de nus était accroché dans le bureau qui servait de loge à la chanteuse noire. Marilyn s'y rua, et sans un mot, sans un regard, se planta devant ses propres photos, les fixant dans une sorte d'extase. Billie lui lança le calendrier à la figure et la chassa en la traitant de conne. Avant d'emménager en 1957 dans l'appartement où elle vécut avec Arthur Miller et qu'elle garda jusqu'à sa mort comme pied-à-terre new-yorkais, elle avait fait recouvrir de miroirs plusieurs murs du sol au plafond.

Mais les photographies avaient sur les miroirs un avantage précieux : il y avait quelqu'un derrière, un regard, une personne. Et quelqu'un d'autre devant, à les voir ; quelqu'un qui n'est pas vous. Elles ne renvoient pas un reflet inversé mais une image telle que les autres vous voient. Telle qu'un autre vous voit, car le mot *objectif* désigne bien mal cette singularité du regard, ce *subjectif* présent derrière l'appareil. Les photographies lient ce que les miroirs morcèlent. Quelques semaines avant de rencontrer Ralph Greenson, Marilyn disait à W.J. Weatherby : « Souvent je me dis que ce serait mieux de n'être pas célèbre. Mais nous, les acteurs, nous nous torturons avec notre image, nous sommes – quel est le mot ? – narcissiques. Je reste des heures assise devant mon miroir à guetter les signes de l'âge. Je veux vieillir sans lifting facial. Relever un visage qui tombe, c'est la facilité. Ça retire la vie du visage, le caractère. Je veux être loyale avec mes traits, avec le visage que je me suis fait, avoir ce courage-là. Mais parfois je pense que ce serait plus facile d'éviter la vieillesse, de mourir jeune, mais alors, qui finira votre vie ? Qui saura qui vous êtes ? »

Marilyn n'a pas eu le temps d'être défaite par le temps. Juste marquée, froissée par sa main. Elle avait recours à des crèmes à base d'hormones et à des injections de produits de jouvence, les derniers mois. Elle cachait même ses mains dans des gants pour qu'on ne voie pas les lentigos. La dernière année, quelque chose de vaguement tragique et désespéré colorait l'usage qu'elle faisait de son corps devant un objectif. Selon Eve Arnold, qui la photographia nue en 1960 et 1961, « elle avait perdu les lignes de son corps de jeune femme et refusait que son corps soit altéré par la maturité. Son aveuglement aux changements physiques devenait gênant... ». Quelque temps après, Arnold découvrit que les négatifs des nus de Marilyn avaient disparu de ses archives.

Hollywood, Pico Boulevard, Fox Studios,
31 mai 1962

Marilyn disparut pendant trois jours. « C'est peut-être le week-end le plus mystérieux de sa vie, expliqua ensuite Henry Weinstein. Plus déconcertant encore que celui de sa mort. Quelque chose de terrible avait bouleversé son psychisme. Je m'en suis rendu compte et je me reproche de n'avoir pas appelé immédiatement le Dr Greenson pour lui demander de rentrer. »

Mais elle revint encore. Elle revint à elle, comme on dit après un évanouissement. Le lundi 28 mai, Cukor avait prévu une scène de huit minutes avec Marilyn, Dean Martin, Cyd Charisse et Tom Tryon. Lorsqu'elle mit le pied sur le plateau, on aurait dit un objet en cristal sur le point de se briser. Tous ses gestes étaient incertains, hésitants. Pour la première prise, elle n'avait que deux mots à dire : « *Nick, darling* ». On eut beau recommencer, elle n'arrivait pas à les dire correctement. Pour les prises suivantes, elle finit par bégayer et Cukor la traita avec une impatience croissante. Elle quitta le plateau en courant, fonça dans sa loge, prit un rouge à lèvres écarlate et griffonna sur la glace : « Frank, aide-moi ! Frank, je t'en supplie, aide-moi ! » Puis elle s'effondra. Toute la journée, entre les prises, elle avait essayé de joindre Frank Sinatra. Mais dès le lendemain, elle étonna tout le monde en tournant avec entrain les scènes prévues. À l'exception de ce lundi fatal, elle travailla neuf jours pleins du 21 mai au 1er juin.

Les dernières images de Marilyn Monroe gravées sur une pellicule le 31 mai 1962 sont muettes. Il n'existe que trente-cinq minutes de *Quelque chose doit craquer*. Ces images montrent un visage d'une beauté indiciblement cruelle, un regard étonné et vaguement inquiet aux pupilles insomniaques, une femme dans un dénuement radical, portant comme un appel une robe éclatante de blancheur et de fleurs. Une femme qui rentre chez elle après qu'on l'a crue morte. Elle a la violence triste des réprouvés dans un monde dur et profond comme un miroir. Elle joue sa vie, en direct sur le plateau 14 de la Fox. Mais elle joue comme un fantôme. Ses cheveux semblent une perruque laquée cassante, toute blanche. Elle est la doublure d'elle-même. Marilyn parodiant Marilyn, comme si elle ne voulait plus être que sa propre image, ou moins encore, n'être que son reflet dans les yeux qui la regardent, n'être que l'eau bleu Technicolor de la piscine et la vapeur de lumière qu'irisent les projecteurs. Le plan se termine par un mot venu du hors champ, dit par le réalisateur :

« *Cut !* » L'actrice, qui jusque-là se taisait, répète du bout des lèvres : « *Cut !* » Elle a l'air désolé mais pas furieux d'un enfant qu'on interrompt dans ses jeux. Elle détestait ce mot que lancent les metteurs en scène pour faire arrêter les caméras et qui s'oppose à *action*. Ce mot qui revient tout le temps dans le vocabulaire des studios et dans celui des liens sentimentaux : *To be cut off* se dit lorsqu'on est coupé au téléphone, ou largué en amour.

Le lendemain elle allait avoir trente-six ans. C'était la dernière séance de prises de vues, le dernier jour où une caméra changea Marilyn en son image. Deux mois plus tard, le metteur en scène de son destin dira encore : « *Cut !* » Le fil, le film de sa vie sera coupé à jamais. Et aucun assistant de plateau pour crier « Encore une ! Dernière prise ! ».

Marilyn mourut à quelques centaines de mètres du 5454 Wilshire Boulevard, où vivait sa mère lors de sa naissance. À l'époque, Gladys travaillait aux studios d'Hollywood : elle était monteuse pour la Consolidated Film Industries. Consolidated était un des nombreux laboratoires qui développaient et tiraient les épreuves du jour, *rushes* ou bouts d'essai. Il s'agissait des bandes d'ébauches de scènes destinées à être projetées aux producteurs, réalisateurs et cadres de la compagnie, le matin suivant le jour du tournage. Gladys travaillait six jours sur sept, avec des gants blancs pour protéger des mains les négatifs. Monteuse en anglais se dit *film cutter*. Gladys coupait des morceaux des films que les directeurs des Studios avaient anno-

tés, puis faisait passer les morceaux à celles qui colle-
raient ensemble les différentes sections dans l'ordre
prévu pour le négatif final.

Vingt-six ans après, par une belle soirée d'août, cinq
bandes vidéo originales comportant les séquences que
l'on croyait égarées du dernier film de Marilyn Monroe furent sorties clandestinement des archives de la
Fox dans Century City. Cachées dans la voiture d'un
employé du Studio, elles furent acheminées immédiatement vers un immeuble de Burbank. Là, devant
cent soixante-dix personnes triées sur le volet, elles
furent projetés sur un immense écran vidéo. Ces
scènes sans musique ni montage étaient précédées
d'un clap en gros plan avec le titre suivant : BOBINE 17
Something's Got to Give, 14 mai 1962. À part quelques
plans très brefs dans un documentaire de la Fox,
toutes les images de ce dernier film inachevé avaient
été gardées depuis à l'abri des regards indiscrets. Un
silence absolu recouvrit la salle lorsque Marilyn apparut sur l'écran. Il dura les quarante-cinq minutes de la
projection.

Le film était flou, en certains endroits décoloré,
mais son contenu était bouleversant : Marilyn paraissait radieuse et le monteur avait mis les séquences
bout à bout de main de maître, mêlant des extraits et
des bribes de dialogue à quelques scènes comiques. À
la fin de la projection, il y avait la séquence de onze
minutes où Marilyn nageait dans une piscine la nuit.
Les yeux grands ouverts et la pointe des seins juste
sous la surface de l'eau, elle avançait vers le bord,

avec une maladresse enjouée. Puis, regardant la caméra de face, elle se hissait hors de l'eau et se glissait dans son peignoir de bain bleu-gris. Le bleu de l'eau, irréel. Le bleu de la nuit, tendre. Le bleu du vêtement, fragile. Le bleu des yeux, perdu.

À l'instant même où la dernière bande s'achevait et où l'écran s'emplissait de points scintillants, des applaudissements éclatèrent, qui permirent à l'employé des studios de ramasser les bandes sans prendre le temps de les rembobiner et de les rapporter nuitamment aux archives de la Fox. Elles disparurent. Malgré les demandes pressantes des admirateurs de Marilyn, le Studio continua de nier l'existence de ce film, et répondit que dix minutes seulement avaient été tournées et qu'elles avaient déjà été montrées dans un documentaire intitulé *Marilyn*, produit par la 20th Century Fox en 1963.

Au printemps 1990, les bandes réapparurent dans des circonstances étranges. Henry Schipper, jeune producteur des actualités Fox à Los Angeles, était en train de fouiner dans les archives en vue d'un hommage à Marilyn quand certains indices le mirent sur la piste de *Quelque chose doit craquer*. Il eut plus de chance que les précédents chercheurs d'images ou plus de méthode. Devant son ordinateur à Fox Entertainment News il explora à sa guise l'un des plus grands cimetières de pellicule du monde et découvrit que les caméras de la Fox avaient suivi partout leur star favorite, depuis son premier bout d'essai jusqu'à son enterrement au Westwood Cemetery. Mais pas trace des dernières séances de tournage. Il ne savait pas encore qu'il trouverait son bonheur dans les profondeurs d'une mine de sel au centre du Kansas, au fond d'une galerie, une centaine de mètres sous terre. Là, il découvrit toutes les bobines de *Quelque chose doit craquer*. La princesse de celluloïd fut réveillée de son sommeil sans amour. Conscient d'avoir mis la main sur une pièce maîtresse du puzzle qu'avait été la vie de Marilyn Monroe, Schipper emporta les bandes dans la salle de projection où il s'enferma pendant deux jours, captivé par ce film à l'état de rushes et stupéfait de découvrir que presque toutes les images étaient intactes, y compris certains plans montrant le réalisateur en action. On y voyait surtout les prises successives de Marilyn répétant la même scène jusqu'à vingt fois de suite, commettant de rarissimes erreurs et sans jamais rater une réplique.

Les responsables de la Fox avaient menti en déclarant que le film était introuvable et en l'effaçant même de l'inventaire de la société. Le Studio avait aussi prétendu qu'elle avait joué des scènes dans un état second, gavée de médicaments, et tout le monde considérait que son travail sur ce dernier tournage n'était que la triste conclusion d'une brillante carrière. Ce film apporte la preuve du contraire. Marilyn y apparaît au mieux d'elle-même. Sa performance est au niveau du reste de sa carrière : drôle, émouvante. Elle illumine l'écran.

Beverly Hills, Roxbury Drive,
31 mai 1962

À l'époque, lorsque les producteurs avaient visionné les rushes de *Quelque chose doit craquer*, ils trouvèrent le jeu de Marilyn « empreint d'une sorte de lenteur, dans un état hypnotique ». On parla de la remplacer. Très agitée, se débattant dans une déroute indistincte où elle ne savait plus si les dangers venaient du dehors ou du dedans, Marilyn se rendit le soir chez Wexler. George Cukor avait été spécialement odieux. Trente prises pour la même scène, et rien dans la boîte. Marilyn criait. Elle était en rage.

— *Coupez !* Ces mots que j'entends depuis quinze ans : *Coupez ! Action ! Prise ! Encore une dernière prise !* Est-ce qu'ils se rendent compte, les gens de cinéma, que c'est nous, les acteurs, qu'ils prennent, qu'ils actionnent, qu'ils coupent, qu'ils montent... Le cinéma c'est comme l'acte sexuel . l'autre prend votre corps pour illustrer des fantasmes où vous n'êtes pas. La tendresse en moins, qui parfois donne le sentiment d'exister un peu, soi-même, en personne. Cruauté bien ordonnée commence par les autres.

— Faites des compromis, dit l'analyste. Cukor est un homosexuel, il déteste les femmes, c'est sûr. Mais c'est un grand cinéaste. Laissez-vous diriger !

— Non, je ne veux plus subir ça. Je ne veux plus être traitée de façon tyrannique. J'ai signé mon premier contrat avec la Fox en 1946. J'avais vingt ans. Au début de l'hiver dernier, ils m'ont envoyé un télégramme : si vous ne tournez pas le dernier film convenu, nous vous traînerons devant les tribunaux pour dix ans. J'ai cédé en décembre. Je n'ai plus que du mépris pour ce studio, pour tout ce qu'il représente. Le simple nom de la Fox sur un panneau me donne la nausée.

— Essayez de terminer. Je comprends Cukor. Il est exaspéré. Je le serais aussi. Il faut que vous vous ressaisissiez.

— Impossible. Ça fait presque un mois que votre collègue est parti. Depuis, rien ne va plus. J'ai trente-six ans aujourd'hui. Et Cukor a piqué une colère en apprenant qu'on avait prévu de fêter mon anniversaire en fin de journée. « Pas sur le plateau. Pas maintenant ! » il a dit. Mais après le travail, ils m'ont offert un gâteau d'anniversaire avec des bougies de l'Independence Day plantées dessus et qui fusaient, et au sommet, deux figurines, moi en déshabillé, moi en bikini, le tout porté en grande pompe sur un chariot. La Fox, qui a balancé plus de 5 000 dollars pour l'anniversaire d'Elizabeth Taylor pendant le tournage de *Cléopâtre* à Rome ! C'est l'équipe qui s'est cotisée pour le gâteau. Dean Martin a fourni le champagne. Tout le monde chantait : *Happy Birthday*. Encore la petite ritournelle d'amour qui voudrait chasser la mort à coup de douceurs et de baisers. Mais là, c'était mon tour. J'ai cru que le gâteau était moi. Le chariot une civière. Je me suis enfuie. Après un silence :

— Vous croyez au sens des chiffres ? Nous sommes en 1962 et je suis née en 1926. Soixante-deux, c'est vingt-six lu à l'envers. Vingt-six, c'est le nombre des années qu'a vécues Jean Harlow. Trente-six, c'est celui de mes années, et aussi le nombre de films qu'elle a tournés. Alors, soit c'est ma dernière année, soit c'est que je vais enfin retrouver Norma Jeane, née le 01 06 1926 à 9 h 30 du matin au Los Angeles General Hospital. L'année où Harlow est morte. Il y a des jours où j'aimerais reprendre ma vie à l'envers, comme on rembobine un enregistrement. Dites-moi, docteur Wexler, c'est la mort ou la vie qui fait revenir en arrière le film ? J'ai peur que ce ne soit mes dernières séances de tournage. Et mes dernières séances d'analyse... Vous ne me répondez rien. Vous vous en foutez. Vous attendez la fin de l'heure et mes dollars !

Elle se tut longuement puis reprit :

— J'ai dansé pendant six mois pour *Le Milliardaire*. Je n'ai pas eu de repos. Je suis épuisée. Où est-ce que je vais aller ?

Elle se leva brusquement et sortit sans un mot. Wexler ne leva pas la tête et pensait : « Au diable ! »

Rome,
1er juin 1962

Ralph Greenson s'absenta de la réunion qu'il avait depuis le matin avec des collègues psychanalystes romains. Il s'ennuyait et préférait marcher sans but dans Trastevere. Il s'arrêta devant un magasin de cadeaux Piazza Santa Maria, et chercha au rayon jouets quelque chose à offrir à Marilyn. Un petit signe qu'il lui enverrait pour la faire patienter. Acheté le jour de son anniversaire. Apparemment, la figurine d'échecs n'avait pas suffi à calmer ses angoisses d'abandon, selon le compte rendu que Wexler lui avait fait.

Quand la vendeuse lui demanda ce qu'il désirait, il répondit qu'il ne savait pas trop.

— C'est pour un enfant de quel âge ?

— Trente-six. Pardon : trois six, entre trois et six ans.

— Le mieux serait une peluche, conclut la vendeuse.

Greenson chercha dans un tas de peluches un

cheval, quelque chose d'approchant à un Cavalier d'échecs. Il se rabattit sur l'animal qui y ressemblait le mieux, un petit tigre. Il se fit faire un emballage cadeau.

— Ça vous ennuierait de le faire parvenir aux Etats-Unis, je n'ai pas le temps et vous êtes plus habituée aux formalités de douane et autres. Je réglerai le port, bien sûr.

— Pas du tout. Quelle adresse ?

Greenson écrivit sur le bloc qu'on lui tendait :

MM
Occupante actuelle du
12305 FIFTH HELENA DRIVE
BRENTWOOD
90049 3930 CA
USA
TERRE

Il ne précisa pas l'expéditeur. Il ne joignit pas de mot. Elle comprendrait. Finalement, se dit Greenson, elle et moi, nous sommes d'espèces différentes. Nous étions faits pour ne pas nous rencontrer, comme le tigre et la baleine. Je ne saurais dire qui, de nous deux, était le tigre, qui la baleine.

Le matin de son dernier anniversaire, Marilyn appela très tôt les enfants de son psychanalyste, et les invita à fêter quelque chose. Joannie et Danny passèrent toute la soirée avec elle. Ils burent du champagne dans des gobelets en plastique assis sur des cartons de déménagement non ouverts. Ils lui offrirent une coupe sur laquelle ils avaient fait graver son nom. « Désormais, dit-elle, tout en buvant je pourrai me souvenir de qui je suis. » L'échiquier était posé à terre, les pièces en désordre. Manquait le cavalier blanc.

Deux jours après, Marilyn leur téléphone à nouveau. En sanglots, elle les prie de venir chez elle. Elle est au lit, laide, toute nue parmi un amas de médicaments, avec un drap ramené sur le corps. À portée de main près du lit, la statue de Rodin. Sur les yeux, un masque de feutrine noire. La scène la moins érotique qui se puisse imaginer. Elle touche le fond du désespoir. Elle n'arrive pas à dormir – c'est le milieu de l'après-midi – et elle ne cesse de se déprécier. Elle dit n'être qu'une épave ; elle dit qu'elle est laide, que les gens ne sont gentils avec elle que par intérêt ; elle répète qu'elle n'a personne. Qu'elle n'est personne. Elle parle aussi du fait qu'elle n'a pas d'enfants. Ce n'est qu'une litanie d'idées noires, elle répète qu'elle n'a plus envie de vivre. Joan et Daniel appellent le Dr Engelberg, qui confisque les flacons dans son sac en cuir noir. Contacté par téléphone, Wexler suppute une surdose de Dexamyl et ne se déplace pas.

Le lendemain soir, Marilyn sortit en perruque noire.

Brentwood, Fifth Helena Drive,
1er juin 1962

Après avoir vécu vingt ans à Paris, le photographe George Barris décida en 1982 de revivre à Los Angeles. Accompagné de sa femme et de leurs filles, il rendit visite à la crypte de Marilyn dans le *Corridor of Memories* du cimetière de Westwood. Peu après, il se mit à écrire un livre de souvenirs et de photos sur celle dont il dit : « Elle était pleine de vie, et je ne croirai jamais qu'elle s'est donné la mort. »

Ils s'étaient connus à New York en septembre 1954. Il prenait des photos de *Sept ans de réflexion*. Lorsqu'il était arrivé sur le tournage, la première chose que vit Barris, fut son dos. Le bas de son dos. Pour un plan du film, elle se tenait penchée à la fenêtre d'un *brownstone* de la 61e Rue Est, une rue chic de Manhattan. Arrivant par-derrière, il déclencha son appareil, ce qui la fit sursauter et se retourner en souriant. Il prit une douzaine de photos. Déclics et rires, œillades et regards, la glace était rompue. Plus que par l'actrice, le photographe fut séduit par l'adolescente rieuse et terre à terre qu'était encore cette belle de vingt-huit ans.

— De quel signe êtes-vous ? demanda-t-il.

— Gémeaux. Et vous ?

— Moi aussi. Nous devrions aimer la même chose. Ça vous dirait de faire un livre avec moi ?

— Pourquoi pas, un jour. Pour l'instant, prenez-moi...

Barris fit au flash et en studio le cliché célèbre où l'on voit Marilyn riant et tentant de plaquer sur ses cuisses sa robe claire soulevée en corolle par l'air pulsé d'une bouche d'aération du métro. La séquence qu'évoque la photo ne fut pas non plus filmée dans la rue mais en studio, quelques semaines plus tard, à Hollywood. Ce plan qui hante notre imaginaire ne montre d'ailleurs rien que les cuisses de l'actrice et c'est par un faux raccord de la mémoire et du désir que l'on croit voir son bas-ventre, dénudé ou couvert d'une culotte blanche. L'image n'est pas ce qu'on regarde, c'est ce qui nous regarde.

Heureuse de retrouver le photographe, Marilyn chercha à renouer avec cette magie de la photo comme écran du rêve. Elle aimait jouer sur ces syllabes communes aux mots *magie* et *image*. Le livre ne se fit pas du vivant de Marilyn. Pendant huit ans elle avait enchaîné film sur film et était devenue une star internationale. Elle avait oublié leur projet jusqu'à ce qu'en 1962, elle retrouve par hasard Barris sur le plateau de *Quelque chose doit craquer*. Le photographe débarquait de Rome où sombrait le tournage catastrophique de *Cléopâtre* et avait proposé au magazine

Cosmopolitan un reportage de substitution sur un autre film de la 20th Century Fox. L'idée du reportage – la couverture et huit à dix pages d'entretien et photos – était : pouvait-elle, à trente-six ans, continuer à jouer les filles sexy ?

Le photographe mit la main sur son épaule.

— Salut ! J'arrive exprès dans ton dos. Comme la première fois. J'avais peur que tu ne me reconnaisses pas.

— Tu plaisantes ? Ça fait trop longtemps. Qu'est-ce qui me vaut ? murmura-t-elle en se jetant sur lui. Tu es venu pour faire des photos de Miss Golden Dreams ? Et le livre ? Si on faisait un livre, je voudrais que ce ne soit pas seulement des images.

— Bien sûr, il y aura des mots, tes mots.

— Bonne idée. Maintenant, pour moi, ça va mieux avec les mots. Ils sont devenus mes amis. Avant, ce que j'aimais dans Los Angeles, c'était la ville sans noms, la ville des sans-noms. Dans une adresse, ici, les chiffres comptent plus que le nom et pour ne pas se tromper de dizaines de kilomètres sur Wilshire, mieux vaut ne pas faire d'erreur sur les numéros. C'était comme dans ma vie : le nombre d'amants, de foyers d'adoption, de domiciles, le nombre de pilules à prendre pour oublier les nombres. Y avait que ça qui comptait. Aujourd'hui, je sens que les mots me donnent des limites et que c'est bien comme ça. Je me suis faite à l'idée qu'il faut bien parler. Enfin, ça dépend avec qui.

— À propos de chiffres, de dates, nous sommes le 1er juin. Je crois me souvenir que c'est ton anniversaire. Alors j'ai pris un vol New York-Los Angeles pour voir comment le temps épargnait ma vieille amie. Pardonne-moi le « vieille ».

Elle éclata de rire tandis qu'il la serrait à nouveau entre ses bras.

— Bon anniversaire, très bon anniversaire. J'espère que tu n'en auras que d'aussi bons à l'avenir.

Ce devait être le dernier. Barris lui exposa le projet *Cosmopolitan*. À cet instant, le metteur en scène l'appela pour qu'elle entre sur l'espace éclairé. Elle demanda au photographe de rester dans les parages. Ils reparleraient du livre et du reste plus tard. À cinq heures du soir, ce vendredi-là, elle avait fini sa scène quand quelqu'un sur le plateau entonna : « Bon anniversaire, Marilyn. » Des bougies projetaient leurs étincelles et le Dom Pérignon fut servi. Elle versa quelques larmes. Barris se dit que les fusées de lumière, les bulles et les larmes auraient donné une sorte d'aura magique à son visage, mais il ne prit pas de photo.

Un peu plus tard, revenue de ses pleurs, elle emmena le photographe visiter l'hacienda de Brentwood.

— Il y a un mur de deux à trois mètres pour me protéger. Ma boîte à lettres ne porte pas de nom. Le facteur sait qui habite ici. Je ne sais pas si tu as remarqué que le chemin de quatorze dalles carrées rouges qui conduit à ma porte finit sur une céramique avec l'inscription : *Cursum Perficio*, qui veut dire : *Fin du voyage*. J'espère que c'est vrai... C'est petit, mais c'est plus intime ainsi. Calme et sérénité, c'est exactement ce qu'il me faut aujourd'hui.

Elle lui lança gaiement :

— Tu sais jouer aux échecs ? Moi j'ai appris depuis peu et c'est devenu une passion. C'est plein de noms et d'images qui me parlent de moi, vois-tu ?

— Non, je n'ai jamais joué, désolé.

— Ça ne fait rien, je vais t'apprendre.

Hollywood, Bel Air, maison de Joanne Carson,
août 1976

Près de quinze ans après la mort de Marilyn, Greenson apprit un jour d'hiver que Capote était à Hollywood pour jouer dans *Murder by death* (*Meurtre par mort*) le rôle d'un milliardaire excentrique dans la maison de qui un meurtre était commis. Le psychanalyste demanda à Joanne Carson, une amie commune, s'il pouvait rencontrer l'écrivain. Il ne lui dit pas qu'il voulait parler de la mort de Marilyn.

— Vous l'avez connue quand elle n'était pas le mythe qu'elle est devenue. Juste une actrice, commença Greenson. Vous savez, je l'aimais, Marilyn. Et vous êtes assez intelligent pour savoir ce qu'aimer veut dire, dans la psychanalyse comme ailleurs, dans ce que vous appelez la vraie vie.

— Je ne suis pas sûr que nous parlions de la même chose. Pour vous psychanalystes, l'amour est un remède. Pour moi, c'est la maladie elle-même. L'amour? Quelque chose d'un peu bête, un jeu d'enfants, si vous voulez, où chacun jouerait à être la mère de l'autre...

— L'amour est un lien, deux personnes se prennent pour objet, coupa Greenson. Ils donnent, ils reçoivent.

— Pas deux personnes. Deux détresses. Deux êtres mal finis qui cherchent en l'autre ce qu'ils savent ne jamais pouvoir trouver. Vous savez ce qui montre qu'une relation sexuelle est devenue une relation d'amour ? Deux signes. L'un et l'autre concernent ce qui est en bas, ce qui est petit. Le premier signe est une intimité psychique immédiate, un retour à l'enfance (au sens d'*infans* en latin, qui désigne celui qui ne parle pas, l'être de détresse, dépourvu de langage. Je ne devrais pas apprendre ça à un psychanalyste...). Ça se traduit par un idiolecte, un parler bébé, l'usage de petits noms, d'une petite voix. Un petit langage entre les petits amants. Et le deuxième signe de l'amour est l'accès à l'analité, monsieur l'analyste : parler à l'autre de sa digestion, de son excrétion, de sa merde.

— Comment distinguer l'amour que nous nommons « de transfert » en psychanalyse, et l'autre ? dit Greenson comme s'il n'avait pas entendu.

— Vous êtes incorrigibles, vous les psychanalystes, répondit Capote de sa voix d'enfant asexué. Vous ne voulez donc pas voir que l'amour ne justifie rien, ne donne raison de rien, ne donne tort à personne. Qu'il est juste une question de langue. Vous êtes là à vous justifier : je l'aimais. Et alors ? Votre amour était un amour tuant. C'est tout !

Quand le psychanalyste quitta la maison de Bel Air, Capote lui glissa à l'oreille :

— Sa mort, c'est bien ça. C'est comme le titre du film où je joue en ce moment : *Meurtre par mort*. C'est la mort qui l'a tuée. Personne d'autre, ni elle ni qui que ce soit.

Quelque temps avant la mort de Marilyn, Truman lui avait rendu visite dans sa maison de Brentwood.

— Tu as maigri ?

— Quelques kilos. Six, huit. Sais pas.

— Si tu continues, on va voir ton âme transparaître à travers ta chair si fragile.

— Te fous pas de moi. C'est de qui, cette phrase ?

— De moi, on n'est jamais si bien cité que par soi-même. Et ton âme ?

— Elle voyage. Romi, mon sauveur, est remonté au ciel, à la droite de Freud. Il colloque en Europe.

— Ta psychanalyse va te tuer. Arrête ça !

Capote en fait n'aimait pas la psychanalyse et détestait Hollywood. Quant à la psychanalyse à Hollywood, c'était pour lui pire qu'une mode : une maladie. « En Californie, tout le monde est en psychanalyse ou est psychanalyste ou est un psychanalyste qui est en analyse », lançait-il à ceux qui voulaient le convaincre de s'allonger sur l'un des divans du Couch Canyon. Ce qu'il finit par faire, et comme il était double en tout, il entreprit en même temps deux analyses, avec une femme et avec un homme.

Capote se trompe, pensait Greenson en retournant à Santa Monica. À Hollywood, ce n'est pas que tout est psychanalyse, même le cinéma, c'est que tout est cinéma, même la psychanalyse. Les gens vivent, parlent, bougent, se touchent ou s'évitent comme sur un plateau. Ils jouent leurs rôles. Toute l'histoire de la cure de Marilyn n'a peut-être été qu'un scénario bâclé par un tâcheron des Studios. Le psychanalyste venait de lire un livre présenté comme l'auto-biographie de sa patiente, *Mon histoire,* publié cinq ans avant sous son nom, mais rédigé vingt ans plus tôt par Ben Hecht à partir d'entretiens avec elle. Toute l'histoire de l'analyse de Marilyn n'était peut-être que son interprétation du rôle de Cecily que nous l'avons empêchée de jouer, pensa Greenson. Le rôle de la parfaite hystérique en proie au classique complexe d'Œdipe féminin. Sa cure fut une psychanalyse telle qu'Hollywood la représentait dans les années soixante, avec levée du traumatisme, souvenirs exhu-més et amour pour un thérapeute barbu et bien-veillant. Sa mort elle-même, de quel scénario la tira-t-elle? Quand Greenson avait lu dans *Mon histoire* : « J'étais le genre de fille qu'on retrouve morte dans une chambre minable, un flacon de somnifères à la main », il avait eu l'impression que Marilyn avait bien joué son rôle le soir du 4 août 1962. D'ailleurs, elle n'avait pas intitulé sa confession *Ma vie* ou *Mémoires d'une actrice,* mais Mon *histoire,* comme si elle savait, au faîte de sa gloire, qu'elle ne faisait que remplir d'un corps les blancs d'un scénario qu'elle n'avait pas écrit. Comme ce jour où sur le plateau de *Quelque chose doit craquer* il avait vu Cukor, hors champ, lui soufflant ses phrases quand elle chutait tous les quatre mots dans l'oubli du texte.

Mais lui-même, qu'avait-il fait d'autre? Il lui avait donné la réplique. Il avait joué avec métier et conviction le rôle de l'analyste trop bienveillant et pas neutre du tout. Dans l'imaginaire d'Hollywood, la mort de Marilyn Monroe était devenue un film noir : *The Death of Miss Golden Dreams, a motion picture, starring Marilyn Monroe and Romi Greenson.* Résumé du film : Hollywood, janvier 1960-août 1962. La mort d'une étoile. Monroe joue le rôle de Marilyn. Un personnage sombre, séduisant et dur lui donne la réplique et lui dicte ses dernières lignes : Roméo, l'homme qu'elle aime à mort. Il est interprété à l'écran par Ralph Greenson, son psychanalyste. Amour de transfert? Transfert à mort? Elle aime, mais ne sait pas qui. Elle meurt, mais on ne sait pas de quoi. Accusé de l'avoir tuée, il ne se demande même pas si c'est de l'avoir trop aimée.

Westwood, Fifth Helena Drive,
6 juin 1962

Greenson avait visité déjà la Grèce, Israël et l'Italie. Il s'apprêtait à se rendre en Suisse. Marilyn, incapable de parler, fit une liste de questions et demanda à Eunice Murray de les téléphoner à son psychanalyste. Il comprit que les questions comptaient moins que leur non-dit : « Quand allez-vous enfin revenir ? » mais il ne voulut pas lui parler. Marilyn suspendue au téléphone appela plusieurs fois par jour Lee Strasberg, Norman Rosten et sa femme, Ralph Roberts, Whitey Snyder et Pat Newcomb. Tous la trouvèrent désemparée, en quête d'elle-même.

Le lundi qui suivit son trente-sixième anniversaire, Marilyn ne se présenta pas sur le plateau. Peter G. Levathes, qui dirigeait la Fox depuis deux ans, était en Europe pour affronter la débâcle de *Cléopâtre*. Il annonça qu'il allait régler le problème Monroe. Anticipant son retour, Marilyn se déclara « prête et impatiente de retourner travailler ». Elle n'avait participé qu'à douze jours de tournage sur trente-quatre. Le lendemain, l'actrice n'ayant pas rejoint le plateau, après avoir renvoyé tout le monde, Cukor décida que si elle ne venait pas le jour suivant, il arrêterait le film. La Fox menaçait de dénoncer son contrat. Cukor envisageait déjà son remplacement : il pensait à Kim Novak, Shirley MacLaine, Doris Day ou Lee Remick. Contacté par Rudin à la demande de Marilyn, Greenson promit qu'il reviendrait le plus vite possible et laisserait sa femme dans sa famille.

Deux jours plus tard, à peine débarqué à l'aéroport international de Los Angeles, malgré dix-sept heures de vol, il se rendit directement à la maison de Marilyn et la trouva dans un état comateux. Au moins était-elle en vie. On ne sait pas ce qui se passa entre eux mais le lendemain un chirurgien plastique de Beverly Hills, Michael Gurdin, reçut Marilyn emmenée par son psychanalyste. Gurdin l'avait déjà opérée treize ans plus tôt. Il lui avait refait le nez et les pommettes. La voix lourde et cassée, les cheveux sales et emmêlés, elle portait des marques noires et bleues sous les yeux, mal masquées par le maquillage. Le psychanalyste dit qu'elle avait glissé dans sa douche. Le médecin comprit qu'elle était sous l'effet de drogues, mais Marilyn s'inquiétait surtout d'une séance de photos prévue et demanda si son nez était cassé. « Si mon nez est cassé, combien de temps faudra-t-il pour le réparer ? » Les radios permirent de constater que les os et le cartilage étaient intacts. Elle prit le Dr Greenson dans ses bras. Le psychanalyste répondait aux questions du chirurgien. Gurdin exclut une fracture. Il était possible qu'elle soit tombée, mais aussi qu'elle ait été frappée, car l'hématome d'une blessure au nez s'étend facilement aux paupières.

Greenson téléphona aussitôt à Mickey Rudin pour qu'il prévienne le studio que désormais il avait les choses en main :

— Elle est en état, tant physique qu'affectif. Je suis convaincu qu'elle pourra finir le film dans les délais.

Il demanda à Eunice Murray de ne rien dire de l'incident ni à Engelberg, son médecin traitant, ni à la presse. Ni aux représentants de la Fox, auxquels il annonça que désormais c'était lui qui discuterait des choix artistiques pour le reste du tournage : plans à tourner, modifications de scénario, tenues vestimentaires... Lors d'un déjeuner à la Fox, le lendemain, Phil Feldman, vice-président chargé des questions opérationnelles, dit au psychanalyste que le Studio perdait 9 000 dollars par jour quand Marilyn ne tournait pas et lui demanda de la conduire lui-même à Century City.

— Si elle dépend tellement de vous, qu'adviendra-t-il du film si elle vous jette ? ajouta Feldman.

À cette question, Greenson ne répondit pas mais fit valoir qu'il avait réussi à la ramener sur le tournage des *Désaxés* après une semaine à l'hôpital et qu'elle avait été capable de finir le film de Huston. Il pensait pouvoir refaire la même chose.

Mais l'après-midi, quelques minutes avant la fermeture du tribunal d'instance, la Fox réclama

500 000 dollars de dédommagement pour rupture de contrat et annonça à la presse que Marilyn ne faisait plus partie de la distribution. Greenson, de retour de déjeuner, apprit la nouvelle de la radio de sa voiture. Il se précipita chez elle et lui fit une injection de sédatifs par voie intraveineuse.

Un peu plus tard dans la soirée, on annonça que Marilyn serait remplacée par Lee Remick. Le lendemain matin, Dean Martin fit savoir qu'il abandonnait le film. « J'ai le plus grand respect pour Miss Lee Remick et son talent, et pour toutes les autres actrices pressenties pour le rôle, mais j'ai signé pour faire ce film avec Marilyn Monroe et je ne le ferai avec personne d'autre. » Il n'avait même pas envie de faire ce film au départ, avoua-t-il à certains, et avait accepté uniquement parce que Marilyn le voulait, lui. Les tentatives de Levathes pour le faire revenir sur sa décision échouèrent. Henry Weinstein dira de cet épisode : « Tous les acteurs traversent l'angoisse, le malheur, les peines de cœur, mais chez elle, c'était autre chose : la terreur pure. »

Le soir, rentré à Santa Monica, malgré la fatigue accumulée depuis son retour, Greenson ne trouvait pas le sommeil. Il se releva. Deux heures plus tard, Hildi le trouva assis dans son fauteuil soulevant les radiographies du crâne de Marilyn pour les déchiffrer contre l'abat-jour orangé de sa lampe de bureau. Surpris comme un enfant en faute mais indifférent comme un homme en prière, il continua l'examen des clichés. Il ne cherchait pas des lésions, mais parcourant les blancs indécis et les noirs sans fond, lisait à travers les condensations irrégulières et les gradations d'opacité les lignes secrètes de la beauté. L'ombre de la bouche s'ouvrait comme pour parler.

Santa Monica, Franklin Street,
11 juin 1962

À son retour, Greenson avait trouvé dans son courrier une pluie de mots déposés par Marilyn, juste
pliés, sans enveloppe, tachés. L'un d'eux le toucha.
« Toujours l'échiquier. Je le regarde et je ne sais pas
pourquoi, je pense que les derniers coups vont se
jouer. Tous les mouvements de la partie qu'a été ma
vie se résument dans les derniers déplacements de
pièces. L'état de mon corps et celui de mon âme, la
qualité de mon jeu d'actrice, l'autorité d'un cinéaste
que j'admirais encore il y a peu, les rapports sexuels
où je suis prise comme dans ces prises poursuites de
notre jeu : je vois tous mes mouvements comme des
déplacements de pièces sur les soixante-quatre
cases... Jusqu'au mat. »
Le mot s'interrompait ainsi et le psychanalyste se
retira dans une rêverie. Impressionné par la fascination de Marilyn pour le verre, les miroirs, les cases
noir et blanc du jeu de mort, Greenson pensa qu'ils
n'avaient jamais joué ensemble aux échecs.

— Je vous adore. Je voudrais alléger votre souffrance. Mais il faut absolument que vous terminiez le film. Je m'y suis engagé, cria presque Greenson, à peine Marilyn s'était-elle assise pour sa séance de reprise. Il avait insisté pour la tenir à son cabinet et non chez lui.

— Le Studio a accepté de renégocier votre contrat pour un million de dollars : la moitié pour le tournage du film, plus un bonus s'il était achevé à la nouvelle date prévue, et encore 500 000 dollars ou plus pour une nouvelle comédie musicale. Incroyable : la Fox accepte de reprendre le scénario de Nunnally Johnson, que vous préfériez, et en prime de remplacer George Cukor par un réalisateur approuvé par vous. Nous avons gagné.

— Je n'y arriverai pas. Et votre psychanalyse ne m'aidera pas. Mon métier d'actrice n'est pas un problème que j'ai à résoudre. C'est la seule solution que j'ai trouvée pour résoudre un autre problème. Faire l'actrice, n'est pas la cause de ma panique. C'est le seul remède. Toutes les psychanalyses du monde n'y pourront jamais rien. Je suis au bout d'une impasse, comme dans cette maison que vous m'avez fait acheter.

— Fondamentalement le problème de toute votre vie a été un problème de rejet. Mais maintenant, le Studio cesse de vous confirmer dans votre fantasme, et moi, je voudrais lever votre angoisse d'abandon, ou au moins la contenir.

— Il y a une chose que peu de gens comprennent. C'est la lutte perpétuelle que chaque acteur doit livrer contre sa propre timidité. Il y a une voix en nous qui nous dit jusqu'où nous pouvons nous laisser aller, tout comme un enfant en train de jouer et qui s'arrête de lui-même lorsqu'il va trop loin. On s'imagine qu'il suffit d'arriver sur le plateau et de faire ce qu'il y a à faire. Mais c'est une véritable lutte contre nous-mêmes. Moi j'ai toujours été d'une timidité maladive. Il faut vraiment que je lutte. Un être humain, ça sent, ça souffre, c'est gai ou bien c'est malade. Comme tous les êtres qui créent, je voudrais avoir un peu plus de contrôle sur moi-même. Je voudrais qu'il me soit facile d'obéir à un metteur en scène. Lorsqu'il me dit : une larme tout de suite, je voudrais que cette larme jaillisse et que ce soit fini. De l'angoisse, il en faut. Mais là, la chose est trop grande, un voile noir qui me couvre. Je ne peux pas le traverser. Sa voix s'éteignait. Elle reprit :

— Ça me rappelle deux films que j'ai faits il y a dix ans. Jamais, ni avant ni depuis, je n'ai été aussi mal dans un rôle. Michael Tchekhov, du temps où il était mon coach, m'avait dit : « Se contenter de penser le personnage et de l'analyser mentalement ne te permet pas de le jouer, de te transformer en une autre. Ton esprit rationnel te laissera passive et distante. Mais si tu développes ton corps imaginaire, si tu te vides de toi et tu te laisses posséder par l'autre, ton désir et tes sentiments te feront incarner cet autre. » C'est justement ce que je craignais : devenir l'autre. Maintenant elle s'animait :

— Ça ne date pas d'hier. *Clash by night*, c'était mon premier vrai film. Je mourais de peur d'affronter Barbara Stanwyck, la vedette, et surtout Fritz Lang, le metteur en scène. Il avait chassé Natasha Lytess du plateau et moi je ne pouvais pas jouer sans elle à mes côtés. Ensuite, un autre film, *Don't bother to knock*. Comme aujourd'hui avec Cukor, je vomissais avant chaque scène. Comme aujourd'hui dans *Quelque chose doit craquer*, je me présentais comme baby-sitter. Mais ce n'était pas de me retrouver à jouer mon propre personnage qui m'angoissait. En fait ce rôle était celui de ma mère, mon impossible mère. À l'époque, je cachais son existence, je disais qu'elle était morte pour ne pas dire qu'elle était folle. C'est seulement après ce film que j'ai pu organiser son placement en maison de santé.

— Mes films, certains en tout cas, m'ont aidée à survivre. Et d'avoir joué cette femme incapable de s'occuper d'une petite fille m'a permis de m'occuper un peu de ma mère. Lors de ce tournage, j'étais malade d'avoir à revivre ces histoires. La peur de la scène, on appelle ça. Moi, ce n'était pas la peur, c'était l'effroi. En plus, le metteur en scène s'appelait Baker. Comme ma mère. Mais ne le dites pas au docteur Freud, lança-t-elle avec un rire étouffé. Il me méprisait encore plus que Fritz Lang. J'avais vingt-cinq ans et c'était mon premier rôle important dans un film dramatique. Quand j'ai lu le scénario, j'ai couru chez Natasha, en pleine nuit, cassée par la peur. On a travaillé ensemble entre espoir et panique, deux jours et deux nuits. Je me souviens encore de ce que disait Nell – mon personnage – à l'homme, Richard Widmark : «Je serai ce que tu veux. Je t'appartiendrai. Tu n'as jamais senti que si tu laissais partir quelqu'un, c'est toi qui serais perdu, toi qui ne saurais pas où aller, toi qui n'aurais plus personne à mettre à cette place ? "

Marilyn se tut.

— À qui appartenez-vous ? demanda Greenson.

— J'appartiens à ceux qui veulent me prendre. Aux hommes, aux producteurs, au public. Vous savez, tout le monde m'a pris un morceau pour le changer : Grace McKee, mes cheveux, Fred Karger mes dents, Johnny Hyde mon nez et mes joues, Ben Lyon mon nom... Et j'adorais ça. Vous n'imaginez pas ! Ma plus grande jouissance, ça a été l'hiver 1954. Mon apparition en Corée.

— Je sais. Je connais ces images, je les ai vues il y a quelques mois sur NBC. À qui appartenez-vous ?

Marilyn ne répondit pas. Marilyn se souvenait de Marilyn. Elle la revoyait chantant devant 17 000 hommes sifflant à s'en péter les poumons. Elle n'avait plus peur. Elle avait commencé la tournée devant des blessés, puis dans la 45ᵉ Division. Dix représentations sous la neige et des températures en dessous de zéro, vêtue d'une minirobe moulante pourpre à paillettes sans rien dessous. Des GI's complètement fous, en manque de femmes depuis des mois, la mangeaient de loin, morceau par morceau. Pour éviter l'émeute, elle avait même dû changer les paroles de Gershwin. De « Fais-le encore ! » en « Embrasse-moi encore ! ». Elle leur avait chanté « Les diamants sont les meilleurs amis des filles ». À eux qui se faisaient trouer la peau pour rien en

Corée. Pour se rattraper, elle leur avait fait ensuite une danse sexy. Elle savait qu'ils aimeraient ça. Les concerts continuèrent. Un jour, il a fallu l'enlever dans les airs en hélicoptère. Plaquée au sol par deux soldats, elle se pencha longtemps par la porte pour envoyer des baisers aux hommes qui hurlaient son nom.

— À qui appartenez-vous ? reprit l'analyste.

— À la peur.

— Peur de quoi ? D'être seule ?

— C'est terrible, ces journées où je suis coincée avec quarante personnes autour, coincée entre deux mots cent fois redits : « Prise », « Coupez ». « Première prise, treizième prise, vingt-cinquième prise ». En fait, ce mot me terrifie et me rassure, c'est étrange. Ça me donne l'illusion que quelqu'un existe en moi, qu'on prend et reprend, que j'ai quelque chose. Je suis celle qu'on prend. Après, on coupe, mais, un instant, j'ai été là, dans l'œil du viseur. J'ai existé. Je sais que j'appartiens au public et au monde entier, non pas à cause de mon talent ni même de ma beauté mais parce que je n'ai jamais appartenu à rien ni à personne. Quand vous n'appartenez à rien, à personne, comment ne pas vous dire : j'appartiens à tous ceux qui veulent de moi !

— Est-ce qu'il y a un lieu auquel vous appartenez ?

— Pendant le tournage de *Don't bother to knock*, j'étais un peu perdue. J'ai eu trois adresses ces mois-là, deux dans West Hollywood, sur Hilldale Avenue et Doheny Drive, puis une suite au Bel Air Hotel, dans Stone Canyon. Pas de lieu qui m'aurait donné un sentiment d'appartenance. J'essayais de devenir une bonne actrice et une bonne personne. Mais je ne vous avais pas... Parfois, je me sentais forte, mais il fallait aller chercher cette force dans l'ombre et la faire sortir difficilement. Rien n'a jamais été facile. Rien n'est jamais facile, mais alors c'était moins facile que maintenant. Je ne pouvais pas parler de mon passé. C'était une expérience trop douloureuse et je voulais oublier.

— Pour oublier, il faut redire.

— Non, il faut revivre !

— Qu'est-ce que vous avez cherché à revivre à cette fête Kennedy ?

— Vous ne comprenez rien ! Lorsqu'on m'a demandé de paraître au Madison Square Garden pour la soirée d'anniversaire du Président, je me suis vraiment sentie fière. Lorsque je suis arrivée sur la scène pour chanter *Happy Birthday* il y eut un silence énorme dans le stade, un peu comme si j'étais arrivée en combinaison. À ce moment, je me suis dit : Mon Dieu, que va-t-il se passer si je n'arrive pas à chanter ? Un silence pareil de la part d'un tel public, cela me réchauffe. C'est comme une sorte de baiser. À ce moment-là, on se dit : Bon sang ! Je chanterai cette chanson, même si c'est la dernière chose que je puisse faire au monde. Et je la chanterai pour tout le monde. Et quand je me suis tournée vers les micros, je me souviens que j'ai regardé le stade dans tous les sens en me disant : Voilà où j'aurais pu être, quelque part en haut, tout en haut, derrière les poutres, près du plafond. Mais je suis là, au centre.

— Maintenant, il faut oublier, recommencer. Reprenez le tournage!

— On a dit de moi que j'étais liquidée, que c'était la fin de Marilyn : au fond, être finie, ce doit être un soulagement. On doit se sentir comme un coureur de cent mètres qui a coupé le fil et qui se dit avec un grand soupir : Ça y est, c'est terminé. En fait, rien n'est jamais terminé. Il faut toujours recommencer, toujours. Coupez! On en prend une autre! Que Cukor aille se faire foutre!

Hollywood, Studios Warner Bros,
décembre 1965

La Fox avait investi deux millions de dollars. Cukor confia à une chroniqueuse : « La pauvre chérie est devenue complètement folle. Ce qui est triste, c'est que le peu qu'elle a fait n'est pas bon... D'après moi, elle est finie. » Mais il eut une idée pour sortir de l'impasse : faire un film sur l'échouage du tournage. Un film sur les coulisses d'un film. Marilyn, avec ses demandes abusives et ses manipulations éhontées, incarnerait l'actrice dérangée. Une comédie tragique, une histoire d'Hollywood, avec des producteurs dépassés, des psychanalystes intrusifs et un omniprésent vampire femelle guidant le jeu de la star cassée. Le dénouement serait très dramatique : la mort et la folie que Marilyn avait craintes – ou feintes – la rejoindraient à la dernière bobine.

Cukor ne fit pas ce film sur et avec elle, mais deux ans après la mort de Marilyn, il se tourna à nouveau vers des portraits de femmes, comme la danseuse Isadora Duncan ou l'actrice de muet Tallulah Blankhead. Repensant aux semaines douloureuses de *Quelque chose doit craquer*, il voulait faire le portrait d'une actrice en femme brisée, après le *Sunset Boulevard* de Billy Wilder et *All About Eve* de Mankiewicz. Comme lui, les deux cinéastes avaient fait tourner Marilyn, et ce serait une belle idée et une bonne revanche sur ces rivaux détestés que de faire en couleurs un film sombre sur les derniers jours de la star. Ce pourrait être le dernier et le plus beau film de George Cukor. Maintenant que Marilyn était devenue un mythe, l'idée pouvait séduire d'autres Studios que la Fox. Cukor avait même un titre : *Perdue dans la cité des anges*. Il avait aussi pensé à : *Une star est morte*, cela aurait fait symétrie avec *Une étoile est née*, son film de 1954 où Judy Garland interprétait déjà une actrice fêlée qui donnait plus d'importance à ses nuits blanches qu'aux jours passés dans le noir d'un plateau à suer sous les projecteurs. Ce serait un film sur le film impossible, un film derrière l'écran. Les coulisses d'Hollywood révéleraient la machinerie bête et cruelle des Studios, et les coulisses d'un visage montreraient la folie d'une actrice à la recherche d'une image perdue qui serait elle.

D'elle aussi, il se vengerait, car il avait mal vécu la confrontation pénible avec Marilyn. Elle n'avait cessé pendant les sept semaines de tournage de modifier ses scènes, ses répliques. Surveillés et dirigés par Greenson, les scénaristes avaient dû interpoler les prises et changer l'ordre et le contenu des séquences initialement prévues. Plus que tout, la présence de

Paula Strasberg sur chaque prise de chaque scène avait mis Cukor hors de lui. La méthode de l'Actors Studio était à ses yeux une divagation prétentieuse et il restait attaché aux prérogatives du réalisateur. Après chaque plan, quand il disait : « *Cut !* », Marilyn se tournait non vers lui mais vers Paula pour lui demander si cette fois était la bonne. Elles se mettaient à l'écart et échangeaient avec un sérieux incroyable des propos qui se terminaient par un verdict : « Oui ! » Ou, plus généralement : « Non, ça ne va pas ! Refaisons une prise ! » Dean Martin, son partenaire, allait passer ses nerfs sur ses cannes de golf et tapait quelques balles dans un coin du studio. Paula, Greenson, Henry Weinstein, *staff producer* et ami du psychanalyste, cela faisait un peu beaucoup de monde qui lui disputait le *final cut*.

Mais Cukor était resté courtois. Simplement, lorsque Marilyn répétait un peu trop : « On en refait une », il répondait : « Bien sûr, chérie », puis, clamant chaque fois : « Marilyn dernière », il faisait quatre ou cinq prises de plus sans bobine dans la caméra. Après chaque visionnage de rushes, Cukor et son assistant, Gene Allen, s'isolaient et lorsqu'ils ressortaient, ils trouvaient Marilyn angoissée devant la porte de la salle de projection : « Comment c'était ? » Cukor se retournait vers Allen et lui glissait à l'oreille : « Elle veut dire : comment j'étais ! » Puis, avec un sourire enjôleur, il la rassurait : « Magnifique, Marilyn, magnifique. » Après la dernière séance de tournage, le metteur en scène déclara publiquement : « Le Studio lui a tout accordé. Elle a été dure. Très dure. Sur tout. Elle a été faussement gentille avec moi. Je suis désolé de la voir ainsi, se battre contre des ombres. Même son avocat, Mickey Rudin, n'en peut plus et elle n'en veut plus. Je crois que c'est la fin de sa carrière. »

Maintenant il savait que ce qu'il avait pressenti était la fin de Marilyn, tout court. Et ce qu'il voulait faire avec ce film sur l'actrice morte, c'était rendre cette incroyable densité qu'elle avait donnée malgré elle à ses apparitions, cette présence presque insoutenable à l'écran dans les scènes finalement gardées au montage de *Quelque chose doit craquer*, elle qui avait été si absente sur le tournage. Si absente, même quand elle était là. Sur l'écran, elle semblait se mouvoir au ralenti, et c'était tout simplement hypnotique, se disait le cinéaste. Elle n'avait presque plus de regard et c'est cela qui était beau. Cukor se mettrait lui-même en scène et jouerait le rôle du réalisateur patient et génial qu'il avait eu tant de mal à être dans le réel. Le film serait une comédie, mais aussi un film tragique. Il changea son titre une fois encore et choisit : *Ce qui compte, c'est ce qui est sur l'écran*. Il ne cessa de modifier son projet, puis finalement y renonça quand parurent les articles accusant Greenson d'avoir participé à un complot pour assassiner l'actrice. « Trop proche, tout ça ! Trop de pouvoir en jeu. Trop d'amour », dit-il à Hedda Hopper, la journaliste des coulisses d'Hollywood.

Le dernier jour de sa vie, le 24 janvier 1983, George Cukor dit à un ami : « Ce fut une sale affaire. Le pire rejet qu'elle eut à essuyer. En définitive, elle était trop innocente. »

New York, Huitième Avenue,
mi-juin 1962

Chassée du tournage, Marilyn convoqua des photographes pour faire de longues séances pour *Life*, *Vogue* et *Cosmopolitan*. Elle essayait de contre-attaquer et elle se battait avec la seule chose qu'elle avait toujours su monnayer : son image. Parmi d'autres, elle fit paraître le 22 juin en couverture de *Life* une photo nue dans la piscine. Ceux qui la photographièrent ou l'enregistrèrent dans ses derniers jours donnent d'elle deux images opposées : une étoile scintillante, une poupée flétrie. Barris la voit forte et libre. Elle a le pouvoir ; elle est le vent, elle flotte dans l'aura de comète que William Blake fait souffler autour des figures sacrées. Elle est la lumière, la déesse, la lune. L'espace et le rêve, le mystère et le danger. Mais aussi tout le reste, y compris Hollywood. Tout le reste, y compris la fille du dessus. Le journaliste de *Life* Richard Meryman est au contraire frappé par l'aspect terreux de son visage inerte. Sa peau ni blanche ni grise ; on aurait dit qu'elle ne s'était pas démaquillée depuis très, très longtemps. De loin, elle était superbe, mais dès que l'on étudiait son visage de près, on lui trouvait l'apparence du carton. Ses cheveux étaient sans éclat, mis en plis, séchés des milliers de fois. Même pas faux, morts. Une permanente, ça s'appelle. La seule part d'elle qui ne mourra pas, parce qu'elle est déjà morte.

Totalement découragé par la tournure des choses depuis son retour, Greenson écrit à une amie, Lucille Ostrow, qu'il ressent son échec comme un affront personnel. Pour venir à son secours, raconte-t-il sur un ton plaintif, il a sacrifié non seulement ses vacances, mais un séjour à New York où il devait rencontrer Leo Rosten. « J'ai tout lâché de mes objectifs et de mes intérêts, et elle, elle est ravie de s'être débarrassée du film qui l'ennuyait. Elle va très bien. Maintenant, c'est moi qui suis déprimé, qui me sens seul et abandonné. »

Greenson consacrait tout son temps à celle qu'il appelait sa « schizophrène préférée ». Les gens qui tournaient autour du film l'accablaient : le scénariste Walter Bernstein racontait à qui voulait l'entendre que Greenson avait placé Marilyn dans un cocon. « Elle est devenue pour lui un investissement, et pas seulement financier. Ce n'est pas qu'il s'occupe d'elle : il fabrique sa maladie. Il est devenu vital pour lui et pour d'autres qu'elle soit considérée comme malade, dépendante et désemparée. Il y a quelque chose de sinistre chez ce psychanalyste qui exerce une influence démente sur elle. »

Au fil du temps, l'espace qui séparait Greenson et Marilyn ne s'était pas comblé, mais il s'était en quelque sorte inversé. Ils avaient échangé leurs idéaux et chacun avait pris le symptôme de l'autre. L'analyste s'était laissé prendre dans une fascination croissante pour les films et pour sa propre image. Il évitait les patients et les colloques et passait son temps dans les couloirs de la 20th Century Fox. Marilyn parlait plus, et quand elle avait un interlocuteur à qui se fier, elle trouvait ses mots. Les images lui faisaient peur.

Au tout début de la semaine suivant son renvoi, Marilyn partit pour New York. Elle n'y vit personne, sauf W.J. Weatherby avec qui depuis deux ans elle avait d'épisodiques entretiens. Ils étaient devenus proches. Comme d'habitude, elle arriva déguisée, un fichu sur la tête, une blouse ample, des pantalons sans forme et aucun maquillage. Le journaliste n'était pas très sensible à la beauté narcissique de Marilyn Monroe et cherchait qui se cachait en elle derrière le masque. Ce qui l'avait surtout marqué était quelque chose d'indéfinissable qu'il tentait de saisir en se fixant sur le mot « écran ». L'image qu'elle projetait était un écran, une réfraction extatique qui voilait un égarement profond.

Ils se retrouvèrent dans le bar de la Huitième Avenue où ils avaient leurs habitudes. Un endroit rempli de buveurs silencieux venus pour boire, le plus possible dans les plus grands verres possibles. Un endroit où l'on ne s'attendrait pas à croiser une star d'Hollywood. Ils occupaient une stalle au fond, dans l'ombre. Il n'y avait pas de service à table. Après une demi-heure d'attente, il pensait qu'elle ne viendrait pas lorsqu'il entendit une voix de femme dans son dos :

— Un dollar contre tes pensées.

— Tu serais perdante.

Elle avait un verre dans chaque main. Une pâleur nouvelle s'ajoutait à l'ancienne pâleur et la rendait plus indéchiffrable.

— Gin tonic !

— Très bien ! Mais tu es sûre d'aimer cet endroit ?

— J'adore ! Je n'ai pas l'habitude des *vrais* bars. Ça me rappelle celui de Reno où nous sommes sortis bourrés. Mais tu sais, on change quand on change d'endroit. Nous avons tous un jeu de personnes, différentes manières d'être soi dans différents endroits. Je ne suis pas la même à New York et à Hollywood. Différente dans ce bar et sur un plateau. Différente avec Strasberg et avec toi. Je vois ça quand on m'interviewe. Les questions vous dictent les réponses et on paraît être telle ou telle personne. Les questions m'en disent souvent plus sur celui qui les pose que mes réponses ne lui en disent de moi. La plupart des gens se trompent en pensant qu'ils sont un seul moi toute leur vie, bien plein, constant, fermé. Comme ils seraient plus tolérants envers les autres s'ils reconnaissaient qu'ils sont eux aussi en morceaux, troués, changeants.

— Tu séduis les intervieweurs, dit Weatherby avec un sourire désarmant, parce que tu ne veux pas qu'ils approchent de toi réelle. Tu veux qu'ils t'aiment et te racontent des histoires d'amour.

— Tu crois ?

— Bien sûr ! Tu séduis tous les hommes qui passent, plaisanta-t-il. Avoue que tu aimes sentir ton pouvoir sur eux !

— Pas tant que ça. Parfois je déteste l'effet que je fais sur les hommes. Ces regards stupides. Ces poings qui se serrent sur le vide. C'est pas humain. Mais avec toi, ça ne marche pas et tant mieux. Je ne respecte pas les gens qui vous aiment parce qu'on est quelqu'un. Mais n'écris pas notre conversation dans ton petit carnet.

Elle lui donnait l'image d'un enfant sifflant ou riant dans le noir. Plus elle faisait effort pour être gaie, plus elle sentait monter le noir.

— Tu veux boire autre chose, Marilyn ?

— Ouais. Et qu'est-ce que tu lis en ce moment ?

— *Le Parc aux cerfs* de Norman Mailer. C'est un roman sur Hollywood. Je vais te l'offrir.

— Ça t'arrive de sentir que les livres sont loin de toi, hors d'atteinte ? Je veux dire : que tu ne sais pas comment les prendre ? Comme s'ils étaient dans une langue étrangère, même si les mots sont en anglais. Je me sens si bête, parfois, devant un livre.

— Ne t'en fais pas, tu as des intuitions plus aiguës que beaucoup d'intellectuels. Ne gâche pas ta sensibilité par un savoir de seconde main. J'aimerais mieux être beau que sage.

Elle tourna la tête et il sut tout de suite qu'il avait fait une erreur.

Ils remontèrent le courant de la foule du soir qui se jetait vers le métro de Port Authority Terminal. Il la mit dans un taxi, puis retourna dans leur bar de la Huitième Avenue, s'assit dans la zone éclairée au néon cette fois, ouvrit son carnet et transcrivit leurs échanges. Il se demandait si elle ne se servait pas de lui, si elle se montrait juste amicale ou avait une idée derrière la tête. Il eut beau se dire qu'il ne pouvait rien pour elle, pour sa carrière, qu'il n'écrirait pas sur elle, le soupçon persista.

Le surlendemain, ils se revirent comme prévu. Il la trouva changée. Son corps avait perdu la ligne de la jeunesse. Sa face était creusée, la peau laissait deviner l'ossature, la chair n'enrobait plus aussi délicatement ses traits. Elle s'était maquillée, mal. Cela n'effaçait pas la fatigue ou les rides, et elle le savait. Elle était arrivée avant lui et s'était redressée pour lui donner un baiser gai et léger. Weatherby aurait préféré ne pas sentir son odeur. Elle sentait le sale, le tremblement, les larmes.

— J'ai failli ne pas venir, commença-t-elle.

— Je suis content que tu sois venue. Qu'est-ce que tu fais de tes journées ici ?

— Sais pas. Au fond de la piscine. Coup de pied pour remonter. Sais pas. Je voudrais rester à l'intérieur, loin.

— Tu es triste ?

— Si on veut. Et même si on ne veut pas...

Elle continua de parler de façon hachée, sans verbes. Ils commandèrent leurs boissons. Elle voulut un Ange blanc mais le serveur ne savait pas ce que c'était. Ils heurtèrent leurs gin tonics en se souhaitant « Bonne chance ».

— Moi, on ne me la fait pas, reprit-elle. J'ai connu ça, la panique d'être une perdante. Je l'ai vu dans les yeux de Betty Grable, une star en son temps. Un jour on m'a présentée à elle, dans sa loge. J'ai compris que le Studio m'utilisait pour lui faire savoir que son règne était fini et que j'allais lui succéder. Ils espéraient que j'allais l'humilier. Me suis barrée. Longtemps les gens des Studios m'ont eue. Je marchais, j'étais naïve. Il suffisait qu'on me porte de l'intérêt et j'allais au lit. Je le ferais encore, c'est sûr, mais pas avec des trop évidents salauds. C'est fini le temps où j'étais mariée et j'allais chez l'un de ces types dans des soirées. Ils posaient leurs pattes sur moi comme le tigre sur... comment on dit ? l'anti quelque chose, l'antilope. L'air de dire : C'est à moi, cette chose. Je l'ai, je l'ai eue, je l'aurai. C'est classique pour une ex-pute, même si je n'ai jamais été putain dans le vrai sens. Je ne me suis jamais vendue. Je me suis laissé acheter. Mais il y a eu une période où il suffisait de me demander pour que je couche à droite et à gauche. Ça facilitait ma carrière, je me disais, et en général je les aimais bien, mes hommes. Ils étaient tellement sûrs d'eux, et moi si peu.

— Tu as des projets, après le film ?

— Depuis longtemps je voudrais jouer Blanche Du Bois dans *Un tramway nommé désir*. Ce n'est pas le moment, je suis trop là-dedans. Je le ferai à Broadway, dans quelques années. J'aime tant la dernière réplique de Blanche – tu te souviens, Vivien Leigh dans le film de Kazan ?

Il se souvenait. La femme, toute blanche, toute folle, folle à mort, folle d'un amour pour personne.

— Je ne me vois pas en ce moment dire sur une scène : « Qui que vous soyez, j'ai toujours été dépendante de la gentillesse des étrangers. » Les amants, les amis, les parents, les proches, tout ça, ça vous laisse tomber un jour ou l'autre. Alors, les étrangers, c'est moins dangereux. Mais il ne faut pas dépendre trop d'eux. Quand j'étais petite, il y a eu des étrangers qui m'ont fait du mal.

— J'ai lu un jour que tu avais été violée enfant ?

— Ne parlons pas de ça. J'en ai assez de parler de ça. Je regrette d'en avoir parlé.

Elle balayait la table avec une serviette en papier. Puis, sourit à elle-même.

— Femme d'intérieur. Tenir mon ménage ? J'adore nettoyer. Ça m'évite de penser.

Après de longs silences entrecoupés de brèves phrases plutôt obscures, Weatherby passa aux toilettes. Quand il revint, il trouva un homme debout devant leur table, qui proposait avec insistance une passe à cette blonde négligée dont il ne voulait pas croire qu'elle ne faisait pas le trottoir sur la Huitième. Ils se débarrassèrent de l'homme penaud.

Elle dit :

— Les masques nous révèlent, les rôles nous tuent.

Elle dit :

— Je traîne Marilyn Monroe partout comme un albatros.

Elle dit encore :

— Je crois que je vais faire un testament. Sais pas pourquoi. J'ai ça en tête. Sinistre, pas vrai ?

Il dit :

— J'aimerais que tu danses sur le bar.

— On nous virerait! Dans ce genre de bar, les femmes doivent se tenir à leur place, aux pieds des hommes. Pas l'inverse.

Ensuite, elle but beaucoup, parla peu et de façon allusive.

— Tu n'écriras rien de ce que je te dis, n'est-ce pas? Je vais peut-être me remarier moi aussi. Le problème est qu'il est marié pour l'instant. Et il est célèbre; nous ne pouvons nous voir que dans le plus grand secret.

Elle ajouta que son amant était dans la politique. À Washington.

Le lendemain, elle expédia un étrange télégramme à Bobby Kennedy pour décliner une invitation à un dîner à Los Angeles : « Chers Attorney General et Madame Robert Kennedy, j'aurais été ravie de me rendre à votre invitation en l'honneur de Pat et Peter Lawford. Malheureusement je suis engagée dans une manifestation pour la défense des droits des minorités et j'appartiens à ces dernières étoiles qui restent liées à la terre. Car enfin, tout ce que nous exigions, c'était notre droit à scintiller. Marilyn Monroe. »

Selon Peter Lawford, le samedi 4 août, son dernier jour, pour refuser de venir à la soirée qu'il organisait dans sa villa sur la plage de Santa Monica, Marilyn employa au téléphone une expression terrible :

— Pour qu'on me passe de l'un à l'autre comme une pièce de viande, non merci! J'ai mon compte. Je ne veux plus qu'on se serve de moi. Frank, Bobby, ton beau-frère de président – lui, je ne peux même plus le joindre. Tout le monde se sert de moi.

— Viens quand même. Ça te changera les idées.

— Non ; je suis crevée. Il n'y a plus rien à quoi j'aie envie de répondre. Plus personne. Rends-moi juste un service : dis au Président que j'ai essayé de le joindre. Dis-lui au revoir de ma part. Dis-lui que j'ai rempli ma tâche.

Le début de son appel n'était qu'un murmure désarticulé et Lawford dut crier plusieurs fois son nom comme si elle ne l'entendait pas. Après un long soupir exténué, elle avait articulé :

— Au revoir à Pat, au revoir au Président et au revoir à toi, parce que tu es un type bien.

Lawford entendit que cette voix ne jouait pas, ne criait pas : « Au loup ! » Il sentit que cette voix s'enfonçait dans la mort. Il devina qu'« Au revoir » ne veut pas forcément dire qu'on prend congé, mais simplement qu'on appelle l'autre et qu'on veut le revoir.

Los Angeles, University of California,
juin 1966

Incompatibles et inséparables, Marilyn et Ralph allaient bientôt se perdre. Pas se quitter, se perdre l'un dans l'autre. Comme sur ces figures de cartes ou de timbres où deux personnages, tête-bêche, sont accolés par le milieu. Leurs corps se touchent, mais ils regardent chacun dans une direction opposée. À l'intersection de la lumière et du souvenir, des mots empruntés et des rêves revisités, du silence et des larmes, un homme qui prenait de l'âge et une femme-enfant s'étaient pourtant rencontrés. L'amour est toujours souvenir de l'amour. Le désir, oubli du désir. La rencontre de deux histoires parallèles est toujours un accident. Un double mat.

L'image avait toujours été sa réassurance, sa protection. Etre photographiée signifiait pour Marilyn être caressée sans risque et susciter le désir comme écran à la dévastation de l'amour. Elle désirait être désirée pour ne pas savoir si elle était aimée. Maintenant, la passion avait ravagé en elle l'amour et même le désir. La passion faisait tourner le langage sur lui-même, à vide, sans ancrage dans son corps. Aimer quelqu'un, c'est aimer ses mots. Halluciner sa présence. Marilyn aimait Greenson. Passionnément. C'est-à-dire ne l'aimait pas. Elle ne le désirait pas. Elle l'attendait. Envahie par l'autre, par ses mots, ses images, elle n'était plus elle-même. Sujette à des absences d'être, à des bouffées d'autre, comme on dit des bouffées délirantes, elle aimait à la folie, au point extrême où le comble de l'amour n'est plus un amour. Et celui qui était l'objet de cet amour n'était personne non plus. Cet homme n'était plus reconnu dans le réel singulier et concret de sa présence, il était devenu un ensemble de signes, une abstraction démesurée. Cet être irréel était pourtant le seul qui existât à ses yeux. L'amour-passion se joue contre la folie. Aux deux sens. Tout contre : il la côtoie, et ce n'est pas pour rien qu'on dit « amoureux fou ». Mais aussi, il l'évite : la psychose est une faillite de l'amour, un amour mort. Leur séparation ne pouvait qu'être passionnelle, elle aussi, confondant la fin de l'amour et l'idée de la mort.

Après la disparition de Marilyn, Greenson écrivit pour un colloque à l'UCLA un article : « Sexe sans passion ». Il pose en creux la question inverse : qu'est-ce qu'une passion sans sexe ? Il était parti d'une réflexion sur les femmes et le désir, la perte du désir. La vie sexuelle de Marilyn l'avait convaincu que le désir et l'amour s'étaient dissociés pour elle. « La femme qui va vers la quarantaine, écrit-il, a besoin de sexe et de relations sexuelles pour se rassurer d'être encore désirable. Mais surtout pour se prouver qu'on peut toujours l'aimer. Rappelons-nous qu'une femme a un énorme avantage dans l'acte sexuel : elle peut l'accomplir ou le laisser s'accomplir en elle sans faire quoi que ce soit et n'a rien à faire de spécial pour satisfaire son partenaire. Les femmes disposent de la possibilité d'utiliser le sexe à des fins ou dans des directions non sexuelles. Beaucoup d'entre elles s'engagent donc dans des relations sexuelles sans amour et sans passion. Elles s'en servent pour diverses raisons : conquête, réassurance, vengeance. Certaines ne peuvent s'autoriser à éprouver directement leurs émotions et leurs fantasmes lorsqu'elles s'engagent avec l'homme dans ce qui est l'intimité par excellence : l'intimité sexuelle. Etre engagé intimement avec quelqu'un veut dire qu'il peut vous blesser, vous causer du tort, vous quitter. Alors, ces femmes mettent une distance par rapport à l'homme et bloquent leurs fantasmes. »

On peut lire aussi cet article comme une sorte d'autoanalyse, de tentative de penser le désir masculin. « Les hommes de cinquante ans (Greenson a cinquante-cinq ans) ont moins de désirs sexuels. Ils peuvent utiliser bien des rationalisations pour éviter le sexe, ou bien des instruments pour y parvenir. Je ne mesure pas l'usage d'adjuvants pour accomplir l'acte sexuel, mais je ne pense pas qu'il se limite à quelques personnes de Beverly Hills ou d'Hollywood. Les hommes ont peur du rapport sexuel en partie par peur de l'impuissance, en partie pour éviter de se poser la question de la puissance. Ils ne sont pas fidèles à leur femme par sens moral, mais se soumettent à la morale par peur de leur échec en tant qu'amants. Ils sont fidèles ou se réfugient dans une asexualité ou une non-sexualité par peur de ne pouvoir disputer une femme aux autres hommes. »

Le voyage de Greenson et son absence avaient déséquilibré Marilyn autant que sa présence excessive depuis deux ans l'avait désarmée. Transport, ravissement, exil, transfert, voyage, ces mots lui redisaient qu'aimant Greenson comme une folle, elle devenait une personne déplacée, comme la femme du tableau dans le salon de l'hacienda de Santa Monica. Comme la petite fille que Grace MacKee conduisit un jour à travers la ville dans son American Bantam noire de 1940, modèle Hollywood. Pendant tout le trajet, elle n'avait pas dit où elle l'emmenait. Soudain, sur El Centro Boulevard, elle eut sous les yeux un bâtiment de trois étages. Sur la façade en briques rouges, elle lut LOS ANGELES ORPHANS HOME.

« Etre jeté », dit la langue ordinaire pour parler des ruptures. Etre jeté hors de l'amour, c'est être jeté comme une chose, un déchet dont on a fini de se servir. Tomber hors de l'amour, c'est tomber hors de soi, hors du langage. Comme dans le vertige de l'amour quelque chose de très bas attire vers l'autre, un autre vertige aspire l'abandonné hors du temps : l'enfance de soi, l'enfant en soi. Marilyn retrouvait l'enfant seule, l'enfant qui veut mourir.

Los Angeles, Hollywood Sign,
juin 1962

Quand était-ce ? Tard une nuit, Marilyn téléphona à André de Dienes, son amant d'autrefois, son ami de toujours pour lui dire qu'elle n'arrivait pas à dormir. Elle lui proposa d'aller faire des photos quelque part dans une ruelle mal éclairée de Beverly Hills. Elle voulait poser triste et esseulée. Il sauta hors de son lit, rassembla son équipement et ils partirent prendre des photos toute la nuit. Le photographe avait oublié son flash, mais il l'éclaira avec ses phares de voiture. Les images qui en résultèrent étaient très mélodramatiques. Jouait-elle la comédie ? Etait-elle consciente que quelque chose n'allait pas dans sa vie ou sentait-elle que la tragédie l'attendait au tournant ? Elle n'y pouvait rien. Elle prenait la vie à pleines mains, à bras-le-corps, à corps les corps, mais d'une manière si malade et déréglée que c'était la mort qu'elle prenait en elle. La passion est un amour à mort. Greenson et Marilyn étaient attachés par l'amour et la mort, mais ils n'avaient pas fait l'amour.

Il leur restait à faire la mort. Ensemble ou chacun pour soi.

Le lendemain soir, tandis que la brume rose commençait à foncer et à prendre des contours pourpres, Marilyn téléphona à Joan.

— Hello, Joannie. J'ai envie de faire une balade, tu m'accompagnes ?

Joan accepta et fit monter dans sa décapotable l'actrice vêtue d'un col roulé marron et d'un pantalon de toile beige. Joan conduisait et Marilyn les cheveux au vent donnait les directions. Un chauffeur de camion se porta à leur flanc et lui proposa un rendez-vous. Comme elle ne répondait pas, il lui lança :

— Mais pour qui tu te prends, bon Dieu, pour Marilyn Monroe !

Après Santa Monica Boulevard, elles prirent vers le nord par La Brea Avenue. Au-dessus de la ville gigantesque, les avions descendaient vers LAX Airport, leurs feux d'atterrissage allumés, oiseaux trop lourds, fatigués et insignifiants. Le souffle rauque des réacteurs à l'approche se mêlait au grondement continu de la circulation du soir. Elles franchirent Sunset Boulevard à un bloc du Chinese Theater, puis remontèrent par Cahuenga, longeant le barrage du Hollywood Reservoir, le lac artificiel situé dans une cuvette en bordure des Hollywood Hills. Lorsqu'elles débouchèrent du lacis de petites rues sinueuses s'enfonçant vers Griffith Park, Joan comprit que Marilyn voulait s'approcher du Hollywood Sign.

À quelques centaines de mètres, comme un sous-titre géant plaqué sur l'image du versant abrupt et boisé, s'élevait le nom. HOLLYWOOD. Neuf lettres de quinze mètres de haut et dix de large. Dans leur dos, dressé contre les hautes collines de Mount Lee, le Sign se découpait en bleu mat sur la nuit, et à leurs pieds, jusqu'à la mer, des millions de lumières vacillaient comme dans un ciel inversé.

— C'est comme dans les films, dit Marilyn regardant la ville en bas. Ça bat dans la nuit. Des âmes en peine errant dans la cité des anges, entre Enfer et Purgatoire.

Devant elles s'ouvrait un ravin de plusieurs dizaines de mètres de profondeur. Des panneaux avertissaient du danger et de temps à autre une voiture passait en manœuvrant avec précaution sur la route de sable rouge et sec. Joan se sentait en danger.

— Ne t'en fais pas, il y a ici des types bizarres et même des coyotes; mais je viens souvent et il ne m'est jamais rien arrivé, sinon l'idée de me jeter dans un de ces creux d'ombre. Romantique, non ? MARILYN MONROE RETROUVÉE LE CRÂNE FRACASSÉ AU PIED DES LETTRES DU NOM. Les journaux préciseraient : *Le Hollywood Sign est une réclame construite à la va-vite cinquante ans auparavant par l'agence immobilière Hollywoodland. Depuis la chute des quatre dernières lettres,* land, *le Nom dans les collines est devenu une icône pour l'industrie du cinéma et pour les trois millions d'habitants de Los Angeles.* Mais tu vois, on ne peut s'en approcher. C'était un lieu de prédilection des suicidaires, mais maintenant, il faudrait escalader une haute grille avant de se jeter dans le vide du haut du Nom.

Los Angeles, Pinyon Canyon,
automne 1970

En 1950, Joseph Mankiewicz avait donné à Marilyn l'un de ses premiers vrais rôles dans *All About Eve*. Il était considéré à Hollywood comme le cinéaste des psychanalystes et le psychanalyste des cinéastes. Comme Greenson, c'était un homme de l'Est, fils d'émigrants européens, russes pour le premier et allemands pour le second. Elevés dans la même culture lettrée de New York, tous deux d'origine juive, ils se sentaient plus ou moins en exil en Californie, un « désert culturel », disait le cinéaste, et fréquentaient essentiellement les artistes et intellectuels juifs allemands qui avaient fui le nazisme et s'étaient établis à Los Angeles. Mais Hollywood était resté aux yeux du cinéaste une ville d'ivoire et de richesse, de sable et de bêtise. Il ne s'était jamais habitué à la nuit qui tombe d'un coup sur le jour, à l'absence de transition lente, de soir, de crépuscule, au montage *cut* du temps, où les actes et les choses prenaient la place des pensées et des fantasmes. Ce qui les rapprochait plus étroitement était Freud. Dans presque tous les vingt films que dirigea Mankiewicz, on trouve un portrait ou une statue qui se tient dans l'ombre et dont le reproche muet mine le destin et les réalisations du héros. Dans sa vie et son œuvre, ce témoin du défaut irréparable, c'était le portrait de Freud. Jeune étudiant, c'est après avoir abandonné ses études de psychiatrie qu'il était devenu scénariste, puis metteur en scène.

Il concevait le cinéma comme un art de mots, plus que d'images. *Pictures will talk* (Les films sont faits de paroles), telle était sa devise. Il n'aimait pas les extérieurs, ni les films d'acteurs, ni les metteurs en scène qui donnent aux comédiens la place essentielle. Il distinguait deux sortes de cinéastes : les montreurs d'images et les montreurs de sens, et se rangeait dans les seconds, qui utilisent l'image, mais pensent d'abord leurs films en termes de dialogues, de recherche de la vérité dans les mots et non sous la peau des acteurs. De film en film, il chercha la parole dans son commerce intime avec l'image. Il n'aimait pas le spectacle. Dans un film comme dans un être, il n'y a rien à voir, se disait-il.

Sa technique de direction s'inspirait directement des leçons de la psychanalyse. Pour préparer ses acteurs, il les incitait à se confier à lui pendant des mois avant le tournage, à raconter leur enfance et revivre leurs souvenirs, afin de rompre leurs inhibitions. Au même moment, juste après la guerre, il avait eu le même analyste que Ralph Greenson, Otto Fenichel, un freudien de la première heure **mort** prématurément à quarante-huit ans en 1946.

Des années après l'été 1962, Mankiewicz demanda à revoir Greenson. Ils s'étaient croisés deux ou trois fois dans des soirées, mais n'étaient pas proches et ne l'étaient pas devenus ensuite. Au téléphone, le cinéaste dit qu'après la mort de celle qu'il appelait « la blonde triste », il avait eu besoin de rencontrer celui qui l'avait soignée, de savoir « tout sur Marilyn ». Il n'avait pas osé appeler, mais maintenant qu'un peu de temps s'était écoulé, il aimerait parler avec son psychanalyste. Ils se rencontrèrent dans un *diner* anonyme sur Sunset Boulevard.

— C'est simple, cette Eve Harrington était presque devenue une Margot Channing, commença Greenson, faisant allusion aux femmes d'*All about Eve*.

— Vous vous trompez, répondit le cinéaste. Elle n'était pas l'ambitieuse qui dévore tout pour arriver, ni la star égocentrique qui ne lâche pas la rampe. Elle était restée Miss Caswell, la débutante naïve qui comprend les règles du jeu mais ne cherche pas à vaincre en mettant l'autre mat. Lorsque j'ai engagé Marilyn pour jouer le rôle de la starlette, elle était la personne la plus seule que j'aie jamais rencontrée. Nous tournions en extérieurs à San Francisco et pendant deux ou trois semaines, nous l'apercevions dînant seule, ou buvant seule dans un restaurant ou un autre. Nous lui proposions toujours de se joindre à nous, ce qu'elle faisait avec plaisir, mais elle n'accepta jamais – ou ne comprit pas – que nous la considérions comme étant des nôtres. Ce n'était pas une solitaire. Elle était juste absolument seule.

— Les acteurs sont toujours seuls. Je les connais bien, j'en ai eu des tas en analyse. Ils ont en eux des rôles, des figures, des fantômes, mais ils sont seuls. Ils ont besoin de scénarios, de mises en scène, pour donner un sens et une forme à leur monde intérieur désaccordé.

— Oui, mais pour ça, Monroe était très différente des autres acteurs qui veulent penser leurs répliques, s'y exprimer, alors qu'ils doivent seulement faire entendre les mots que nous avons mis dans leur bouche. Je n'ai jamais compris l'étrange mécanisme par lequel un corps et une voix s'imaginent soudain être un esprit! Il serait temps que les pianos comprennent qu'ils n'ont pas écrit le concerto. Pourquoi une actrice décide-t-elle que ce sont ses mots qu'elle est en train de dire, ses pensées qu'elle exprime? Mais pas Monroe. Elle savait ça d'instinct et toutes ses années de conversion religieuse à « la Méthode » Strasberg n'ont pas réussi à la gâcher.

Le ton de Mankiewicz devint plus amer, presque méchant. En fait, c'était lui qui avait besoin de parler de la morte, pas Greenson qui se taisait, distrait, presque ennuyé.

— Je vais vous dire, reprit le cinéaste : son image quand elle l'exposait, c'était pour s'y perdre, pour se perdre avec elle, se taire en elle, comme on abandonne un vêtement au poursuivant qui vous agrippe dans les mauvais films noirs quand je débutais au cinéma. Toute sa vie, elle s'est exposée : au public, à vous, à moi. Elle a exposé sa personne et pas seulement son corps, elle s'est exposée dans un jeu terriblement mortel. Ce qui me frappe toujours quand je vois son image sur l'écran, c'est qu'elle est non seulement exposée mais *surexposée*, comme on dit de la photo, comme si trop de lumière émanait de son visage et empêchait d'en voir les traits. Nous n'avons pas compris que la face de Méduse qu'elle nous laissait voir était un écran sur lequel nos désirs se projetaient, mais qu'ils ne traversaient pas.

— Vous savez, les derniers temps, elle n'était plus seulement l'icône sexuelle qui l'avait faite star. Grâce à moi, je peux le dire, elle était devenue *parlante* si l'on peut dire.

— Et il vous a fallu je ne sais combien de séances pour découvrir cette Marilyn-là ? Je vais vous raconter. Lorsque nous tournions *All about Eve*, je tombai un jour sur elle à la librairie Pickwick dans Beverly Hills. Elle y allait souvent, feuilletait les livres, en achetait peu et n'en lisait aucun en entier. (Elle lisait avec l'avidité désordonnée de ceux qui ont grandi dans des maisons sans livres, avec aussi de la honte devant l'immensité de ce qu'ils ne sauront jamais.) Le lendemain, sur le plateau, je vis qu'elle lisait Rilke. Je lui dis que c'était un bon choix, mais que je ne comprenais pas le rapport avec elle. « Le terrible », me répondit-elle. « Rilke dit que la beauté n'est que le commencement du terrible. Je ne suis pas sûre de bien comprendre, mais j'aime cette idée. » Quelques jours après, elle me donna un livre de Rilke. (Elle adorait faire des cadeaux, comme tous ceux qui n'en ont pas reçu beaucoup.) Depuis, je repense à son éclat étrange et glacé, comme un reflet qui interdit le désir. Un reflet du terrible.

Greenson pensait : quel bavard, et ces parenthèses ! C'est comme dans ses films, des parenthèses à l'intérieur d'autres parenthèses.

— Je ne suis pas venu pour parler de Marilyn, vous vous en doutez, reprit le cinéaste. Ce qui m'intéresse dans votre histoire, c'est le pouvoir, l'argent, la reconnaissance sociale. Que sont les rapports humains, sinon des rapports de manipulation ? Nous manipulons les autres, puis nous-mêmes, en fin de compte. C'est comme le joueur invétéré qui joue pour perdre : ce qu'il veut, c'est la destruction. C'est ce qui me fascine chez les femmes, et je regrette qu'on écrive si peu de scénarios pour les actrices. Vous êtes un joueur de femmes, docteur Greenson, comme il y a des joueurs de backgammon ou de poker, mais vous vous prenez pour un joueur d'échecs.

Le psychanalyste ne répondit rien.

Mankiewicz quitta le *diner* de façon abrupte, comme on brise avec quelqu'un qui décidément ne comprend rien. Il décida de marcher un peu avant de rentrer chez lui. Jamais comme ce soir-là il n'avait vu Los Angeles comme ce qu'elle est : un décor de cinéma. Pas une ville. Une suite de constructions : fermes mexicaines, huttes polynésiennes, villas Côte d'Azur, temples égyptiens ou japonais, chalets suisses, chaumières élisabéthaines, et toutes les combinaisons possibles de ces différents styles, tout ce bric-à-brac architectural bordait les pentes de ce qu'on ne peut appeler rue ou avenue. N'importe quoi ou presque rien, il y a de tout dans ce magasin d'accessoires, des signes de ville, des semblants de rues, des maquettes de maisons comme celles qu'on sort en pleine lumière du fond d'un empilement de praticables dans un studio, tandis que la voix lasse d'un régisseur lance : *Action*. Les gens que l'on rencontre dans les lieux publics ne sont que des figurants attendant la prochaine prise. Ce n'était même pas faux, cela ne cherchait pas la semblance du vrai, c'était juste un fond plausible pour un plan d'un film qui se situerait à Hollywood. *Scene of crime*. Clignotements de phares de voitures siglées LAPD (Los Angeles Police Department). Zoom sur un bâtiment bas à mi-flanc des collines. Il manque une lettre à MOTEL écrit en néon écarlate sur la nuit bleue.

Mankiewicz repensait à une phrase de son dialogue de *Soudain l'été dernier* : « Le moment où la mort s'empare du film. » En août 1962, il avait vu ça : *la mort s'emparer du film que jouait Marilyn*. Quand il commença à gravir la pente de Pinyon Canyon, au bout de Vine Street, les palmiers faisaient des découpes sombres dans la pâle lumière, et leurs branches rares et hautes passaient graduellement du mauve au noir. Le même liseré ourlait les collines basses d'une beauté presque vulgaire. Même la nature imitait les filaments des tubes phosphorescents délimitant les façades criardes des *diners*. Cette ville n'est que le masque du désert, pensa Mankiewicz. Je n'aime pas les extérieurs. Je ne ferai plus de films.

Bel Air,
derniers jours de juin 1962

Alors qu'il travaillait pour *Vogue*, Bert Stern fut appelé au Bel Air Hotel par Marilyn qui souhaitait une série de prises. Le photographe pénétra dans le bungalow rose un peu à l'écart, le n° 96. Le sol était jonché de bouteilles et de cartons vides. Des chaussures éparpillées. Une femme nue sur le lit, secouée par des éclairages stroboscopiques et en fond sonore les Everly Brothers. Il était minuit passé. Marilyn posa pendant des heures, dans son lit, abreuvée de Dom Pérignon puis de vodka très forte. Découvrant ses seins, elle demande à Stern : « C'est comment, pour trente-six ans ? »

Il la prend ainsi, penchée du lit à la recherche du champagne posé sur le sol. Ce n'était pas réel, c'était un rêve devenu réalité, comme ce qu'on pense à treize ans quand on entend ce mot : « femme ». Marilyn semblait être la femme. Quand elle s'immobilise à nouveau sous le drap, il la découvre, étrangement passive et vulnérable. Il se penche sur le lit en désordre. Marilyn garde les yeux clos. Le son de sa respiration le rassure : elle est encore vivante. Il baise sa bouche et perçoit un vague « Non ! » venu des profondeurs, d'une sorte de transe immobile. Glissant la main sous le drap, il touche son corps. Elle ne résiste pas, se rapproche même de lui. Il pense qu'elle veut faire l'amour, qu'elle est prête. Mais à la dernière minute, il retire la main et décide de ne pas aller plus loin. Ses yeux s'ouvrent faiblement : « Où étais-tu parti si longtemps ? » demande-t-elle comme dans un rêve avant de retomber endormie. Stern a la certitude qu'elle ne s'adresse pas à lui.

L'ensemble des photos de Bert Stern a été publié avec pour titre *La Dernière Séance*. Le photographe avait préparé nombre d'accessoires : rubans, colliers, voiles, écharpes, flûtes à champagne, des choses choisies pour leurs possibilités d'éclats ou de reflets, pas pour leurs couleurs. Marilyn fut bien plus active qu'il n'espérait, une partenaire plus qu'un objet à photographier. Les deux premières heures, il avait encore une idée de ce qu'il cherchait. Il avait toute une imagerie en tête et la lui soumettait. Elle choisissait et jouait les scènes sans un mot. On ne se parlait pas. On prenait ensemble des vues d'elle. Stern avait photographié des tas de femmes. Elle fut exceptionnelle. La meilleure. Elle entrait dans l'idée, il n'avait plus qu'à l'enfermer dans la boîte.

Durant plusieurs jours, il fit deux mille cinq cent soixante et onze photos. Des nus pour la plupart. Certaines, les plus belles, en noir et blanc. Toutes gardent un secret, quelque chose de masqué, qu'on ne connaîtra pas. La vérité n'est jamais nue. Elle ne sort pas du puits. On voit Marilyn drapée dans des écharpes de couleurs vives parfois tenues entre les dents, voilée de tricots noirs, avec des colliers de pacotille, en robe du soir les cheveux en chignon relevé, masquée par une fourrure de chinchilla, presque méconnaissable en perruque noire, bras ballants comme un enfant désarmé qui attend, et toujours un regard oblique, retenu, qui semble venir d'en bas, ou de loin. Je suis là, c'est moi, enfin. Allez-vous le supporter ? La plus émouvante la montre serrant contre son sein gauche une serviette de toilette qu'elle frotte sur sa joue inclinée comme un enfant sa chiffouille. Le ventre dénudé laisse voir une large cicatrice horizontale un peu au-dessus de la hanche. Elle est en noir et blanc. Elle semble repasser dans sa tête la chanson de *Bus Stop* : *That old black Magic of love.*

Sur un carnet, elle avait recopié une phrase de Freud tirée de *Malaise dans la civilisation* : « Jamais nous ne sommes davantage privés de protection contre la souffrance que lorsque nous aimons, jamais nous ne sommes davantage dans le malheur que lorsque nous avons perdu l'objet aimé ou son amour. » Elle avait ajouté en marge : « Aimer, c'est donner à quelqu'un le pouvoir de vous tuer. »

« Parfois, confiera Stern bien des années après, quand quelque chose est parfait dans tous les détails, ce n'est plus beau. C'est écrasant, cela fait peur. Et pour surmonter cette peur, on se dit que personne ne pourra posséder une telle perfection, mais Marilyn donnait envie de la posséder par ses imperfections, ses fragilités, les changements brusques de son corps et de son visage selon les moments et les éclairages. Ses lèvres ne sont pas parfaites ? C'est ça qui donne envie de les baiser. »

Santa Monica Beach,
29 juin-1ᵉʳ juillet 1962

Les photographies prises par Barris pour *Cosmopolitan* ne montrent pas de bleus sur sa peau, pas plus que celles prises une semaine plus tôt par Bert Stern pour *Vogue*. À Barris, elle avait confié : « Je me fous de l'âge, j'aime la vue qu'on a d'ici. Je vois le futur s'ouvrir et il m'appartient comme à n'importe quelle femme. Mais lorsque, attendant devant le Schwab's Drugstore assise dans la Thunderbird rouge de Stern, elle découvre les photos prises au Bel Air Hotel, elle sort de son sac à main une épingle à cheveux et transperce un à un les négatifs de celles qui lui semblent « trop Marilyn ». « J'étais saoule et nue, dit-elle ensuite à Greenson. Ce n'est pas ça qui me gêne. C'est la musique sirupeuse que j'entends encore quand je les vois. »

Il reste à Marilyn un mois à vivre. Greenson continue de confier sa perplexité à Anna Freud. Elle répond le 2 juillet.

« Cher collègue et ami, j'ai vu que votre patiente s'est mal conduite, avec ses retards et les jours d'absence au tournage.

Je m'étonne de ce qui lui arrive et de ce qui vous arrive avec elle. Il doit y avoir quelque chose de très bien en elle, d'après ce que j'ai compris de Marianne Kris. Et pourtant, elle est évidemment loin d'être une patiente analytiquement idéale. »

Dans les jours qui suivirent, au téléphone avec Joan, Marilyn semblait avoir l'esprit ailleurs. Joan avait vingt et un ans, mais Marilyn lui parlait toujours comme à une petite sœur. Elle ne voulait pas qu'elle voie des photos d'elle déshabillée, et ne parlait jamais des hommes avec qui elle couchait. « Elle se présentait toujours à moi comme une créature virginale. » Ensemble, si elles parlaient souvent d'amour, la plupart du temps, c'était de la vie amoureuse de Joannie. Mais depuis le début de 1962, Marilyn lui paraissait très excitée et parlait d'un nouvel homme dans sa vie. Elle préférait ne pas dire son nom, et l'appelait « le général ». Cela les faisait beaucoup rire. Joannie supposa que derrière ce nom se cachait John Kennedy. Mais lorsque le magazine *Life* publia un reportage sur l'Attorney General Robert Kennedy, que ses collaborateurs au ministère de la Justice avaient coutume d'appeler « le général », elle comprit.

Le soir du 19 juillet, Marilyn invita chez elle Daniel et Joan pour fêter l'anniversaire de celle-ci et les remercier d'avoir été à ses côtés durant l'absence de leur père. Très gaie, elle entreprit Joannie : « Tu sais, ma vie, je pourrais l'écrire rien qu'avec les titres des chansons de mes films. *Every baby needs a da da daddy*

(Tous les bébés ont besoin d'un papa) ; *Kiss* (Baiser) ; *When love goes wrong* (Quand l'amour tourne mal) ; *Diamonds are a girl's best friends* (Les diamants sont les meilleurs amis d'une fille) ; *Bye bye, baby* (Au revoir, chéri) ; *After you get what you want, you don't want it* (Après l'avoir obtenu, tu n'en veux plus) ; *Heat wave* (Vague de chaleur) ; *Lazy* (Paresseuse) ; *River of no return* (La rivière sans retour) ; *I'm gonna to file my claim* (Je vais porter plainte) ; *One silver dollar* (Un dollar en argent) ; *That old black magic of Love* (Cette vieille magie noire de l'amour) ; *I'm through with love* (L'amour, c'est fini) ; *I wanna be loved by you* (Je veux que tu m'aimes) ; *Running wild* (Déchaînée) ; *My heart belongs to daddy* (Mon cœur appartient à papa) ; *Incurably romantic* (Définitivement romantique)... J'arrête ! Mais maintenant, je ne chante plus. Ni dans mes films ni dans ma vie. Pourquoi ? » Joan pensa qu'elle aurait pu ajouter à son catalogue *Happy Birthday to you, Marilyn*, mais ne dit rien.

Le lendemain, Marilyn entra au Cedars of Lebanon Hospital pour y subir une intervention gynécologique. Certains parlèrent d'un avortement, d'autres d'une fausse couche. Elle se déclara à l'admission sous le nom de Zelda Zonk.

Santa Monica, Franklin Street,
25 juillet 1962

Le jour où Darryl Zanuck devint président de la
Fox, Greenson eut deux séances avec Marilyn, l'une à
son cabinet, l'autre chez elle. Engelberg lui avait fait
une injection de sédatifs. En plus, Greenson prescri-
vit du Nembutal. Depuis son retour d'Europe, le psychanalyste avait reçu Marilyn tous les jours. Elle lui
téléphonait sans arrêt, parfois à deux, trois ou quatre
heures du matin. Elle appelait aussi Bobby Kennedy,
qu'elle avait retrouvé un mois plus tôt à une soirée
chez les Lawford.
Depuis la reprise de sa cure, Greenson avait
l'impression que Marilyn allait mieux, même si elle
parlait sans cesse de séparation, d'absence et de solitude. Peut-être était-ce l'effet de sa culpabilité, car il
pensait être responsable de son renvoi par la Fox
pendant son absence. Peut-être aussi cherchait-il à se
rassurer en se disant que cela aurait un terme, qu'elle
guérirait, qu'elle le libérerait, qu'il ne serait plus à sa
merci sept jours sur sept, vingt-quatre heures sur

vingt-quatre, prisonnier sur parole, comme il disait, indéfiniment prisonnier de la méthode de traitement qu'il avait crue nécessaire pour elle et qui s'avérait peu à peu impossible pour lui. Il se rendait compte que cette détresse, cette attente essentielle de l'autre, cette attente démesurée, n'était pas l'attente de quelqu'un de réel, lui, Ralph. Elle n'était même pas l'attente d'un autre, innommé, inconnu. Elle attendait que personne ne réponde à son attente.

Peut-être, devinant son désir qu'elle s'améliore, faisait-elle semblant d'aller mieux. Après tout c'était une actrice : elle savait jouer les filles heureuses même avec son docteur. La chose importante était de ne jamais être perdue. À une séance, elle dit : « Je me fous de mourir, je sais que vous me téléphonerez après. »

Greenson envisageait de repartir le mois suivant à New York. L'avancement de son livre était trop lent depuis que la plupart de son temps et de ses émotions étaient dédiés à Marilyn. La détresse était le seul moyen pour elle de s'assurer de la présence de l'autre et elle était devenue une entité cauchemardesque qui en dépit de tout amour, de toute fragilité ou splendeur, le détruisait inexorablement. Et s'il n'avait pas envie d'être détruit ?

Lac Tahoe Cal-Neva Lodge,
28 et 29 juillet 1962

Au cours de ses trente-cinq derniers jours, Marilyn vit vingt-sept fois Greenson et vingt-quatre fois Engelberg. De l'un et l'autre, elle reçut un nombre de piqûres sédatives ou d'« injections de jeunesse » qu'ils ne voulurent pas préciser lors de l'enquête. Le journaliste de *Life* qui l'interrogea pour la dernière fois début juillet la vit interrompre l'entretien pour passer dans la cuisine où Engelberg lui fit une injection qui la tint surexcitée jusque tard dans la nuit.

Elle ne se rendit pas à New York, mais quitta Los Angeles à plusieurs reprises, en particulier deux week-ends au Cal-Neva Lodge, le casino qui appartenait conjointement à Frank Sinatra et Sam Giancana et était géré par Paul « Skinny » D'Amato. La première fois, Sinatra orchestra la fête. Officiellement, il invita Marilyn pour célébrer son nouveau contrat avec la Fox. Elle espérait pouvoir reprendre le tournage de *Quelque chose doit craquer* pendant la dernière semaine d'août. Sinatra lui proposait aussi de discuter d'un prochain film en vedette avec lui. D'après Ralph Roberts, Marilyn n'avait pas très envie d'y aller, mais se décida en apprenant que Dean Martin donnerait un show au Celebrity Room ce week-end-là. Sinatra emmena Marilyn dans son avion privé, le Christina, luxueusement équipé de moquette haute, avec lambris de bois sculpté, salon-bar, piano et salle de bains luxueuse – y compris un siège chauffant pour les toilettes. Elle se vit attribuer le bungalow 52 qui faisait partie d'un ensemble réservé aux invités de marque. Déguisée sous un foulard noir et des lunettes noires, elle demeura dans sa chambre la plupart du temps, dormant le téléphone à l'oreille branché sur le standard.

La deuxième fois qu'elle s'envola pour la frontière entre Californie et Nevada fut le dernier week-end avant sa mort. On la vit déambuler dans une sorte d'état second, comme un fantôme. Elle raconta à D'Amato des choses dont les gens ne devraient pas parler. Ce n'était pas une réunion d'amis venus fêter avec elle sa victoire contre la Fox, mais des gens bizarres qui voulaient qu'elle ne s'occupe plus des frères Kennedy et entendaient s'assurer de son silence. Un soir que le brouillard descendait sur la rive du lac Tahoe, on vit Marilyn, debout au bord de la piscine, pieds nus mais tout habillée, qui se balançait d'avant en arrière, les yeux fixés sur le haut de la colline. Quand ses hôtes la trouvèrent quelques heures plus tard dans un coma causé par un mélange de médicaments et d'alcool, ils la conduisirent hagarde et les bras ballants comme un pantin désarticulé à l'aéroport de Reno où ils l'embarquèrent à bord de l'avion privé. Elle revivait *Les Désaxés*. Elle voulut à tout prix que le bimoteur se posât à Santa Monica, mais l'aéroport était fermé la nuit et ils atterrirent à celui de Los Angeles. Elle hurlait qu'on la ramenât chez elle. Quand elle fut remise entre les mains de ses médecins et de Murray, elle tremblait de peur et commençait à comprendre la raison pour laquelle on l'avait fait venir. « Il s'est passé des choses que personne n'a racontées », dira laconiquement D'Amato.

Quelques jours après, Sinatra aurait remis au photographe Billy Woodfield une pellicule à développer. Dans la chambre noire, il découvrit des photos de Marilyn inconsciente et droguée, violée en présence de Sam Giancana et Frank Sinatra. Seul Dean Martin comprit quel était le problème de Marilyn, au-delà des médicaments, au-delà de l'alcool, au-delà de ce numéro sans fin de petite fille perdue. Il dit bien plus tard à un journaliste qu'en fait elle était incapable d'assumer l'horreur des choses qu'elle avait découvertes sans le vouloir, la forêt obscure de Sam Giancana, Johnny Rosselli et de « ses salopards de Kennedy chéris », ce monde obscur qui s'étendait derrière le pays des songes qu'elle avait partagé avec ceux qui payaient pour la voir sur l'écran. Elle voulait retourner dans ce conte de fées, mais ce n'était pas possible. Elle savait des choses que les gens refuseraient de croire. Dean le voyait bien : elle n'en avait plus pour longtemps dans ce monde. « Si elle ne la bouclait pas, elle n'aurait même pas besoin de médicaments pour la conduire vers sa destination. » Marilyn avait entrevu toutes ces choses à travers son innocence dévoyée, et ces choses l'avaient terrifiée. Dean ne parla pas. Ce qu'il savait, d'autres le savaient également : sur Monroe, sur les Kennedy, sur Sam Giancana, sur ce fil de vérité grise perdue au milieu des mensonges et des fantômes à paillettes de la cité des anges.

Bien plus tard, un soir qu'il était complètement saoul, Dean Martin lâcha : « Marilyn est morte à trente-six ans. Tant mieux, ça lui a évité de finir comme June Allyson, une actrice de notre jeunesse, qui n'est plus aujourd'hui qu'une voix à la radio, qui débite pour Kimberly-Clark des publicités de couches-culottes pour vieux. Elle vit toujours, elle. Si on peut dire. »

Santa Monica, Franklin Street,
fin juillet 1962

Marilyn commença sa séance par ces mots :

— Docteur, il faut que je vous dise. J'ai trouvé chez Joseph Conrad une phrase qui me convient et résume mieux que de longues séances ce que je vois en moi. « Il était écrit que je resterai loyal au cauchemar de mon choix. » C'est triste, mais pas tant que ça. La beauté n'est jamais triste. Mais elle fait mal. La beauté, je ne sais trop pourquoi, je l'associe à la cruauté.

Puis, sans transition, elle parla de ses rapports avec les femmes.

— Des rapports sexuels, docteur, j'en ai eu. C'était ça : quelque chose de noir, de cruel. Un froid, une distance.

Elle se tut, préférant regarder ses souvenirs que les dire.

Les femmes avec qui elle s'était liée étaient toutes du même genre que la première, Natasha Lytess, le professeur d'art dramatique qui contrôlait sa carrière en 1950. Intelligentes, cultivées, manipulatrices. Elle leur demandait ce qu'elle devait faire, ce qu'elle devait être. Elles ne répondaient pas, elles agissaient comme la main invisible dans la marionnette. Une scène lui revint. C'était à la fin de 1950 chez André de Dienes, dans sa maison des collines. Il lui faisait écouter *La Bohème*, renversée sur le tapis de haute laine, et versait sur ses pieds une bouteille de vin français en léchant ses orteils à n'en plus finir. Le téléphone sonna. « Une voix de femme furieuse demande à te parler », lui dit André. « Natasha, je crois. J'ai répondu que j'ignorais où tu te trouvais. Elle m'a traité de menteur, hurlant qu'elle savait que tu étais chez moi. » Elle n'oublia jamais cette scène. André et elle allongés côte à côte sur le tapis du salon, tous les deux transfigurés, envoûtés par la belle voix chantant *Mi chiamano Mimi*. Emue par la musique, elle était en larmes quand la sonnerie du téléphone et la voix hargneuse de Natasha les avaient interrompus. Quand André eut raccroché, il lui cria qu'elle avait été stupide de dire à cette femme qu'elle passerait l'après-midi chez lui. Elle se rhabilla précipitamment et partit pleine d'angoisse.

— Elle vous rappelle qui, cette Natasha ? demanda Greenson.

— Je ne sais pas. Si, je sais : vous. Ne criez pas ! Vous, parce qu'elle est d'origine russe, comme vous. Juive, comme vous. Intellectuelle, comme vous. À peu près quinze ans de plus que moi, comme vous. Et actrice manquée comme vous... Quand je l'ai rencontrée, elle venait d'être virée par Columbia où elle était sous contrat. C'est drôle, elle m'apprenait un métier où elle avait échoué. Un peu comme vous, psychanalystes, vous cherchez à soignez chez les autres un mal dont vous êtes atteints.

— Avec quelles autres femmes avez-vous dormi ?

— Couché, docteur, couché. Dormi aussi, souvent, sans rien faire. Tenez, même à vingt ans, pendant quelques semaines, chez ma tante Ana, quand j'ai accueilli ma mère qui venait de quitter son asile de San Francisco, on a dormi dans le même lit, elle et moi. Mais avec Natasha, couché, oui. Avec Natasha, c'était ça : quelque chose de coupant dans nos caresses, je sentais en elle plus de haine que de désir. Chez moi aussi, quand j'y repense. On a dit que j'étais lesbienne. Les gens adorent les étiquettes. Ça me fait rire. Aucune forme de sexualité n'est coupable s'il y a en elle de l'amour. Mais trop souvent les gens croient que c'est une gymnastique, un boulot mécanique. Si c'était le cas, on pourrait mettre des machines dans les drugstores et se passer des êtres humains pour faire l'amour. Parfois, je pense qu'on essaie de faire de moi une machine à sexe.

— Les autres femmes ? Des actrices ? Et Joan Crawford ?

— Ah oui, Crawford ! Une fois. Une seule. C'était à un cocktail chez elle, nous nous sentions bien. Dans sa chambre nous nous sommes jetées l'une sur l'autre. Crawford a eu un orgasme incroyable. Elle a crié comme une folle. La fois suivante, quand nous nous sommes rencontrées, elle a voulu jouer le match retour. Je lui ai dit que je n'avais pas trop aimé ça. Le faire avec une femme. Après cela, se sentant repoussée, elle m'en a voulu à mort. Un an après, j'ai été choisie pour remettre un Oscar lors de la cérémonie des Academy Awards. Je tremblais de trébucher et tomber ou de disparaître quand j'aurais à dire mes deux phrases. Je m'en tirai sans dégâts, mais le lendemain matin, les journaux ont rapporté une saloperie dite par Crawford : « La performance vulgaire de Marilyn Monroe était une honte pour tout Hollywood. Sa robe était trop moulante et elle remuait outrageusement les hanches pour aller prendre en mains l'Oscar. » Garce de gouine ! Mon cul, il était pas vulgaire, dans ton lit !

— Revenons à Natasha. Vous m'avez dit un jour qu'elle était tombée amoureuse de vous dès le début. Puisque vous nous associez l'une à l'autre, croyez-vous que moi aussi je sois tombé amoureux de ma patiente comme elle de son élève ?

— Vous savez ce qu'elle m'a dit, peu après notre rencontre : «Je veux t'aimer. » Je lui ai répondu : « Tu n'as pas besoin de m'aimer, Natasha. Contente-toi de me faire travailler. » Elle m'a tannée, avec sa passion sans espoir, un rôle à la Tchekhov, souffrance muette, larmes contenues. L'amour n'est pas un dû, n'est-ce pas, docteur ?

— Dans quelles circonstances vous vous êtes attachées l'une à l'autre ?

— J'avais besoin d'un modèle, pas d'une amante. Et elle a essayé de m'imposer son amour quand ma tante Ana est morte, peu après que nous avions commencé à travailler ensemble. Mais il y a toujours quelque chose à tirer de l'attachement qu'on a pour vous, surtout quand on ne le partage pas. On vivait ensemble au Sherry Netherlands Hotel. Dans la chaleur de l'été 1949, Natasha m'a fait connaître Proust, Wolfe, Dostoïevski... Et Freud, *L'Interprétation des rêves*. Enfin, pas tout, des extraits. Après, ce que j'appelle le filon Tchekhov-Freud a été assuré par Michael Tchekhov, justement. Le professeur à qui je dois tout. Il se disait le neveu de l'écrivain russe. Tout le monde à Hollywood se souvenait qu'il avait joué pour Hitchcock le rôle du vieux psychanalyste, celui qui guide Ingrid Bergman dans la cure de Cary Grant... Quand j'ai commencé mes cours avec lui, à l'automne de 1951, je crois, il m'a dit une phrase que je n'oublierai jamais : « Tu dois essayer de considérer ton corps comme un instrument de musique qui exprime tes idées et tes sentiments ; tu dois tendre à un plein accord entre ton corps et ton psychisme. » Qu'en pensez-vous, Romi ? Est-ce que ce n'est pas ce que nous essayons de faire vous et moi aujourd'hui ? Il a ensuite écrit un livre. *Aux acteurs : technique et jeu de l'acteur*. Ma bible depuis lors. Avec Freud. Vous, vous devriez écrire un livre : *Aux psychanalystes, technique de la cure*.

— Revenons aux rapports avec des femmes. Pourquoi toujours des brunes ?

— Sais pas ! Parce qu'avec elles, je regarde celle que je ne suis pas, celle que j'ai été ou que j'aurais pu être. Vous savez, si je me décolore les cheveux et le reste tous les deux jours, c'est pour être comme mes blondes de l'écran, mais c'est aussi pour ne pas être une femme aux cheveux brun-roux.

— Je crois qu'en vérité, vous avez une peur terrible de l'homosexualité et qu'en même temps, vous vous mettez dans des situations où elle est présente.

— Sais pas ! Quand j'ai commencé à lire des livres sur la psychanalyse et la sexualité, je suis tombée sur des mots comme *frigide, rejetée, lesbienne,* et j'ai tout de suite pensé que j'étais les trois. Il y a des jours où je ne me sens personne, d'autres où je voudrais être morte. Il y a aussi cette chose sinistre : une femme bien faite.

Natasha Lytess mourut peu de temps après Marilyn. Juste avant sa mort, elle dit : « Marilyn n'était pas une enfant. Vraiment tout sauf une enfant. Les enfants sont ouverts, naïfs, confiants. Marilyn était tordue. J'aimerais avoir le dixième de son intelligence et de son habileté en affaires. Quant à la dépendance, ma vie et mes sentiments étaient entre ses mains. J'étais la plus âgée, le professeur, mais elle savait la profondeur de mon attachement, et elle l'a exploité comme seule peut le faire une jeune et belle personne. Elle a dit que c'était elle qui avait le plus besoin de l'autre. C'était l'inverse en réalité. »

Santa Monica, Franklin Street,
premiers jours d'août 1962

Un soir vers huit heures, alors que Greenson quittait sa blonde sans identité après leur séance quotidienne, elle lui tendit une grande enveloppe en disant : « C'est pour vous, vous me direz ce que vous en pensez. » Elle les posa sur la table près du divan, avec un geste de grâce légère, comme on dépose le dernier vêtement avant de confier son corps nu aux draps. L'enveloppe contenait deux bandes magnétiques dictées chez elle. En les lui donnant, elle précisa : « En votre présence, cher docteur, je ne peux pas me laisser aller. J'ai besoin d'un espace plus secret pour vous parler. Entre moi et moi. Mais c'est à vous que je m'adresse, même si vous n'êtes pas là. Surtout si vous n'êtes pas là. Ce sont les plus privées, les plus secrètes pensées de Marilyn Monroe. » On n'en connaît que la transcription que John Miner dira en avoir faite une semaine plus tard et qu'il fera publier par le *Los Angeles Times* en août 2005.

REWIND. Ralph Greenson repasse l'enregistrement que lui a laissé Marilyn à sa dernière séance. « J'ai mis en vous mon âme. Ça vous fait peur ? dit la voix susurrante. Qu'est-ce que je peux vous donner ? Pas de l'argent, je sais que ça ne signifie pas grand-chose pour vous. Pas mon corps, votre éthique professionnelle et votre fidélité à votre merveilleuse femme rendent ça impossible. Vous savez ce qu'a dit Nunnally Johnson ? Il a dit : " Pour Marilyn, le coït est le moyen le plus simple pour dire merci. " Comment je peux vous dire merci, puisque ma monnaie n'a pas cours avec vous ? Vous m'avez tout donné. Grâce à vous, je suis autre, avec moi-même et avec les autres. Je ressens ce que je n'ai jamais connu. Une femme et une vraie (blague incluse, comme dans Shakespeare). Maintenant, j'ai le contrôle de moi-même, le contrôle de ma vie. Ce que je peux vous donner ? Une idée à moi, qui va révolutionner la psychanalyse. Ecoutez ! Marilyn Monroe fait des associations. Moi ? Complètement dissociée... Vous, mon docteur, par la compréhension et l'interprétation de ce qui se passe dans ma tête, vous accédez à mon inconscient et vous pouvez traiter mes névroses. Et moi, peut-être, je pourrais les dépasser. Mais quand vous me dites de me détendre et de vous dire ce que je suis en train de penser, j'ai un blanc. Je n'ai rien à dire. C'est ce que vous et le Dr Freud vous appelez résistance. Alors, on parle d'autre chose et je réponds à vos questions du mieux que je peux. Vous êtes la seule personne au monde à qui je n'ai jamais dit de mensonges et n'en dirai jamais. Ah, oui, les rêves. Je sais qu'ils sont importants. Mais lorsque vous voulez que j'associe librement autour de mes rêves, j'ai le même blanc. Plus de résistance encore que vous et le Dr Freud ne pouvez espérer.

« Ses *Leçons d'introduction*. Quel génie ! Il rend tout facilement accessible. Et il a tellement raison. Il dit lui-même que Shakespeare ou Dostoïevski comprenaient mieux la psychologie que tous les savants mis ensemble. Bien sûr. C'est ainsi. Wilder, Billy Wilder. Il m'a fait dire une réplique dans *Certains l'aiment chaud* : "Je ne suis pas le professeur Freud !" Vous vous souvenez, la scène où Tony Curtis faisait semblant d'être asexué ou impuissant, de ne rien ressentir quand je l'embrassais. Il disait : "J'ai tout essayé. J'ai passé six mois à Vienne avec le professeur Freud dans le dos. Rien à faire." Je l'embrassais, une fois, deux fois. La troisième en lui disant : "Je ne suis pas le professeur Freud, mais je vais essayer encore un coup." La psychanalyse, c'est bien beau ; mais l'amour, le vrai, celui qu'on fait avec nos bouches, nos mains, nos sexes, c'est pas mal non plus pour sortir du gel, de la mort. Il avait compris ça, Billy.

« Vous m'avez dit de lire le monologue mental de Molly Bloom. Tandis que je le lisais, quelque chose m'ennuyait. Joyce écrit ce qu'une femme pense d'elle-même. Le pouvait-il ? Pouvait-il vraiment connaître ses pensées les plus intérieures. Mais après que j'ai lu le livre en entier, j'ai pu mieux comprendre. Joyce était un artiste qui pouvait pénétrer les âmes des gens, hommes ou femmes. Cela n'importe absolument pas que Joyce ait eu ou non des seins ou autres attributs féminins ou qu'il ait subi des douleurs menstruelles. Attendez! Comme vous devez avoir deviné, je suis en train d'associer librement. Vous êtes en train d'entendre un tas de mots grossiers. A cause de mon respect pour vous, je ne serai jamais capable de dire les mots que je pense réellement lorsque je suis dans une séance. Mais maintenant que vous êtes à distance, je vais dire tout ce que je pense. Peu importe avec quels mots. Je peux faire cela, et si vous êtes patient je vous dirai tout! C'est drôle, je vous demande d'être patient mais c'est moi qui suis votre patiente. Etre patient ou être *un patient*, encore un jeu avec les mots, n'est-ce pas?

« Revenons à Joyce. Léopold Bloom était juif irlandais. Comment reconnaître physiquement les juifs? Je n'aurais pas pu dire si vous étiez juif en vous regardant. Eh bien voyez-vous, cher docteur, c'est la même chose pour les femmes, on ne sait pas les reconnaître de l'extérieur. Et même, à l'intérieur d'un corps de femme, y a-t-il une femme?

« D'accord pour ma grande idée? Il y a un médecin et son patient. Je n'aime pas le mot *analysant*. Il semble évoquer qu'un esprit malade est différent d'un corps malade. Mais vous et le Dr Freud vous dites que l'esprit est une partie du corps... L'analyse ne me convient plus trop. Vous vous trouvez dans son bureau et le docteur vous dit : " Dites ce que vous pensez, dites ce qui vous vient. " Et vous ne pouvez arriver à dire une seule chose. Combien de fois après une séance, je suis rentrée chez moi et j'ai pleuré en pensant : c'est ma faute.

« Alors, en lisant Molly l'idée m'est venue. Prends un magnétophone, mets une bande. Fais-la tourner et dis tout ce que tu penses comme je suis en train de faire. C'est vraiment facile. Je suis couchée sur mon lit, portant juste un soutien-gorge. Et si je veux, je peux aller au réfrigérateur ou dans la salle de bains. J'enfonce le bouton STOP et je recommence quand je reviens. Là, je fais simplement des associations libres. Pas de problème. Votre patiente ne peut pas faire ça dans le bureau du médecin. Chez elle, elle s'enregistre. Puis elle lui envoie la bande. Le médecin l'écoute. Quand la patiente vient pour sa séance, il lui pose des questions, interprète ses réponses. Parfois, je me dis que l'analyste soigne sa patiente non avec ce qu'il sait, ni avec ce qu'il a pu résoudre de sa propre maladie, mais avec ses blessures mal guéries. On peut aussi mettre les rêves sur la bande. Juste après, en se réveillant. Vous savez que j'oublie mes rêves, j'oublie même que j'ai rêvé. Le Dr Freud dit que les rêves sont la voie royale de l'inconscient. Il n'interdit pas de les enregistrer et de les écouter en différé. Je vais désormais vous dire mes rêves sur une bande. D'accord? docteur Greenson, vous êtes le plus grand psychiatre au monde. Dites-moi si Marilyn Monroe a inventé un nouveau et important moyen de faire avancer la psychanalyse. Après que vous aurez entendu les bandes que vous aurez utilisées pour me soigner, vous pourriez publier un article dans un journal scientifique sur cette méthode. Est-ce que ça ne serait pas sensationnel? Je ne veux pas que vous me remerciiez. Je ne veux pas être identifiée dans l'article. C'est un cadeau que je vous fais. Je n'en parlerai jamais à personne et vous serez le premier à dépasser les résistances. Vous pourriez tirer profit de cette idée et demander à Mickey Rudin de vous expliquer comment la breveter...

« Allons-y. Tout ce je vais vous dire est vrai. Depuis que je suis votre patiente, je n'ai jamais eu un orgasme. Je me souviens que vous avez dit un jour qu'un orgasme arrive dans l'esprit et pas dans le sexe. Je préfère dire ce mot *sexe* plutôt qu'*appareil génital*. Le problème n'est pas dans les mots mais dans la manière dont les gens s'en servent.

« Ça ne fait rien, mais vous le savez, ces foutues associations libres peuvent rendre fou. Oh! oh! Quand je dis fou, cela me fait penser à ma mère et je ne vais pas faire des associations libres sur ma mère maintenant. Laissez-moi terminer à propos de l'orgasme. Vous avez dit aussi qu'une personne dans le coma ou un paraplégique ne pouvait avoir un orgasme car la stimulation génitale n'atteignait pas le cerveau et qu'à l'inverse, un orgasme pouvait se produire dans le cerveau sans aucune stimulation de l'appareil génital. Vous disiez aussi qu'il y avait un obstacle dans l'esprit qui m'empêchait d'avoir des orgasmes, que c'était quelque chose qui était apparu très tôt dans ma vie parce que je me sentais tellement coupable que je ne méritais pas d'avoir du plaisir là. Cela avait à voir avec quelque chose de sexuel qui s'était mal passé autrefois. Quelque chose qui a recouvert le plaisir par la faute. Un tort, vous disiez. *Une atteinte.* Mais vous m'avez dit aussi que si je faisais comme vous me disiez de faire, j'aurais des orgasmes, seule puis avec des amants. Quelle différence, les mots. Vous n'avez pas dit que je pourrais avoir des orgasmes, mais que j'en aurais. Soyez béni, docteur, vous parlez d'or. Tant d'années perdues. Entre parenthèses, si les hommes n'étaient pas si idiots, et s'il y avait un Oscar de la meilleure simulatrice, je l'aurais raflé chaque année !

« Mais peut-être pourrais-je vous décrire, à vous, un homme, ce qu'une femme éprouve dans un orgasme. Je vais essayer. Pensez à une lampe avec un contrôle d'intensité. Tandis que vous montez doucement le variateur, l'ampoule commence à briller, à briller encore et finalement dans un éclair aveuglant, s'illumine tout entière. Puis lorsque vous tournez dans l'autre sens, la lumière diminue et enfin disparaît.

« À propos. Rien à voir, mais j'ai encore besoin de vous pour faire tenir les morceaux pendant au moins un an. Je vous paierai pour être votre seule patiente. Et puis, je vous ai fait un autre cadeau aujourd'hui : j'ai vidé dans la cuvette des toilettes mon dernier flacon de Nembutal. Toutes mes pilules. Bonne nuit, docteur. »

Cinq ans après, Greenson publie *Technique et pratique de la psychanalyse*. Au chapitre intitulé « Ce que la psychanalyse exige du psychanalyste » on peut lire : « Il est souvent nécessaire d'explorer avec le patient les détails intimes de sa vie sexuelle ou de ses habitudes d'hygiène, et pour beaucoup de patients cela est embarrassant. Alors, je mentionne explicitement les sentiments sexuels ou hostiles du patient envers moi ; s'il paraît anormalement troublé par mon intervention, j'essaie d'indiquer par le ton de ma voix – ou plus tard de mettre en mots – que je suis conscient de son épreuve et compatis avec lui. Je ne materne pas le patient, mais j'essaie de mesurer la somme de douleur qu'il peut tolérer tout en continuant à travailler de manière productive. »

Hollywood, Sunset Boulevard,
3 août 1962

Le styliste Billy Travilla avait souvent habillé Marilyn et elle lui devait les costumes de ses plus beaux rôles. Ils avaient eu une liaison brève, et il possédait un calendrier de photos nues qu'elle lui avait dédicacé : « Cher Billy, je t'en prie, habille-moi pour toujours. Je t'aime, Marilyn. » Ce soir-là, il fut surpris de la voir, au restaurant La Scala sur Sunset Boulevard, assise à la table d'à côté en compagnie de Pat Newcomb, Peter Lawford et Robert Kennedy. Il la salua mais elle se détourna sans répondre. Elle était ivre et ses yeux vagues retombèrent dans le vide. Il insista :
— Hé ! Marilyn, ça va ?
— Qui êtes-vous ? répondit-elle.
Blessé, il s'éloigna en songeant que ce n'était pas qu'elle était gênée d'être croisée en telle compagnie, mais qu'en réalité, c'était à elle-même qu'elle avait adressé sa question d'une voix pâteuse tandis que ses cheveux dansaient devant ses yeux. Il décida de lui

écrire un mot. Ce ne fut pas la peine. Elle mourut la nuit du lendemain.

En ce début août, la dernière partie de Marilyn se jouait avec son psychanalyste. Les autres joueurs avaient fait défection et tous ses sauveurs avaient abdiqué : Strasberg était fatigué de ses demandes, Miller s'était remarié et allait être père, DiMaggio était mangé par sa jalousie et voulait se remarier avec elle à tout prix. Ne restait que son Greenson que maintenant elle appelait parfois Romi. Le matin, elle était allée s'allonger chez lui pour une séance d'une heure et demie. Elle était troublée par les coïncidences de dates et pleurait doucement. Elle se souvenait qu'exactement cinq ans avant au Doctor's Hospital sur East End Avenue à New York, elle avait perdu un enfant dans un avortement tardif après une grossesse extra-utérine. Elle repensait sans cesse à New York. La chaleur humide de ce vendredi torride l'enveloppait d'angoisse. Elle voulait déchirer quelque chose. Un voile, une peau, une histoire qui la séparait d'elle-même.

Depuis quelque temps, elle disait à Whitey Snyder ou à W. Weatherby qu'elle avait envie de quitter Romi. Il fallait. Sinon, elle ne se trouverait jamais elle-même, elle resterait sans homme, sans amis, dans la dépendance d'un homme qu'elle ne pouvait plus regarder comme son sauveur. L'après-midi, elle se fit faire une injection par Engelberg ainsi qu'une prescription de Nembutal. Cette ordonnance doublait celle faite par Lee Seigel le même jour. Elle envoya

Murray au drugstore de San Vicente Boulevard tout proche pour acheter les médicaments. Elle s'approvisionnait dans plusieurs pharmacies, comme elle se faisait prescrire ses drogues par plusieurs médecins, à l'insu les uns des autres. Le soir, malgré une deuxième séance avec Greenson chez elle et une deuxième injection qu'il lui fit juste avant de partir, l'angoisse se creusait d'heure en heure. Marilyn téléphona à son vieil ami Norman Rosten. Ils restèrent une demi-heure à se parler à travers la distance et le temps, comme si elle voulait mettre en elle les voix du passé, apaiser le vide ou au moins le masquer. Dès qu'il entendit sa voix, à l'évidence durcie et tendue par l'effet des drogues, il repensa à ce qu'elle lui avait dit, un soir de réception chez elle, dans le petit appartement de Manhattan. Sa robe semblait collée contre elle, comme plus tard le soir de l'anniversaire de Kennedy. On aurait dit un vêtement liquide. La luisance d'une peau après l'amour. Rosten ce soir-là l'avait observée : assise sur le rebord de la fenêtre, elle buvait son verre par petites gorgées, et regardait d'un air morose la rue en bas. Souvent elle prenait ce regard. Ou plutôt, il la prenait, s'emparait d'elle. Elle était perdue dans son rêve, hors d'atteinte, sous l'emprise de pensées dures et noires. Rosten se leva et alla vers elle.

— Hé ! Reviens avec nous !

Elle se retourna.

— Je vais encore avoir du mal à dormir ce soir. Cela m'arrive de temps à autre.

C'était la première fois qu'elle en parlait avec lui.

— Tu penses que ce serait une façon rapide d'en finir en te jetant d'ici ?

— Qui le remarquerait, si je disparaissais ?

Rosten, sans savoir pourquoi, se souvint d'un vers de Rilke : « Qui, si je criais, qui donc m'entendrait parmi les hiérarchies des Anges ? » Après un silence, il répondit :

— Moi, et tous les gens dans cette pièce. Ils entendraient quand tu t'écraserais en bas.

Elle rit.

C'est à ce moment-là qu'ils avaient fait leur pacte. À ce moment-là, et à cet endroit-là, comme des enfants rieurs. Si l'un d'eux allait faire le grand saut, ou ouvrir le gaz, ou se pendre, ou avaler des somnifères, il – ou elle – appellerait l'autre pour le persuader d'abandonner cette idée. Ils plaisantèrent comme on le fait seulement des choses auxquelles on croit. Rosten pressentait qu'un jour il aurait cet appel. Elle dirait : « C'est moi, je suis sur le rebord de la fenêtre. »

Santa Monica, Franklin Street,
3 août 1962

Le soir, après avoir laissé Marilyn se rendre à la Scala, Ralph Greenson écouta la deuxième bande. Il s'enferma sans dîner et remit en mouvement le magnétophone bloqué sur PAUSE.

« Il faut tout de même que je reparle de Grace, murmurait sous le souffle de la bande la voix de Marilyn. Grace McKee, comme elle s'appelait à l'époque où ma mère et elle se sont rencontrées. Ça devait être deux ou trois ans avant ma naissance. Elles travaillaient dans un studio de cinéma et partageaient dans West Hollywood un petit deux pièces sur Hyperion Avenue, dans le quartier pauvre qui est aujourd'hui le Silver Lake District, à peu de distance des Studios. Grace avait forcé ma mère – c'est terrible cette gorge serrée qui ne veut pas laisser passer le mot *mère* – ma mère, donc, à teindre en rouge ses cheveux noirs. Elle était archiviste et ma mère monteuse sur négatifs. Elles étaient ce qu'on a appelé dans l'entre-deux-guerres des *good time girls*. Sortir et boire étaient les deux choses qui comptaient le plus pour elles. Elles ne vivaient plus ensemble depuis quelque temps quand je suis née, mais draguaient ensemble. Peut-être couchaient-elles ensemble, je n'en sais rien. Je n'étais pas chez ma mère, qui m'avait placée très tôt chez les Bollender. Je vous ai déjà raconté toute l'histoire : la pauvre orpheline regardant par la fenêtre l'enseigne lumineuse des Studios RKO où elle imagine sa mère s'abîmant les yeux à regarder les visages des stars... Le dimanche, se tenant par la main comme des gamines, elles m'emmenaient faire le tour des Palaces d'Hollywood. Je veux dire, les palais de l'image : l'immense et somptueux Pantages Theatre, au coin de Vine Street et d'Hollywood Boulevard, le Grauman's Egyptian Theater, sur Holly-wood Boulevard, lui aussi. C'est là qu'a eu lieu la première d'*Asphalt Jungle*, mon premier vrai film. Je n'ai pas pu y assister. Trop mal ! Trop ! Un peu plus à l'ouest, le Chinese Theater. La semaine, ne sachant que faire de moi, elles m'envoyaient, avec juste de quoi payer le ticket, regarder dans ces salles obscures les mêmes visages de lumière qu'elles manipulaient toute la journée sur leurs tables de montage. J'ado-rais être la petite fille du premier rang, toute seule face au grand écran.

« Quand j'ai eu neuf ans – ma mère m'avait repris avec elle depuis un an environ – elles se sont dispu-tées, battues. Ma mère a attaqué Grace avec un cou-teau. On a appelé la police et Grace a obtenu que ma mère soit placée en institution psychiatrique. Grace devint ma tutrice légale. Elle ne m'a pas prise chez elle tout de suite, j'ai encore connu deux foyers d'accueil. Mais elle venait me sortir et m'emmenait aux studios et dans les cinémas. Elle répétait que quand je serais grande je serais une star. »

« Un jour, elle m'a conduite à l'orphelinat. J'allais sur mes dix ans. Elle s'était mariée et ne pouvait me prendre chez elle, à Van Nuys. Elle payait ma pension, et le samedi, elle m'emmenait déjeuner et voir un film. De temps en temps, elle jouait à la poupée avec moi et m'emmenait dans un *beauty parlour* sur Odessa Avenue. J'ai une grande science en matière de cosmétiques. Pour Grace, le modèle de la star était Jean Harlow. Elle voulait me persuader que c'était par admiration pour elle qu'on m'avait donné mon deuxième prénom. Moi, je savais que mon nom était Jeane, pas Jean. Harlow était tout de même mon idole. Grace m'habillait comme elle, tout en blanc, me maquillait, me poudrait en blanc, me passait les lèvres au rouge. Pour les cheveux, j'ai échappé de peu au peroxyde blond platine. Je n'avais que dix ans, ça aurait fait bizarre, une femme fatale encore enfant. J'ai attendu d'avoir vingt ans pour changer ma couleur et mon nom. Une semaine après mes onze ans, Grace m'a retirée de l'orphelinat. Mais quelques mois plus tard, quand elle comprit que son mari – pardonnez-moi, mais on le surnommait " Doc " – m'avait abusée sexuellement, elle me plaça chez une autre " mère ", Ana Lower. Celle-là, elle était cardiaque et me délaissait pas mal, mais je l'aimais bien. Pendant cinq ans, j'allais de l'une à l'autre, confuse et hésitant toujours avant de répondre à l'école quand on me demandait qui était ma mère et où j'habitais. À Noël – je crois que j'avais treize ans – Grace m'a offert mon premier gramophone portable Victrola. Le ressort du mécanisme à main était si poussif que la fin des 78 tours sombrait dans un pleurage infâme, mais j'aimais écouter dans le noir mes voix préférées.

« Un jour, Grace et son mari quittèrent la Californie et elle me maria au fils des voisins, James Dougherty. J'avais seize ans et je ne voulais plus retourner à l'orphelinat. Vous m'avez demandé il y a longtemps déjà ce que le mariage représentait pour moi. Voilà ce que je pourrais vous répondre : " Une sorte d'amitié douloureuse et folle, avec des privilèges sexuels. " Voilà, je vous ai raconté ma vie. Enfin, si on peut appeler ça comme ça. Ce sera tout pour aujourd'hui, comme le disait le Dr Greenson dans les débuts. Bonne nuit, Doc ! »

Greenson enclencha la touche PAUSE. Il ne saurait jamais comment s'était terminée son histoire avec Grace. Car lorsque après avoir fait quelques brasses dans sa piscine, il revint écouter la fin de la bande, Marilyn était passée à autre chose. « Je vous ai parlé de ma crise il y a dix ans quand je tournais *Don't bother to knock*. Il y avait quelque chose dans le scénario que je n'arrivais pas à jouer. Je n'ai compris qu'avec vous ce qui se passait à ce moment-là. Je ne sais pas s'ils l'avaient fait exprès, Baker ou son scénariste, mais quand Nell disait : " Au lycée je n'ai jamais porté de jolies robes à moi ", quand elle disait qu'elle avait été internée dans un asile de l'Oregon, ça me replongeait dans ce qui s'était passé lors de ma dernière visite à ma mère. Faut que je vous raconte, même si ça fait mal. Si vous étiez là vous diriez comme d'habitude : " Surtout si ça fait mal. Ce qui ne coûte pas à dire ne vaut pas d'être dit. "

« Elle vivait à Portland, Oregon, justement, dans un hôtel miteux dans la ville basse. Je voudrais oublier cette scène. Je n'avais pas vu ma mère depuis six ans. Elle était sortie depuis quelques mois de l'asile de San Francisco. Elle ne mangeait rien. Ne regardait personne. C'était en janvier. Cet après-midi-là, il pleuvait. J'étais venue la voir, accompagnée d'André de Dienes, je vous ai déjà parlé de lui, mon premier amant, la passion de mes vingt ans. Il avait une Buick Roadmaster aménagée avec à l'arrière une sorte de cage. Il avait remplacé la banquette par un matelas en mousse recouvert de couvertures et d'oreillers pour que je puisse dormir pendant les longues heures de route. J'étais sa prisonnière. J'étais heureuse. J'avais de quoi manger, de quoi boire.

« Ma mère était assise dans le noir, dans une petite chambre au dernier étage, mal éclairée et triste. Je lui avais apporté des cadeaux, du parfum, une écharpe, des bonbons et des photos de moi qu'André avait prises. Elle est restée impassible dans son fauteuil en osier. Ni merci ni plaisir. Sur sa bouche, rien, aucun sourire. Rien que du rouge débordant les lèvres. Elle ne m'a pas touchée. À un moment, elle s'est penchée en avant et a enfoui son visage entre ses mains. Je me suis jetée à ses pieds. » Sur la bande, on entendait

413

comme un pleur nerveux, ou un rire. Puis la voix de Marilyn reprenait, plus grave.

« Je me rappelle une autre visite, avant, à San Francisco. Grace m'avait emmenée la voir. Je devais avoir treize ans, comme ça. Elle n'a pas bougé. Juste à la fin, elle a dit : " Je me souviens. Tu avais de si jolis petits pieds. "

« Si vous étiez là, vous me demanderiez sûrement pourquoi je me suis tue un instant. Parce qu'il y a quelque chose que je n'ai pas pu dire, tout de suite. Quand ma mère a relevé la tête – j'aurais tant voulu oublier ses mots – elle a dit une phrase, une seule : " J'aimerais venir vivre avec toi, Norma Jeane. " Quelque chose s'est déchiré en moi. Je me suis levée d'un bond, et je lui ai dit : " Maman, nous devons partir, je te verrai bientôt. " J'ai laissé mon adresse et mon téléphone sur la table avec les cadeaux non ouverts et nous sommes repartis vers le Sud. Je n'ai jamais pu la revoir.

« Plus tard, le soir venant, nous avons quitté Portland », reprenait la voix après un nouveau et long silence où Greenson ne percevait que le souffle de la bande, comme si Marilyn avait éloigné d'elle la machine. « Nous sommes repartis vers le Timberline Lodge Hotel, au pied de Mount Hood. C'était complet. Nous avons atterri par une route étroite et sinueuse dans un autre hôtel. Government Lodge, c'était son nom. Il y avait plein de machines à sous, partout, jusque dans les toilettes crasseuses. C'était comme dans ces cauchemars où l'on n'arrive jamais. La pluie se transformait en neige. Le soir, j'ai été très provocante avec André. Je veux dire, sexuellement. Lui était triste, incroyablement triste. Il m'a dit simplement : "Pas une seconde je n'ai envisagé de prendre des photos de toi et ta mère. Je n'ai jamais raconté ça à personne, mais tu sais, j'avais onze ans quand ma mère est morte. Elle s'est jetée dans un puits. Mais c'est loin tout ça, je ne sais même pas à quel pays appartient aujourd'hui la Transylvanie. "

« Cette nuit-là, dans les montagnes de l'Oregon, la neige n'a pas cessé. Il neigea le jour d'après et encore toute la nuit. On ne sortait pas de la chambre. Tandis que je me faisais les ongles des mains et des pieds, je tendis les paumes vers André en lui faisant remarquer que mes lignes de la main comportaient un grand *M*. Comme deux enfants, nous avons comparé les lignes de nos mains. Il m'a raconté que, quand il était enfant en Transylvanie, un vieux sonneur de cloches lui avait prédit que les deux lettres *MM* revêtiraient une grande importance plus tard dans sa vie. "Tu sais, Norma Jeane, au moment des faits, je lisais un étrange vieux livre et le vieillard s'était inquiété de ce que l'une des pages commençait par *memento mori* (prière pour les morts). " Toute cette histoire m'a fascinée et nous avons discuté longuement de ces deux *M* dans nos paumes respectives. André m'a dit en riant qu'ils n'avaient aucun rapport avec la mort. "Au contraire, ils signifiaient *Marry Me!* (Épouse-moi!) André m'a raconté aussi ses marches en forêt quand il était enfant et m'a dit qu'il gravait souvent le double *M* sur l'écorce des arbres. Etrange, docteur, non? Ce n'est que quelques mois après que mes initiales sont devenues *MM...* Nous avons pressé nos paumes l'une contre l'autre. André a pris une photo d'une des miennes.

« Cette nuit-là, André m'a fait l'amour. Avec désespoir, il explorait mon corps, cherchant quelque chose qu'il ne trouverait jamais. J'étais en larmes. Il m'a demandé pourquoi je le serrais contre moi si fort, comme s'il était mon enfant. Je n'ai rien su répondre. Nous étions partis en voyage de photos depuis quinze jours, mais c'était la première fois que nous faisions l'amour. Le sexe, ça sert à être aimée. À croire qu'on l'est, en tout cas. À croire qu'on est, tout court. À se perdre sans appartenir. À disparaître sans être tuée. Maintenant, je me dis souvent que je fais l'amour avec la caméra. Ça fait moins de bien qu'avec un homme, sans doute ; mais ça fait moins mal aussi. On se dit : ce n'est que le corps, et ce n'est qu'un regard qui vous prend en passant. »

Brentwood, Fifth Helena Drive,
4 août 1962

Lorsque Arthur Miller ouvrit l'exemplaire de *Life* qu'il venait d'acheter à son kiosque de la 57ᵉ Rue et découvrit les photos nues de Marilyn sortant de la piscine, il ne put s'empêcher de penser que son regard de défi et de liberté était forcé, et qu'il masquait une blessure, une indignité. Il la revoyait, trois ans avant, dans leur chambre de Brooklyn, sans le moindre vêtement, étourdie, ne sachant où elle était, comme un oiseau entré par erreur par une fenêtre ouverte, voletant, démuni et apeuré. Elle rejette ses cheveux en arrière et va s'asseoir sur la cuvette, les yeux fermés, tête baissée, jambes écartées. Par l'embrasure de la porte ouverte il la voit, revenant à elle, à lui. Elle sourit tendrement. Elle ne devrait pas avoir besoin de faire ça, pensa-t-il. Il y a d'autres moyens de communiquer avec les autres.

L'interview que Marilyn avait donnée après son renvoi de *Quelque chose doit craquer* parut dans *Life* la veille de sa mort. Elle s'y montre heureuse, calme, confiante. « Petite, j'allais souvent regarder l'endroit où les grandes vedettes consacrées viennent imprimer leurs pieds nus dans le ciment frais. Je plaçais mon pied dans les empreintes et je me disais : " Oh ! oh ! C'est trop grand. Pauvre fille, jamais ton tour ne viendra. " Ça m'a fait une drôle d'impression le jour où je l'ai mis pour de bon. C'est ce jour-là que j'ai compris que rien n'était impossible. »

Sur le Hollywood Walk of Fame on marche dans le ciel du cinéma. La terre et le temps sont inversés. L'étoile portant le nom de Marilyn et la caméra gravés sur le bronze scellé dans le béton brun-rouge se trouvent juste devant le McDonald's, 6774 Hollywood Boulevard, non loin du Grauman's Chinese Theater où elle allait des après-midi entiers, seule ou avec Grace McKee, se perdre et se chercher parmi les étoiles de la salle obscure.

Juste en face, au numéro 7000, le Hollywood Roosevelt Hotel, ouvert en 1927, a accueilli deux ans plus tard le premier banquet des Academy Awards. Marilyn y posa déshabillée devant la piscine quand elle avait vingt-cinq ans, puis au milieu des années cinquante, elle y occupa souvent la suite 1200. À l'époque, elle s'étonnait encore de la méprise de sa célébrité : « Les gens ont l'habitude de me regarder comme si j'étais une sorte de miroir, et non une personne. Ils ne me voient pas. Ils voient leur propre obscénité en moi. Ensuite ils mettent leur masque et me traitent de femme obscène. »

En décembre 1985, après la rénovation qui mit l'hôtel années trente au mauvais goût du jour, une employée du Hollywood Roosevelt nommée Susan Leonard nettoyait un miroir dans le bureau de la direction. Au fond de la glace, elle vit nettement approcher une femme blonde. Elle se retourna vivement, mais il n'y avait personne derrière elle. Le reflet mit quelque temps à s'effacer. On apprit plus tard que ce miroir avait été autrefois accroché au mur de la suite 1200. Entre autres reliques des années d'or d'Hollywood qu'évoquent les chambres à thème de l'hôtel, vous pouvez demander à voir le « miroir hanté ». Il se trouve maintenant dans le couloir bas des ascenseurs.

Le samedi 4 août 1962, en fin de matinée, Marilyn reçut la visite d'Agnes Flanagan, l'une de ses coiffeuses et amie de longue date. Peu après son arrivée, relate-t-elle, un coursier apporta un paquet. L'emballage était déchiré et recollé. Il semblait avoir voyagé en tous sens. Un timbre postal à demi effacé indiquait une date en italien. Les seules lettres lisibles étaient ROM. ROMA ? ROMI ? crut lire Marilyn. Un signe venu du passé ou annonçant quelque chose. L'amour est un anachronisme. Le signal vous parvient quand il s'est éteint déjà. Le colis était-il un message en lui-même ? Marilyn l'ouvrit, puis alla au bord de la piscine avec son contenu – un petit tigre en peluche. Elle s'assit près de l'eau en le serrant contre elle sans rien dire. Agnes pensa qu'elle devait être terriblement déprimée, bien qu'elle ne lui eût pas expliqué pourquoi. Désemparée, elle se leva et partit. Des photographies prises du jardin de Marilyn le lendemain montrent deux animaux en peluche gisant au bord de la piscine. L'un d'eux pourrait bien ressembler à un tigre.

Elle ne parla pas de l'objet étrange lorsqu'elle passa ensuite presque tout l'après-midi en consultation avec son analyste. Après avoir demandé à Pat Newcomb de partir, Greenson passa deux heures à converser avec sa patiente, puis lui recommanda de faire avec Eunice quelques pas le long de la mer. Elles marchèrent un petit peu, mais Marilyn ne tenait pas debout dans le sable. Elles rentrèrent et l'entretien reprit jusqu'à sept heures du soir. Le téléphone sonnait souvent, mais l'analyste ne laissa pas Marilyn répondre. À Ralph Roberts ébahi, il dit sèchement : « Pas là », puis raccrocha. Le soir, les Greenson avaient un dîner, et il dut rentrer se changer. À peine arrivé chez lui, Marilyn l'appelait sur un ton enjoué pour lui donner de bonnes nouvelles du fils de Joe DiMaggio. Incidemment, elle lui demanda s'il avait pris son flacon de Nembutal. Il répondit par la négative, s'étonnant de sa question, car il pensait qu'elle avait réduit sa consommation de barbituriques ces derniers temps. Mais puisqu'elle n'avait pas de somnifères à sa disposition, il ne vit aucune raison de s'inquiéter. En fait, la veille, Marilyn, en cachette de son analyste, s'en était fait prescrire vingt-cinq capsules par Engelberg. Une dose à se tuer.

Laissée seule, elle se lance dans une série d'appels téléphoniques. À sept heures et demie, Peter Lawford trouve au téléphone une Marilyn cassée. La drogue ou l'alcool ou les deux, pense-t-il, et il cherche à prévenir son analyste en appelant son beau-frère, Rudin. Greenson ne peut être joint. Après cela, les récits diffèrent. Selon une version, l'analyste accompagné de Rudin revient le soir après son dîner, vers minuit, angoissé par l'état où il a laissé sa patiente et nerveux parce qu'il est en train d'arrêter de fumer. Il trouve sa chambre en grand désordre. Sur la table de nuit en bois, un empilement de flacons en plastique – mais aucun qui contient du Nembutal – et le roman que Leo Rosten lui avait consacré, *Captain Newman M.D.* Marilyn lui tient des propos incohérents et il décide de la laisser dormir. Il ne pense pas que la mention du Nembutal dans son dernier appel voulait dire : je me suis procuré de quoi mourir et je pourrais l'utiliser. Rudin dira qu'il avait été appelé par Greenson vers minuit. Le psychanalyste l'accueillit Fifth Helena Drive et lui dit tout de suite que Marilyn était morte. Selon un autre récit, il n'entendit ni ne vit plus Marilyn vivante après son dernier appel téléphonique.

Dans le livre, posé à l'envers pour ne pas perdre la page, on peut lire : « Le psychiatre, plein de compassion, apprit que le jeune homme qu'il avait guéri de son trauma était mort au combat. " Notre boulot, dit le médecin, c'est de les réparer, de les faire aller bien, juste assez bien pour nous quitter et aller à la mort. " »

Sur la table, un début de lettre à DiMaggio : « Cher Joe, si seulement je peux te rendre heureux, j'aurai réussi la chose la plus grande et la plus difficile : *rendre quelqu'un complètement heureux.* Ton bonheur signifie mon bonheur, et... »

La nuit vient sur la côte pacifique. Le Santa Anna, vent chaud et sec, balaie Los Angeles jusqu'à l'océan, portant dans l'air les échos de chansons de Sinatra qu'écoute Marilyn enfermée dans sa maison de Brentwood. *Dancing in the Dark.* Les cloisons sont des blocs de ciment de soixante-dix centimètres d'épaisseur et des grilles en fer forgé ouvragé protègent les fenêtres. Les portes et les portails épais et sculptés à la main donnent une impression de stabilité et de sécurité. À l'extérieur, les hauts murs en stuc garantissent sa solitude et les immenses eucalyptus forment un rideau de protection. Lorsque la star y avait emménagé, elle avait décrit les lieux comme une forteresse où elle pouvait se sentir à l'abri du monde. Ce soir-là, elle les ressent comme une prison. Elle repense à la phrase de Fitzgerald sur Hollywood « Un univers de séparations infimes et de toiles peintes. »
Elle réécoute Sinatra chanter *Dancing in the dark.* Elle revoit une scène, quelques mois plus tôt. Elle avait fait l'amour avec lui comme on fait l'amour pour la dernière fois, désunis, inséparables. Se faisant mal parce que c'est le seul moyen de se toucher encore. Des désespérés se jetant l'un dans l'autre pour mourir, pour ne pas mourir. Jusqu'à la fin de la chanson. Naufragés immobiles se débattant avec la

vague et la mort, ils s'étaient pris dans le noir complet. C'était la première fois qu'ils faisaient ça sans se voir, en tournant l'un autour de l'autre, étonnés d'être là. D'habitude il aimait la voir quand il la prenait et elle aimait qu'il jette sur elle ce regard de faim et de tendresse. Lui ne pouvait jouir que s'il voyait au fond de ses yeux grand ouverts l'ombre du désir et toujours il s'écartait d'elle au dernier moment pour prendre une vue de sa beauté imprenable. Danseurs dans le noir, leur valse triste les séparait et il n'y avait plus que la nuit. *Le temps presse on est là et on s'en va.* Ils n'avaient plus le temps. Il n'y avait plus que le temps, la nuit et la peau. La sueur, la chair sous leurs mains agrippées. Aucune image l'un de l'autre. Pas de mots. La musique des corps.

Elle repensait à Roméo. A ces mots : *Cherchant la lumière d'un autre amour pour éclairer la nuit.* Avec lui aussi, elle avait dansé dans le noir, les deux corps à une infinie distance, mais chacun entrant dans le cœur de l'autre comme on rentre chez soi. *Et on peut regarder la musique tous les deux, en dansant dans le noir.*

À l'autre bout de l'Amérique, Norman Rosten bondit lorsque, dans son appartement de New York éclairé par le petit matin, la sonnerie du téléphone troua son sommeil. Il avait oublié le rebord froid du balcon de pierre de la 57e Rue. Mais quand retentit le signal, il sut que c'était l'appel auquel il était prêt. Au premier abord, une conversation joyeuse et agitée.

— As-tu vu ma nouvelle interview dans *Life*?

— Bien sûr. Très bien. Très libre. Tu parles comme les gens qui n'ont rien à perdre.

— On a toujours quelque chose à perdre. Mais il faut bien que nous commencions à vivre, non ?

Elle parla de sa maison, presque achevée. Le carrelage était terminé ; les meubles allaient enfin arriver. Elle pouffa :

— Mexicains bien sûr. Faux, bien sûr. Et tu verras mon jardin, comme il va être beau, avec de nouveaux arbustes. (Elle passait d'un sujet à l'autre.) Au fait, le film va peut-être reprendre. D'autre part, j'ai reçu des offres du monde entier. Des offres merveilleuses, mais je n'ai pas eu encore le temps d'y penser.

Elle parlait sans s'arrêter. Il y avait derrière ces phrases un message codé qu'il peinait à déchiffrer.

— Vivons avant de commencer à vieillir, continuat-elle. Comment vas-tu, toi, vraiment ? Et Hedda ? Etes-vous sûrs que tout va bien ? Écoute, je dois raccrocher, j'ai un appel longue distance. Je te rappellerai lundi. Au revoir.

Après coup, il pensa qu'elle l'avait trompé. Elle n'avait pas dit qu'elle s'apprêtait à se tuer, ou bien ne le savait-elle pas encore ? Norman et sa femme furent parmi les trente et une personnes qui assistèrent aux obsèques de Marilyn. L'actrice avait légué 5 000 dollars à leur fille Patricia pour payer ses études. Rosten retrouva ensuite un poème que Marilyn avait écrit pour lui.

> *Ne pleure pas ma poupée*
> *Non, ne pleure pas.*
> *Je te tiens et te berce pour t'endormir*
> *Chut chut maintenant je fais comme si*

Je n'étais pas ta mère morte...
En bas du chemin
Clic clac clic clac
Comme ma poupée dans sa poussette
Passait par-dessus les fissures
Nous partirons très loin.

Brentwood, Fifth Helena Drive,
nuit du 4 au 5 août 1962

Si c'était un film noir, le plan d'ouverture cadrerait le vent. Rien d'autre. Le vent ployant la cime des eucalyptus. Venu du désert Mohave, il a franchi les lacs alcalins desséchés où la foudre a depuis toujours cristallisé le sable en baguettes de verre. Doux et chaud, il souffle depuis Ventura Boulevard. Il a caressé Beverly Hills, Sunset Boulevard, Santa Monica et frôle maintenant Brentwood, avant de se perdre un peu plus loin, vers la mer. La nuit du samedi au dimanche est aussi calme que les autres.

Vers trois heures du matin, Joannie Greenson entend le téléphone sonner dans la chambre de ses parents. Sentant une petite faim, elle va à la cuisine faire une razzia dans le réfrigérateur. « J'ai demandé à maman ce qui se passait, raconte-t-elle. Elle m'a répondu qu'il y avait un problème chez Marilyn. Je me suis contentée de faire : " Oh ! " puis je suis retournée me coucher. »

Peu avant l'aube. Le sergent Jack Clemmons est de faction au poste de police de Purdue Street. Le téléphone sonne. Au bout du fil un homme se présente :

— Dr Hyman Engelberg. Marilyn Monroe est morte. Elle s'est suicidée.

Clemmons croit à une plaisanterie et demande :

— Qui avez-vous dit que vous étiez ?

— Je suis le Dr Hyman Engelberg, le médecin de Marilyn Monroe. Je me trouve chez elle. Elle vient de se suicider.

— J'arrive.

Si c'était un film, une révision de ce scénario aurait finalement centré la scène sur Ralph Greenson.

Sonnerie de téléphone sur un bref plan noir.

— LAPD, commissariat de West Los Angeles, Sergent Clemmons, j'écoute.

— Marilyn Monroe est morte d'une surdose.

— Que dites-vous ?

— Marilyn Monroe est morte. Elle s'est suicidée.

— Qui êtes-vous ?

— Son psychiatre, le Dr Greenson, ce n'est pas une plaisanterie.

En descendant San Vicente Boulevard, Clemmons demande par radio à une voiture de patrouille de le rejoindre au 12305 Fifth Helena Drive. Il parcourt les rues désertes jusqu'à Carmelina Avenue et tourne dans la courte impasse. Le numéro correspond au bout de la rue. Il entre dans la maison, pénètre dans une chambre, voit un corps en travers du lit, un drap rabattu sur la tête, ne laissant visible qu'une mèche de cheveux blond platine. À plat ventre « dans la position du soldat, la tête dans un oreiller, jambes allongées toutes droites », dira Clemmons. Il pense immédiatement qu'on a dû la placer ainsi, le téléphone près de la main, à plat ventre sur le cordon du combiné, en travers du matelas.

Marilyn, quelques semaines plus tôt, à New York, devant un magnétophone. En face d'elle, le journaliste W.J. Weatherby. « Sais-tu de qui j'ai toujours dépendu le plus ? Non pas d'inconnus, ni de mes amis. Mais du téléphone ! C'est lui mon meilleur allié. J'adore appeler mes amis, surtout tard le soir, quand je n'arrive pas à dormir. J'ai souvent rêvé qu'on se donnait rendez-vous ainsi, dans un drugstore, au beau milieu de la nuit. »

Un homme à l'air distingué est assis, abattu, près du lit, tête baissée, menton dans les mains. C'est lui qui a téléphoné, dit-il. Un autre homme, debout près de la table de nuit, se présente comme le Dr Ralph Greenson, le psychiatre de Marilyn Monroe. Il ajoute : « Elle s'est suicidée. » Puis, montrant la table de nuit jonchée de boîtes de comprimés, il désigne un flacon vide de Nembutal et ajoute : « Elle en a pris tout le contenu. Lorsque je suis arrivé, j'ai vu de loin que Marilyn ne vivait plus. Elle gisait là, à plat ventre sur son lit, les épaules découvertes. En m'approchant, j'ai aperçu le téléphone serré dans sa main droite. Je présume qu'elle essayait d'appeler quand la mort l'a terrassée. C'était tout simplement incroyable, si banal. Fini à jamais. »

Le sergent Clemmons trouve curieuse cette hypothèse du Dr Greenson sachant que Mrs Murray était dans la maison. Arrivé plus tard sur les lieux, l'officier de police Robert E. Byron notera dans son rapport que c'est Greenson qui avait retiré de la main de Marilyn le téléphone que la *rigor mortis* avait emprisonné. Observant les deux médecins, le sergent remarque que le Dr Engelberg reste silencieux et que le psychiatre, qui parle pour les deux, se montre étrangement sur la défensive. Il semble le défier de l'accuser de quelque chose. Clemmons se demande ce qui ne va pas chez ce type qui n'a pas l'attitude qu'on attend dans une telle situation. Il voit dans ses yeux quelque chose de mauvais.

— Avez-vous tenté de la ranimer ? demande-t-il.

— Non, il était trop tard. Nous sommes arrivés trop tard, répond Greenson.

— Savez-vous à quelle heure elle a pris les comprimés ?

— Non.

Clemmons interroge ensuite Eunice Murray.

— J'ai frappé, mais Marilyn n'a pas répondu, alors j'ai appelé son psychiatre, le Dr Greenson, qui n'habite pas très loin. Quand il est arrivé, elle ne lui a pas répondu non plus. Alors, il est sorti et il a regardé par la fenêtre de la chambre. Il a dû casser une fenêtre avec un tisonnier pour accéder à la chambre.

Il a vu Marilyn couchée immobile sur le lit, et il lui a trouvé une mine bizarre. Il m'a dit : « Nous l'avons perdue », et puis, il appelé le Dr Engelberg.

En retournant dans la chambre, le sergent Clemmons demande aux médecins pourquoi ils ont attendu près de quatre heures pour appeler la police. Greenson répond :

— Il nous a fallu obtenir l'autorisation du service de presse du studio avant d'appeler quiconque.

— Le service de publicité ?

— Oui, le service de publicité de la 20th Century Fox. Miss Monroe tournait un film.

Clemmons parle à divers journalistes : « C'est le meurtre le plus évident que j'aie jamais vu. »

Si c'était un film, un plan de l'ambulance portant le corps de Marilyn recouvert d'un plastique blanc serait suivi d'un fondu. Un écran noir, sur lequel apparaîtrait en lettres blanches : TROIS MOIS PLUS TÔT. le montage ne serait pas achevé et on verrait à l'écran le clap de l'assistant : QUELQUE CHOSE DOIT CRAQUER, et en sous-titre, MARILYN DERNIÈRE. Le film qui défilerait aurait la présence harassante des images de rêve, chargées d'un trop de réalité. Son éclairage et son grain posséderaient un rayonnement étrange, au-delà de ce que peut rendre une caméra... Avant, Marilyn ressemblait à un funambule ignorant du vide sous ses pieds ; là, elle sait qu'elle peut tomber. Elle apparaît comme un fantôme. Le fantôme de l'héroïne de *Sunset Boulevard,* une Norma Desmond blonde.

Los Angeles, Office of County
Coroner's Mortuary,
5 août 1962

Sur la dernière séance qu'il eut avec Marilyn, Greenson donna plusieurs éclairages. Dans un entretien au téléphone avec le journaliste Billy Woodfield le soir de l'enterrement, il déclara : « Ecoutez, je ne peux m'expliquer sans révéler des choses que je ne veux pas révéler. On ne peut pas tracer une ligne droite et dire : Je vous dirai ça, mais pas ça... Je ne peux en parler, parce que je ne peux vous raconter toute l'histoire... Interrogez donc Bobby Kennedy... » Il insiste sur un point : elle était couchée dans une chambre de l'aile destinée aux amis et non dans la sienne, comme si, chez elle, elle n'était pas chez elle. Mais le psychanalyste s'empresse d'ajouter que cela lui arrivait souvent. Quand Woodfield l'interroge sur les prescriptions répétées d'Hydrate de chloral et les « injections de jouvence », il répond : « Tout le monde commet des erreurs. Moi aussi. »

À Norman Rosten, il déclare : « J'ai reçu un appel de Marilyn vers quatre heures et demie. Elle semblait plutôt déprimée et plutôt droguée. Je me suis rendu chez elle. Elle était en colère contre une amie, qui avait dormi quinze heures cette nuit-là et furieuse parce qu'elle-même avait tellement mal dormi. Après que j'ai passé environ deux heures et demie avec elle, elle semblait calmée. » Millton Rudin se rappelle avoir entendu le psychanalyste s'exclamer le soir de la mort de Marilyn : « Bon Dieu ! Hy lui a fait une prescription sans me tenir au courant ! » Il le décrit épuisé. « Il en avait assez, il avait passé la journée avec elle. Il voulait avoir au moins un samedi soir et une nuit tranquille. » Greenson expliquera aussi à un enquêteur que dans son appel, elle s'était montrée extrêmement contrariée de n'avoir aucun rendez-vous amoureux ce soir-là, elle, la femme la plus belle du monde ! Selon lui, Marilyn était morte en se sentant rejetée par certains de ceux qui avaient été ses proches.

Sur les causes de la mort de sa patiente, on ne sait rien directement de la bouche de Greenson, qui a emporté ce secret dans la tombe. Seuls des propos rapportés dans des lettres aux autres analystes de Marilyn ou des déclarations révélées vingt ou trente ans après décrivent ses réactions. Deux semaines après, dans une lettre à Marianne Kris, il décrit leur séparation : « Le vendredi soir, elle avait dit à son médecin que je lui autorisais la prise de Nembutal, et il l'avait fait sans en référer à moi, négligence que je

crois due au fait qu'Engelberg était en pleine séparation d'avec sa femme. Mais le samedi, au cours de ma
première visite, j'ai observé que ma patiente était
légèrement hébétée et deviné quel médicament elle
avait pris pour être dans cet état. » Il évoque la décision de Marilyn de mettre fin à sa thérapie. « Elle
voulait la remplacer par des enregistrements qu'elle
ferait pour moi. Je me rendais compte que je
commençais à l'agacer. Elle était souvent agacée
quand je n'étais pas absolument et totalement
d'accord avec elle... Elle était en colère contre moi.
Je lui ai dit que nous en reparlerions, qu'il fallait
qu'elle m'appelle le dimanche matin, puis je m'en
allai. Le dimanche en question, elle était morte. »

Le psychanalyste fut entendu longuement par la
police qui le convoqua pour déposition deux jours
plus tard au Hall of Justice, puis par le District Attorney qui avait ordonné une « autopsie psychologique »
et enfin par un collège de douze experts qu'on appelait la *Suicide Investigation Team*. Robert Litman, l'un
des deux psychiatres de cette « équipe des suicides »,
avait été son élève. Interrogeant Greenson, il le
trouva terriblement bouleversé et eut l'impression
d'assumer son rôle de conseiller en situation de
détresse plutôt que celui d'enquêteur.

Selon ce qu'il aurait déclaré à John Miner, avant
de partir, Greenson avait pris des dispositions pour
qu'on administre à sa patiente un lavement sédatif
puisqu'elle présentait une résistance physiologique
aux effets d'une médication par voie orale. L'Hydrate

de chloral lui permettrait de dormir et faute de l'habituelle piqûre d'Engelberg, qu'il tenta vainement de joindre, la méthode la plus efficace lui sembla être un lavement – traitement que Marilyn utilisait souvent à d'autres fins. Greenson connaissait les lavements qu'elle pratiquait depuis des années. Elle lui en avait parlé. Il avait souvent constaté, comme il l'écrira dans son *Traité technique,* que les interventions de l'analyste elles aussi peuvent être vécues comme autant de lavements, comme des pénétrations pénibles ou des attouchements procurant du plaisir.

Qui fit ce lavement? Greenson, habitué à laisser à d'autres le soin d'administrer les médicaments, en a probablement chargé Eunice Murray. Mais il se peut qu'il n'ait jamais réellement quitté Fifth Helena ce soir-là et ait assisté à ces derniers soins. Pendant des années, il dit avoir dîné au restaurant avec des amis, mais il ne les nomma jamais, et aucun ne vint en témoigner. Après la mort du psychanalyste en 1979, sa famille ne fut jamais en mesure de les identifier.

Selon son propre récit, dans les derniers jours et les dernières heures de Marilyn, Greenson s'est comporté plus en médecin qu'en psychanalyste. Il savait mieux que personne qu'on n'écoute pas ceux qu'on touche. Il a donné libre cours à la toute-puissance sur le corps qu'il ne cessera ensuite de combattre, et au fantasme d'une analyse à fond, dans laquelle il pressentait une « analyse à mort ». Quelques mois plus tard, il écrira dans *Technique et pratique de la psychanalyse* :

Qu'est-ce qu'un psychanalyste ? Réponse : Un médecin juif qui ne supporte pas la vue du sang ! Ce mot d'esprit met en lumière plusieurs points d'importance. Freud s'était demandé quelles étaient les motivations de celui qui veut faire profession de psychanalyste, et tout en ne les prenant pas à son compte, faisait dériver l'attitude thérapeutique du sadisme surmonté et du besoin compulsif de sauver leurs malades.

La tendance à pénétrer le corps ou l'esprit de quelqu'un peut découler de la nostalgie d'une symbiose et d'un contact corporel intime, aussi bien que de visées destructrices. Un médecin sera ou le père sadique torturant sexuellement la mère victime (le patient), ou le sauveteur, ou la victime elle-même. Il peut mettre en acte le fantasme de faire à son patient ce qu'il aurait voulu que son père (ou sa mère) lui fasse ; c'est parfois une variante de l'homosexualité et de l'inceste. Soigner le malade peut aussi découler du maternage – la mère soulageant la douleur en donnant le sein. Le psychanalyste se différencie de tous les autres thérapeutes en ceci qu'il n'a pas de contact corporel avec son patient, même s'il a avec lui une grande intimité verbale. En ce sens, il incarne plus la mère de la séparation que la mère de l'intimité.

Dans les années qui suivirent la mort de Marilyn, Ralph Greenson multiplia les entretiens avec des enquêteurs, espérant désarmer les critiques et accusations dont il était l'objet. Dans les récits innombrables de témoins incertains, il fut parfois présenté comme ayant tué Marilyn, soit involontairement par une prescription inappropriée ayant produit une interaction fatale entre deux médicaments, soit volontairement en participant à un complot pour l'éliminer. Psychiatre, juif, de gauche, Greenson se vit accusé d'avoir été un « psychanalyste assassin », un « comploteur sioniste » rançonnant sa patiente, un « agent du Komintern » chargé d'espionner la maîtresse du président des Etats-Unis. Homme de pouvoir et de charme, on verra en lui un médecin vénal travaillant seringue en main pour la mafia ou un amoureux en proie à une jalousie délirante. On psychanalysa le psychanalyste. On crut lui découvrir avec sa jumelle, Juliette, l'artiste aimée, protégée, admirée, applaudie, une relation amoureuse intense doublée d'une haine farouche, le tout reporté sur Marilyn par un contre-transfert massif.

Un témoin assura que Greenson demandait souvent à ses patients de tenir un journal en dehors des séances et qu'il fit disparaître avant l'arrivée de la police le carnet rouge que tenait Marilyn. Norman Jeffries, l'homme chargé par Eunice Murray de menus travaux, déclara qu'il avait vu de ses yeux Greenson tenter de ranimer l'actrice en lui faisant une injection intracardiaque d'adrénaline. Un autre récit mit en scène la mort de Marilyn le cœur percé d'une aiguille de quinze centimètres par un tueur portant des gants en latex aussi fins que ceux d'un chirurgien. L'aiguille se serait brisée sur le sternum. Vingt ans après les faits, un certain James Hall affirma qu'appelé en tant qu'ambulancier, il avait vu Greenson faire une injection de poison dans la poitrine de sa patiente. Selon une autre version, envoyé par Sam Giancana, encarté à la mafia et à la CIA, l'un des assassins qui tuèrent Marilyn pour compromettre Robert Kennedy avait comme surnom *Needle* (aiguille).

Les versions représentant Greenson en psychiatre dément amateur d'injections fatales sont cinématographiquement trop vraies pour être crédibles. Elles répètent de façon frappante des éléments de la mort de Robert Walker rapportés par le *Los Angeles Times* onze ans plus tôt. Sur le bras de l'acteur des coulées de sang résultaient d'une lutte lors de l'injection fatale que lui fit son psychanalyste, et après que les pompiers avaient constaté l'impossibilité de ranimer Walker, on avait vu le Dr Hacker en chemise, errant totalement égaré par les rues de Brentwood sous une pluie torrentielle.

Hollywood, Sunset Boulevard,
Schwab's Drugstore,
5 août 1962

Le dimanche 5 août, Marilyn avait rendez-vous avec Sidney Skolsky, journaliste influent à Hollywood. Il tenait une permanence dans la mezzanine du Schwab's Drugstore. Il l'appelait « Miss Caswell », lui rappelant son premier rôle dans *All about Eve*. Pour le voir, elle se déguisait en femme fatale : perruque noire, longs gants, lèvres carmin. Sachant qu'il avait connu Jean Harlow, elle voulait l'entretenir du projet de jouer son rôle dans un film consacré à celle pour qui fut inventée l'expression « blonde platine ». Marilyn avait acheté les droits de sa biographie dès 1954 et tout récemment ils avaient rendu visite ensemble à la mère de Jean Harlow pour obtenir son accord et la questionner.

Plus que jamais, elle se projetait dans l'actrice morte. Harlow était son miroir, son destin, son amour. Lorsqu'en 1949 elle avait posé nue pour le photographe Tom Kelley, Marilyn savait qu'Harlow avait fait de même vingt ans plus tôt pour une série de photos prises par Edwin Hesser dans Griffith Park. De même, le soir du Madison Square Garden, elle savait qu'en 1937, quelques mois avant sa mort, Harlow avait été invitée par le président Roosevelt à fêter son anniversaire, ce qui lui avait valu une mise au ban d'Hollywood pour avoir interrompu le tournage de son dernier film inachevé, *Propriété personnelle*. Comme son modèle, Marilyn avait commencé sa carrière sous le nom de sa mère, avec qui elle avait eu des relations atroces, puis l'avait changé. Comme elle, ses relations avec les hommes étaient allées de désastre en désastre. De Jean Harlow, Marilyn aimait l'attitude qui lui faisait dire, au sommet de sa gloire, je voudrais *devenir* actrice. Elle avait même copié sa manière de murmurer en toutes circonstances un « Mmmmmmm » qui pouvait tout dire. Dans un film de 1932, *La Femme aux cheveux rouges*, Harlow avait cette réplique célèbre : « Les hommes préfèrent les blondes. » Elle se regardait dans un miroir, puis, plein face, répétait la phrase les yeux dans la caméra. Dans ce même film, elle laissait voir son corps presque nu : « Est-ce qu'on voit à travers ma robe ? » demandait-elle. Une femme répondait : « J'en ai peur, chérie. » Triomphante, Jean la clouait : « Alors, je vais la mettre ! » Quand elle tournait *Les Désaxés* dans les bras de Clark Gable, Marilyn ne pensait qu'une chose : il avait autrefois tourné cinq films avec Harlow. Il lui raconta qu'au cours du dernier, il avait eu l'impression d'embrasser un fantôme. Lorsqu'elle appuya ses mains dans le ciment frais d'Hollywood

Boulevard, le 26 juin 1953, Marilyn Monroe eut l'impression de les enfoncer dans le passé. Les empreintes de Jean Harlow, laissées le 29 septembre 1935, étaient juste à côté des siennes. Marilyn avait neuf ans et sa mère, accompagnée de Grace, lui avait montré l'emplacement, devant le Chinese Theater. Elle disait souvent avec un éclat étrange dans les yeux : « Je sais que je mourrai jeune, comme Jean Harlow. »

Habitué lui-même aux dépressions et adonné aux médicaments – les méchants disaient que c'est pour se servir facilement qu'il passait ses journées au-dessus du drugstore – Skolsky comprit que le rendez-vous et le film n'auraient jamais lieu, lorsque le dimanche matin il apprit avec le monde entier que la star était morte. *The Jean Harlow Story* ne sera jamais tournée. Mais l'histoire de l'actrice avait été récrite par celle qui après avoir rêvé sa vie, avait vécu son rêve.

Paris, Hôtel Lancaster,
5 août 1962

Le 5 août 1962, Billy Wilder était dans l'avion entre
New York et Paris quand éclata la nouvelle de la mort
de Marilyn Monroe. À la descente d'avion des reporters l'encerclèrent.

— Que pensez-vous d'elle ?

— Quelles sont les explications ?

— Vous avez dit qu'elle avait un terrifiant impact
charnel, qu'elle aimait la caméra et qu'elle en avait
peur ?

— Est-ce une bonne actrice ?

— Pensez-vous qu'elle ait craqué parce qu'elle ne
pouvait jouer son rôle dans son nouveau film ?

Le metteur en scène demanda ce qu'elle avait
encore fait.

— Elle n'a rien fait, répondirent-ils, sans lui dire
qu'elle était morte.

Qu'est-ce qu'ils foutent à l'aéroport ? Pourquoi
est-ce si urgent ? se demanda Wilder, qui lâcha des
propos très durs sur Marilyn :

— Il lui arrive d'être la femme la plus méchante d'Hollywood. C'est une femme en plastique, un beau produit Du Pont de Nemours, avec une poitrine en granit et un cerveau en gruyère plein de trous.

Lorsque, arrivant à son hôtel, Wilder vit les journaux du soir : ÉDITION SPÉCIALE! MARILYN MONROE EST MORTE! il pensa : ces salauds n'ont même pas eu le bon goût de me le dire avant que je déballe ce que j'avais sur le cœur et j'ai dit certaines choses que je n'aurais pas dites si j'avais su qu'elle était morte. Marilyn ne méritait pas ça. Il y a dans ce monde des timbrés épatants, comme Monroe. Et puis ils vont s'allonger sur des divans de psychanalystes et ils en ressortent lugubres et coincés. Il valait mieux pour elle rester tordue, ne pas chercher à marcher droit. Elle avait deux pieds gauches, c'était son charme.

Des années plus tard, par un après-midi moite de l'été 1998, El Niño déverse des torrents de pluie sur la Californie. Billy Wilder, âgé de quatre-vingt-onze ans, accorde un entretien dans son austère bureau dissimulé dans une petite rue de Beverly Hills. L'interviewer lui demande ce qu'il avait pensé de cette mort. « C'est bizarre qu'elle soit morte au moment du grand scandale de sa vie. A savoir cette histoire avec Kennedy. Elle couchait avec Kennedy, évidemment : elle couchait avec tout le monde. Et lui aussi. J'ai même longtemps imaginé une scène d'un film avec lui : il descendait à l'hôtel Century City – il y avait une suite – et un hélicoptère d'Air Force One arrivait et se posait sur le toit. Quand les filles voyaient qu'il allait atterrir, tout le monde s'asseyait sur le bidet et faisait couler l'eau. Vous voyez ce que je veux dire : elles se préparaient toutes dans l'espoir d'être choisies. Quelques semaines avant sa mort, Marilyn était allée à New York chanter au Président son interprétation de *Happy Birthday* (version Strasberg, freudienne, si vous voyez), et puis elle s'est tuée. Je l'ai toujours vue incertaine d'elle-même, une sorte d'effroi d'être, jusque dans sa démarche. Je me suis surpris à souhaiter être non son amant mais son psychanalyste. Il est bien possible que moi non plus je n'aurais pas pu l'aider, mais elle aurait été si jolie étendue sur le divan. »

Billy Wilder, qui aimait détester Marilyn, songea longtemps après sa disparition qu'elle était l'incarnation moderne de l'actrice qui ne veut pas vieillir. Il pensait même en faire un film en couleurs où il reprendrait ce thème de son chef-d'œuvre en noir et blanc, *Sunset Boulevard* : une actrice qui s'accroche à son image pour ne pas devenir folle ou mourir. Il ne tournera pas ce film. À cause des images de *Quelque chose doit craquer*, dit-il après les avoir vues. Mais à la fin de sa carrière cinématographique, en 1978, Wilder fit tout de même quelque chose qui y ressemble : un film bouleversant sur une actrice recluse et vieille dans une île grecque. Il l'appela *Fedora*.

Gaynesville, Floride, Collins Court
Old Age Home,
5 août 1962

Dans les rues d'une petite ville de Floride, une petite vieille marche sur un trottoir éclaboussé de soleil. Gladys Baker ne se souvient de rien. Ni du temps où elle travaillait dans le cinéma ni de la fille qu'elle avait eue. Lorsqu'un psychiatre du Rockhaven Sanitarium où elle était hospitalisée lui annonça que sa fille était morte, elle n'eut aucune réaction. Elle ne se souvenait plus de celle qui avait porté le nom de Norma Jeane, ni ne savait qui était Marilyn Monroe. Mais un an après, par une sombre nuit, elle s'évada du sanatorium en faisant une corde à nœuds de ses draps de lit. Une bible et un manuel de la *Christian Science* sous le bras, elle arriva dans la banlieue de Los Angeles. Un prêtre baptiste la trouva dans son église et lui parla avant qu'elle soit ramenée à l'asile. « Marilyn (selon le prêtre, elle ne dit pas : Norma Jeane) est partie. On me l'a dit après que ça s'est passé. Il faut que les gens sachent que je n'ai jamais voulu qu'elle soit actrice. Sa carrière ne lui a fait que du mal. »

Norma Jeane avait été inscrite à l'état civil sous le nom de l'ancien mari de sa mère. Sur l'acte de naissance, on peut lire *Mortensen* ou *Mortenson*. Elle prit à vingt ans le nom de scène sous lequel elle est morte et immortelle, mais garda le nom officiel jusqu'à sept ans avant sa mort. Les noms se font écho dans les chambres du destin. De Mortenson à Greenson, où furent la mort et la vie ? De Kathryn, la mère de Greenson à Marilyn, une histoire d'amour parcourt les sons et les syllabes d'une bande qui se répète.

Le père de Norma Jeane aurait pu être n'importe lequel des amants qu'avait eus sa mère en 1925 après s'être séparée de son deuxième mari. Le plus probable dans ce rôle est Raymond Guthrie, qui s'était épris d'elle pendant quelques mois. Il développait des films à la RKO. Gladys avait donné à sa fille son premier prénom en hommage à une somptueuse actrice de l'époque, Norma Talmadge C'est à vingt ans que Norma Jeane Baker cessa de porter le nom de sa mère et devint Marilyn Monroe.

Au cours de l'été 1946, Norma Jeane appela André de Dienes pour lui demander de venir la rejoindre dans son appartement. Elle avait une importante nouvelle à lui annoncer. Dès son arrivée, elle lui déclara de but en blanc : « Devine quoi ? J'ai un nouveau nom ! » Elle le lui écrivit au crayon sur un bout de papier, lentement, avec application : MARILYN MONROE. Elle accentua les deux initiales d'une manière presque calligraphique. Après bien des années, de Dienes n'oublia jamais sa stupéfaction tandis qu'il se tenait là, derrière elle, l'observant en train d'écrire son nom. Il y avait une beauté presque surnaturelle dans la manière dont elle dessinait ces deux grands M majuscules. Ce nom ne devint son nom légal qu'à vingt-neuf ans.

Brentwood,
5 août 1962

Dans son dernier film achevé, *Les Désaxés*, Marilyn avait joué le personnage de Marilyn Monroe. C'était, au vrai sens, le rôle de sa vie. À l'écran, elle interprétait sa biographie désaxée. Dans ses derniers jours, elle va vivre sa vie comme dans un film, et devenir le rôle qu'elle jouait dans *All about Eve*, une quelconque Miss Caswell diplômée de l'école d'art dramatique de Copacabana assombrie par l'âge, ou l'inconnue qu'un scénario noir aurait mentionné comme *Blonde Woman, Dead On Arrival* (Femme blonde, morte au cours du transfert).

Beverly Hills, le dimanche 5 août 1962 à 0 h 5 du matin. Le sergent Franklin roule dans sa voiture de service dans Roxbury Drive. Comme il s'apprête à emprunter Olympic Boulevard, une Mercedes passe à toute allure en direction du San Bernardino Freeway. Franklin évalue à près de cent vingt à l'heure la vitesse du véhicule et remarque les feux éteints. Il branche son gyrophare et prend la voiture en chasse. Celle-ci accélère, changeant sans cesse de file. Il a l'impression que le conducteur cherche à échapper à quelque chose comme s'il fuyait le lieu d'un crime. Franklin met la sirène et la voiture finit par s'arrêter non loin du Pico Country Club. Quand il se trouve à la hauteur de la vitre avant baissée, il découvre le visage familier de Peter Lawford. Celui-ci semble ivre, apeuré, défait.

— Désolé, bredouille Lawford. Je dois ramener quelqu'un à l'aéroport.

— Vous êtes dans la mauvaise direction, vous devriez prendre vers l'ouest, pas vers l'est.

Franklin braque sa torche sur les autres occupants de la voiture. Le passager du siège avant est un homme d'âge moyen, vêtu d'une veste de tweed et d'une chemise blanche.

— C'est un docteur, dit Lawford, il nous accompagne à l'aéroport.

Plus tard, Franklin reconnaîtra dans cet homme le Dr Ralph Greenson. « Quand j'ai vu le reportage sur l'enterrement, j'ai su que Greenson était le passager de la voiture. » Mais il ne dit pas un mot sur le coup. Franklin dirige le faisceau de sa lampe sur le troisième homme, assis à l'arrière. Il a devant lui l'Attorney General des Etats-Unis, Robert Kennedy, les yeux à demi fermés et la chemise déchirée.

Le dimanche matin. La police interroge les voisins. Des témoins rapportent des bruits dans la nuit : un hélicoptère, du verre brisé, des cris, une femme qui dit : « Assassins ! » Dans *Les Désaxés*, un an plus tôt, c'était la voix de Marilyn qui criait cela dans la poussière de l'Arizona. « Assassins, menteurs ! Je vous hais ! » Ces mots, elle les lançait à ceux qui attachaient les chevaux sauvages pour les tuer et faire de l'argent avec leur chair.

Depuis la terrasse, à travers une vitre étoilée, on voit l'intérieur d'une maison banale de style mexicain, une chambre aux murs vides. Une femme nue, trop blanche. Autour d'elle, les draps forment des angles d'ombre comme les blocs d'écume d'une vague retombée. Un homme debout, figé. Il ne pleure pas et s'avance d'un pas décidé. Il desserre la main crispée sur un téléphone et repose le combiné sur son support près du lit. La bouche est entrouverte. Sa bouche était toujours ouverte. Il ne l'avait jamais vue close sur aucune photo. Les yeux. Les yeux il ne les voit pas. Il sait qu'ils sont fermés. Il veut qu'ils soient fermés. Que le bleu de ce regard flottant dont il n'était jamais venu à bout, surtout quand il avait désespérément besoin de le déchiffrer, que ce bleu se taise. La femme s'appelle Marilyn Monroe, l'homme Ralph Greenson. C'est son psychanalyste. Il ne peut même pas la regarder. La lumière a tout mangé en elle, le blanc. Son corps n'est qu'une flaque aveuglante, une étoile de chair, inexistante à force de briller. Greenson pense qu'être le premier à avoir vu une femme morte est une victoire aussi amère que de se dire qu'on est le premier à l'avoir vue nue.

Quand il quitte la maison, une fois le corps enlevé sur un brancard et porté à la morgue par une ambulance silencieuse, Greenson remarque sur le pavé à l'entrée de la maison de Marilyn une plaque à laquelle il n'a jamais prêté attention. En latin . *Cursum perficio*. Des années après, il en retrouva la source. Dans le Nouveau Testament, saint Paul dit à Timothée : « J'ai fini ma course. » Ce matin-là, il sourit en pensant qu'elle n'avait pas fini sa course quand on l'avait emmenée pour l'autopsie, mais que lui avait fini la sienne.

L'autopsie a lieu dans le Los Angeles County Coroner's Mortuary à 10 h 30, le 5 août. On a ramené la dépouille depuis la morgue dont les employés ont résisté à toutes les propositions de photographier le corps le plus célèbre du monde. Certaines offres atteignaient dix mille dollars, et on dut le retirer du frigo pour le cacher dans un placard à balais. Les services du coroner sont moins intransigeants. Le dimanche soir, l'autopsie terminée, Leigh Wiener, photographe de *Life*, se fait ouvrir le casier n° 33 et prend des clichés de Marilyn éviscérée pour les besoins de l'enquête. Mourir, c'est aussi ça : devenir une chose, une marchandise, un morceau non de chair mais de viande, comme les chevaux sauvages des *Désaxés*. Marilyn est une dernière fois réduite à ce qu'elle avait voulu désespérément cesser d'être : une image. Plus tard, Arthur Miller écrira : « La rencontre d'une pathologie individuelle et de l'appétit insatiable d'une culture de consommation capitaliste. Comment comprendre ce mystère ? Cette obscénité ? »

Beverly Hills, Roxbury Drive,
7 août 1962

Greenson ne prit pas le temps de s'asseoir dans le fauteuil face au canapé sur lequel Wexler restait sans bouger. Déjà il se lançait.

— Ses bandes, ses enregistrements, son dernier solo, sa dernière séance, tu veux les entendre ?

Wexler grogna. Greenson lui confiait la voix de Marilyn comme on livre un secret à un inconnu dans un bar, pour ne plus y penser.

— En me les laissant pour que je les écoute hors de sa présence, elle m'a dit : « J'ai une confiance absolue que jamais vous ne révélerez à âme qui vive ce que je vous ai dit. » Puis, en quittant mon bureau, elle m'a demandé de les effacer après les avoir écoutées. Je n'ai pas pu les effacer. Ces bandes m'ont bouleversé, continua Greenson, je ne sais pas ce que j'en ferai, mais je les ai transcrites.

Greenson ne les effaça pas. Pas tout de suite. À cause de la voix, plus que de ce qu'elle disait. Lui qui se voulait un donneur de sens, cette voix l'avait transformé malgré lui en preneur de son. Il les donna à son collègue pour qu'il les entende. Seul. Ils pourraient en reparler ensemble, s'il voulait.

Dans la première bande, Wexler sursauta à ces mots : « Je suis allée chez Joan Crawford. Elle m'a demandé d'attendre le temps qu'elle fasse un lavement à sa fille. La petite criait qu'elle ne voulait pas de lavement. Pas de lavement donné par sa mère. Crawford était tellement furieuse qu'elle allait la frapper. J'ai proposé de le faire moi-même. J'ai fait le lavement à ce petit ange avec tant de douceur que cela l'a fait pouffer de rire. Joan m'a jeté un regard aigre et m'a dit : " Je ne crois pas qu'il faille gâter les enfants. " J'ai eu l'impression qu'elle avait tendance à faire preuve de cruauté envers sa fille... Docteur, je veux que vous m'aidiez à me débarrasser de Murray. Hier soir, pendant qu'elle me faisait un lavement, je me suis dit : ma petite dame, vous vous y prenez très bien, mais il faut que vous partiez. Docteur, en vérité, elle et moi, nous ne nous aimons pas. Je ne supporte pas l'insolence et l'irrespect qu'elle manifeste chaque fois que je lui demande de faire quelque chose... Pendant que je dictais cette histoire, je me suis un peu souvenue des lavements qu'on me faisait quand j'étais petite. Ils appartiennent à la catégorie des souvenirs refoulés, comme vous et le Dr Freud les appelez. Je vais travailler là-dessus et vous remettre une autre bande. »

Sur la deuxième bande, Marilyn ne parlait plus de ça. Elle disait : « Hier, j'ai longtemps regardé mon image dans le grand miroir en pied de ma salle de bains. J'étais coiffée et maquillée mais nue. Qu'est-ce que j'ai vu ? Mes seins commencent à pendre un peu. Ma taille n'est pas mal. Mon cul est comme il doit être. Le plus beau des plus beaux. Jambes, genoux, hanches, rien à dire. Et mes pieds ne sont pas trop grands. OK, Marilyn, tu as tout ce qu'il faut. »

Vienne, 19 Berggasse,
1933

La nuit, Greenson retrouva un souvenir mêlé d'angoisse. C'était il y a longtemps. Un soir qu'il avait réuni quelques disciples, le maître avait abordé la question de la fin du transfert. Il employait un mot étrange : *dissolution* et expliquait qu'on ne se détache d'un patient, comme dans la vie on ne se détache d'une personne, qu'en s'attachant ailleurs, à un autre être ou à une partie du même être. « Aussi longtemps qu'on vit et qu'on désire, disait Freud, on ne fait que troquer une prise contre l'autre, changer d'emprise. » Et il avait ajouté pour ôter aux disciples recueillis leurs dernières illusions : « Se dire qu'il s'agit de méprises ne sert qu'à en commettre de nouvelles. »

Ensuite, pour se faire comprendre, Freud prit comme il le faisait souvent une image venue de la littérature. Un conte : *Jeannot la Chance*. Il se leva, quitta un instant la pièce et traversant son cabinet de consultation alla prendre un livre sur une étagère.

Sans avoir à chercher longtemps la page, il la lut de sa voix enrouée. La lumière basse dans la salle d'attente, la voix lasse et l'élocution douloureuse de Freud donnaient à l'histoire une dimension tragique qu'elle n'avait peut-être pas, pensa Greenson, qui ne l'avait jamais lue depuis.

L'histoire était simple comme le malheur, une courbe brève, une chute attendue. En récompense pour son travail, Jeannot reçoit une pièce d'or. Comme la pièce lui pèse, il l'échange contre un cheval. Le cheval contre une vache, la vache contre un porc, le porc contre une oie, l'oie contre une meule de rémouleur, pour finalement rester en possession de deux cailloux. Parce qu'ils lui pèsent, il les pose sur la margelle d'un puits et les pousse. Les cailloux tombent au fond. Jeannot remercie Dieu et, libéré de toute charge, rentre chez sa mère.

« C'est ce que je voulais vous faire comprendre, dit Freud en refermant le volume. Il me semble qu'en ce qui concerne l'influence des pulsions sexuelles, nous ne pouvons aboutir à rien d'autre qu'à des permutations, des déplacements, jamais au renoncement, à la désaccoutumance, à la résolution d'un complexe (secret le plus absolu!). Voilà ce qu'est la sexualité, un échange où les pulsions et les gestes sont destinés à susciter en retour d'autres pulsions et gagner d'autres gestes. » Ce n'est sans doute pas mot à mot ce que disait Freud au soir de sa vie, mais c'est ce que Greenson avait retenu de son apologue : rien n'est gratuit dans le transfert comme dans l'amour.

Ce soir-là, à Vienne, il s'était enhardi à prendre la parole et avait demandé à Freud sur quoi portait le troc transférentiel. « La sexualité, toujours la sexualité. Pour moi, après quarante années de pratique comme au début, les scènes où nos patients nous convoquent sont toujours sexuelles. Les traumatismes qu'ils rejouent avec nous ou sous nos yeux, aussi. Si quelqu'un nous livre ses complexes infantiles, ne croyons pas qu'il y a renoncé. Il en a sauvé un bout (l'affect) en une formation actuelle (le transfert). Il a changé de vêtement. Ou de peau. Il a mué, et il laisse sa mue à l'analyste. C'est pour cela qu'il est difficile de vouloir la fin du transfert : ce ne serait que la fin du sujet qui nous parle. Dieu le préserve d'aller maintenant nu, sans peau ! Notre gain thérapeutique est un bénéfice de troc, comme pour Jeannot la Chance. Ce n'est qu'avec la mort que le dernier bout tombe dans le puits. »

Après, Freud se tut et avec une courtoisie glacée pria les analystes en formation de le laisser.

Ralph Greenson jugeait maintenant que Freud avait tort. Ce qu'on troque dans une vie, ce n'est pas seulement un désir contre un autre, un objet contre le suivant : ce sont des identités simultanées ou successives. Et ces identités ne sont pas que sexuelles, mais aussi familiales, sociales.

Greenson cherchait dans ce conte des éléments qui l'aideraient à comprendre ce qui s'était passé entre Marilyn et lui. Plutôt que la question sexuelle, le cœur de l'analyse et du transfert était-il ce troc pour s'alléger toujours plus des choses d'ici-bas et

revenir au passé ? Un détail de l'histoire le frappait :
Jeannot rentre chez sa mère. Il revient mourir où il
est né.

Il se revoyait avec sa patiente, parlant face à face
comme des acteurs maladroits, des danseurs dans le
noir comme disait la chanson de Sinatra que Marilyn
chantait souvent à mi-voix dans les séances où elle
avait du mal à parler. Tout n'avait été qu'actes, au
sens du théâtre. Et eux des figurants dans une comédie des erreurs. Mise en scène, le transfert ; mise en
scène, les souvenirs, les récits, les rêves ; mise en
scène, les costumes endossés pour les rejouer et ceux
qu'elle lui avait fait revêtir sur son théâtre intime ;
mises en scène ses propres répliques dans la tragédie
dont elle était l'auteur ; mise en scène qui l'avait
réduit au rôle de simple portant où elle accrochait les
défroques des scènes précédentes au moment du
changement de décor.

La comédie était finie, le rideau tombé. L'énigme
de cet être restait entière. Son identité, ses vêtements
sans cesse dépouillés dans lesquels Marilyn se masquait, se livrait, se masquait encore. Son transfert
théâtral, ce trop d'amour qu'elle lui témoignait. Sa
passion d'être nue. Son image faite d'exil et de tremblement, comme en déséquilibre au bord de l'écran.
Cette façon qu'elle avait dans la vie comme dans ses
films de marcher sur le fil invisible qui sépare le réel
brut de l'absolue fiction. Greenson revoyait tout cela,
et cela n'avait aucun sens. Il n'avait pas voulu la
dépouiller de ses identités, la détourner des personnages qu'elle amenait avec elle. C'était un choix. Il se

dit qu'il n'avait pas eu tort. Que l'amour est une peau. Qu'aimer nous protège du froid du monde. Que l'identité est un oignon. Il faut se garder de le peler. Quand nous aurons ôté la dernière peau, plus d'oignon.

Beverly Hills, Roxbury Drive,
8 août 1962

Wexler était de plus en plus fatigué par l'angoisse qui poussait son collègue à venir repasser devant lui le film des dernières semaines de Marilyn. Greenson toussait et son élocution était hasardeuse, empêchée, forcée, comme s'il était lui-même un acteur disant un texte qu'il ne connaissait pas encore assez. Le texte de sa mort. Le texte de sa vie.

— Sa dernière année. Il faudrait que je raconte sa dernière année. Elle était venue me voir parce qu'elle n'en pouvait plus. Je l'ai portée à bout de bras, à bout de mots. J'entendais bien un signe du destin dans ce titre : *Quelque chose doit craquer.* Je n'ai pas voulu l'entendre.

— Oui, répliqua Wexler, elle s'est déchirée quand tu es parti en Europe. Tu as sous-estimé la dimension schizophrénique. Dans le peu de temps que je l'ai vue, j'ai été frappé par le fait qu'elle parlait souvent d'elle-même à la troisième personne : « Marilyn ferait cela... Elle ne dirait pas ceci... Elle jouerait comme ça cette

459

scène... » Je lui ai fait remarquer ce trait. Je lui ai demandé si elle n'entendait pas en elle une voix qui disait : « elle ». Surprise, elle m'a regardé : « Et vous, vous n'entendez pas de voix ? Moi, ce n'est pas une voix que j'entends. Une foule, plutôt. »

En rendant à Greenson les enregistrements, Wexler hésitait à lui dire des choses évidentes qu'il n'avait pas vues dans la folie à deux qui l'avait uni à Marilyn. Finalement, il décida de l'éclairer, dût-il lui en coûter leur amitié.

— Tu savais bien que les transferts massifs sont adressés à la mère et que le divan précipite la régression. En mourant, à sa façon, Marilyn elle aussi est retournée chez sa mère. Elle a jeté le dernier vêtement dans le puits. *Jeane la Malchance*. Mais tu sais tout ça...

— Oui, c'est pour éviter cette régression que je ne l'ai pas allongée durant presque toute sa cure. À la fin, elle y était prête : ces bandes, c'était bien notre méthode, parler sans voir à qui. Mais jouer à la maman, je ne crois pas que c'est ce que j'ai fait.

— Et c'est pour ça qu'à un moment tu t'es laissé pousser la barbe : pour vous rassurer tous les deux sur le fait que tu étais un père, non une mère.

— Non ! C'était plutôt pour ressembler à Freud.

— Tu ne fais que des dénégations. Tu ne cesses de dire : non, je n'étais pas sa mère, je ne me suis pas pris pour sa mère. Pourtant, tu as appris de Freud que lorsqu'on dit : « Ce n'est pas ma mère », on est justement face à la mère. Tu veux que je te dise ? Vous n'en pouviez plus l'un de l'autre. Tu l'as quittée et tu n'as pas pu la quitter. Elle voulait te quitter et tu n'as pas pu la laisser partir. Un point c'est tout. Ta détresse était celle de l'enfant abandonné.

Greenson dévisagea son collègue avec haine, mais ne dit rien. Wexler décida de ne pas aller plus loin.

Jusqu'à la fin, Greenson se considéra comme un père pour Marilyn. Le 20 août 1962, il écrit à Marianne Kris : « J'étais son thérapeute, le bon père qui ne la décevrait pas et lui apporterait une compréhension d'elle-même, ou à tout le moins, simplement de la bonté. J'étais devenu la personne la plus importante dans sa vie, et je me sens coupable d'avoir imposé ça à ma famille. Mais il y avait en elle quelqu'un que l'on ne pouvait qu'aimer et elle savait se montrer délicieuse. » Il ne comprit sans doute jamais que cette cure se situait dans des lieux psychiques éloignés de la théorie freudienne, et que ses thèmes, plutôt que *père, vie, amour, désir*, étaient *mère, homosexualité, excrément, mort*. Portées par une voix qui n'en pouvait plus de feindre la gentille petite fille amoureuse de son papa, des choses impensables étaient enfin venues se dire sur ces bandes, dans la distance du transfert, à voix perdue. Des choses nues. Des choses noires. Noires comme la mère, comme la mort ; noires comme la baronne Strasberg ou l'actrice Crawford dans *Johnny Guitar* ; noires comme Eunice Murray ; noires comme la merde, comme l'enfant sale. La saleté est sans sexe, comme l'amour. L'une et l'autre coulaient pour Marilyn dans la pure passivité du lavement.

Et si Marilyn n'avait pu se séparer de lui qu'en mourant ? Et si Greenson n'avait pu la posséder qu'en la tuant ? En écoutant les bandes, Wexler avait cru deviner ce qui s'était passé entre eux et qu'il n'avait pu formuler devant son collègue : on peut tuer quelqu'un à force de soin. La partition qu'il avait voulu jouer, celle d'un « transfert en père majeur », comme il disait, avait basculé insensiblement vers des détresses archaïques et il avait joué la musique de la compassion en « mère mineure » Il avait décidé de renoncer à toute piqûre, acte trop clairement phallique à ses yeux, mais était revenu ensuite sur cette abstention et lui avait fait de fréquentes injections de sédatifs les derniers mois. En confiant à Engelberg les prescriptions de comprimés et en faisant d'Eunice Murray sa préposée aux lavements, il avait occupé insensiblement la place de la mère dans l'amour de Marilyn et aussi dans son amour pour Marilyn.

Lorsque parut *Technique et pratique de la psychanalyse*, les relations entre les deux collègues étaient devenues distantes. Wexler eut un sourire indulgent lorsqu'il lut sous la plume de Ralph Greenson, M.D. : « C'est le médecin qui possède le droit d'explorer le corps nu, qui n'est pas effrayé ou dégoûté par le sang, le mucus, le vomi, l'urine ou les fèces. Il sauve de la douleur et de l'affolement ; il met de l'ordre dans le chaos ; il assure les soins de première urgence qu'accomplissait la mère dans les premières années de sa vie. Mais le médecin inflige aussi de la douleur, il coupe, perce la chair et pénètre chacune des ouvertures du corps. Il rappelle l'intimité corporelle avec la mère, mais il représente aussi les fantasmes sadomasochistes concernant les parents. »

Westwood Memorial Park Cemetery,
Glendon Avenue,
août 1962-août 1984

Un cimetière sans qualités. Une allée ombragée donnant sur un mausolée décrépit qui fut rose. Un piano discret égrène des mélodies tirées de *House of Flowers*, un musical d'Harold Arlen dont Truman Capote a écrit le livret. Capote, que l'on porte en terre un matin d'août 1984. En cendres plutôt, recueillies dans une urne qui sera placée non loin de celle contenant les restes de Marilyn. Des caméras tournent à l'entrée de la chapelle. Une certaine animation règne comme lors d'une réunion de retrouvailles entre vieilles connaissances. Accolades, frôlements, froissements d'étoffe, chuchotis. Des lèvres tremblantes lancent des baisers dans l'air à côté d'une joue ridée ou lissée aux silicones. Des pieds cherchent leur équilibre. Des yeux clignant derrière des lunettes à double foyer se souviennent des cuisses musclées, des poitrines pleines, des érections sans fin.

Les étoiles pâlies des années cinquante et soixante, éprouvées par des dizaines d'années sous le soleil californien, affaiblies par les passades, l'alcool et la drogue et aigries par le temps perdu, se donnent l'accolade avec des sourires figés. Des doigts fins prolongeant de fragiles poignets s'agitent pour lancer des saluts d'un bout à l'autre du parc aux pelouses mal entretenues en permanence plongées dans l'ombre par les tours qui l'encerclent.

Dans le même cimetière, à une heure de l'après-midi, le 8 août 1962, le Révérend A.J. Soldan conduit la dépouille de Marilyn Monroe à la chapelle mortuaire. « Comme le Créateur la fit belle ! », prêche-t-il. Marilyn a demandé que l'on joue la chanson de Judy Garland dans *Le Magicien d'Oz* : *Somewhere Over the Rainbow* et pendant toute la scène, on entend une bande-son confuse, vulgaire, lointaine. Le service est ouvert par la *Sixième symphonie* de Tchaïkovski malmenée à l'orgue, puis des psaumes sont récités. Lee Strasberg lit l'éloge funèbre, remplaçant Carl Sandburg, pressenti par DiMaggio mais souffrant. Le clic-clac des obturateurs et le ronronnement des caméras de toutes les actualités du monde couvrent les conversations. Le spectacle est pauvre. Seuls les proches ont été admis. Bien que quartier voisin dans West Los Angeles, Westwood n'est pas Hollywood. L'ordonnance de la cérémonie organisée par Joe DiMaggio prévoit que personne parmi les gens de cinéma ne pourra y assister, aucun producteur, directeur de Studio, acteur, cinéaste, aucun journaliste. Il joue son rôle jusqu'au bout : celui de garde du corps que Marilyn lui avait assigné une fois pour toutes lorsqu'ils s'étaient rencontrés dix ans plus tôt. Son corps, elle lui en avait donné la garde, pour qu'elle ne s'y abîme pas.

Marilyn aurait été contente d'apercevoir Romi, les traits figés mais l'œil sec, muni de Hildi et Joannie. Avec leurs voiles noirs et leurs larmes brillantes, les femmes donnent toujours une certaine teneur pathétique à ces choses-là. « Il y avait des centaines de reporters et de photographes, dira Joan Greenson. Au début, on ne nous a pas permis d'entrer dans la chapelle, parce que, a dit l'employé des pompes funèbres, la " famille " était avec la défunte. Quelle famille ? Si elle avait eu vraiment une famille, nous n'aurions sans doute pas eu besoin d'être là. »

Daniel Greenson pleure. Il a toujours cru que Marilyn Monroe n'était qu'une apparition. Il se souvient que trois mois plus tôt, dans la villa de Santa Monica, il parlait avec elle de politique, espérant la rallier à ses idées d'extrême gauche. Le jour où il avait décidé de quitter la maison des parents, Marilyn l'avait accompagné dans sa quête d'appartement, masquée par une perruque noire. Une autre fois, il l'avait repérée dans la même tenue tout au fond de la salle bourrée de l'auditorium de la Beverly Hills High School, écoutant avec ferveur l'une des conférences de son père. Il se souvient de la dernière fois où il avait vu celle qu'on allait mettre en terre. Un soir de juin. Il quittait la villa de ses parents, laissant Marilyn à son épluchage de pommes de terre après lui avoir posé un baiser sur la joue.

Encore étudiant en médecine, Daniel Greenson décida ce jour-là de devenir psychanalyste. Non pour faire le même métier que son père, mais pour comprendre ce qu'il avait vu : l'actrice et son psychanalyste engagés dans une partie de cache-cache où c'était les mots et non les mains qui cherchaient l'autre sans le voir. Un corps à corps sans corps, si l'on peut dire, ou bien un âme à âme sans merci. La vie et son métier lui apprendront avec le temps qu'on ne sait jamais la vérité sur un être, que l'on soit son fils ou son psychanalyste. Mais de ce jour il apprit que c'est dans les mots qu'elle se cache, les petits mots, lâchés sur le pas d'une porte ou jetés à une oreille distraite au détour d'une allée de cimetière, les mots qui ne laissent de vraies traces que lorsqu'ils ne sont pas écrits, comme meurent les corps lorsqu'ils ne sont pas touchés.

Last take, dernière prise de la dernière scène, dans le cercueil ouvert, de couleur bronze et garni de satin champagne, Marilyn, vêtue d'une robe verte signée Pucci et d'une écharpe en chiffon, verte elle aussi, est apprêtée pour jouer son dernier rôle : la dépouille de Marilyn Monroe. Entre ses bras, une poignée de roses roses. Les accessoiristes de toujours se sont affairés : l'habilleuse Marjorie Pelcher a retouché le costume, la coiffeuse Agnes Flanagan a rétabli la coiffure, le maquilleur Whitey Snyder a sorti ses fards. Même la vieille perruquière, Pearl Porterfield, est là et jette sur le résultat un coup d'œil entendu. Lors de l'embaumement, il a fallu glisser sous la robe des sacs en plastique remplis de la bourre d'un coussin pour remplacer les seins dévastés par l'autopsie. Les cheveux étaient trop abîmés et Agnes Flanagan avait finalement placé sur son crâne une perruque semblable à sa coiffure dans le film. Mention spéciale au générique pour le maquillage signé par le fidèle Whitey. Son surnom vient de l'art avec lequel il mélangeait les blancs en évitant le plâtre et la neige. Des années avant, en plaisantant, il avait fait à Marilyn la promesse de la maquiller pour la dernière fois, de ne laisser personne d'autre écrire son dernier visage. Elle lui avait récemment rappelé son engagement en lui donnant un bijou acheté chez Tiffany : un clip monté sur une pièce en or avec une inscription qu'il ne voudra jamais révéler. Lui tendant la pièce, elle avait dit « À toi, mon cher Whitey, Tant que je suis encore chaude. » Snyder l'avait maquillée depuis la première fois, le 19 juillet 1946, pour un bout d'essai dans un film qui s'appelait *Maman porte la culotte*. Il était chef maquilleur à la Fox, et avait signé les maquillages des étoiles de l'époque, Betty Grable, Gene Tierney, Linda Darnell. Après avoir assuré, à nouveau pour la Fox – boucle du destin des fards et des stars – celui de Marilyn pour *Quelque chose doit craquer*, il dut dans les heures qui précédèrent les obsèques avaler une flasque entière de gin pour lui faire son dernier maquillage.

Une brève file d'hommes et de femmes en noir, un ciel presque blanc. Le cercueil passe lentement devant la crypte d'Ana Lower, et celle de Grace McKee Goddard, deux de ses mères de passage, à quelques mètres de celle prévue pour Marilyn. On l'y scelle. Si elle avait pu voir le film de ses obsèques, elle aurait eu une dernière surprise : parmi ses amants et ses trois maris, un seul avait fait le voyage et apporté des fleurs : Joe DiMaggio. Trois fois par semaine durant vingt ans, il fleurira la plaque. Il le lui avait promis. Elle voulait qu'il répète la promesse et refasse le geste de William Powell à la mort de Jean Harlow.

Une cérémonie fausse et triste comme un jouet tombé d'une poussette. Un passant le ramasse et le pose délicatement sur un mur où personne ne viendra le chercher. Quelque chose à quoi les présents cherchaient en vain à redonner du sens. Une image que les mots ne pourront ni décrire ni effacer. « Vous savez où notre pauvre idole est enterrée ? dira George Cukor. Pour aller dans ce cimetière, on passe devant un concessionnaire d'automobiles et le building d'une banque ; c'est là qu'elle repose, entre Wilshire Boulevard et Westwood Boulevard, avec toute la circulation qui passe autour. »

Vingt-deux ans après, dans le même cimetière, à quelques pas, on enterre Capote. Un ami de Marilyn murmure à l'oreille de quelqu'un qui ne l'écoute pas : « Il lui a survécu vingt ans. Il l'a aimée, autant qu'un homosexuel peut aimer une femme. Ils s'étaient beaucoup vus vers 1954 à New York. Ils dansaient dans une boîte aujourd'hui disparue, au El Morocco sur la 54ᵉ Rue Est. » Deux corps avançant sur la piste de danse étroite, en surplomb des tables.

La piste est plongée dans le noir, cernée d'une guirlande aveuglante par la rampe des spots. Ils arrivent, l'un et l'autre chargés d'alcool et de drogues. Elle jette au loin ses chaussures pour ne pas le dépasser d'une tête, et ils dansent ensemble jusqu'à tomber raides. Un tout petit homme en costume rayé, cravate sombre et lunettes d'écaille s'accroche désespérément à une blonde radieuse comme s'il déplaçait une pendule plus haute que lui. Elle ne regarde pas son cavalier, mais détourne son visage vers la salle enfumée. Lui ne regarde rien, mort de honte et de tristesse. Ou peut-être de joie.

Le musicien Artie Shaw prend la parole pour rendre hommage à Capote. D'une voix murmurée, il dit : « Truman est mort. Mort de tout. Il est mort de vivre. D'une vie trop vécue. Et pourtant, ces dernières années, c'était comme s'il était prêt à tout lâcher. Et en fin de compte ce qui restera, ce ne sera pas sa célébrité, ni sa fréquentation des célébrités ; c'est son œuvre. C'est de ça qu'il voulait qu'on se souvienne. Truman, tes musiques resteront dans nos oreilles quand nous aurons oublié les noms qui les ont inspirées. Salue tout de même ta copine Marilyn que jamais tu n'as prise dans tes bras et qui t'aimait plus que beaucoup d'hommes avec qui elle avait couché. Vos plaques maintenant sont séparées par trois murs où sont écrits les mots : TENDRESSE, DÉVOTION, TRANQUILLITÉ. C'est ce que vous vous êtes donné, un peu, l'un à l'autre, ce que la vie vous avait marchandé. Dis-lui que tes amis sont venus en voisins s'arrêter un instant

469

parmi les étoiles éteintes. Et que nous nous souviendrons d'elle, Marilyn la blanche reine sans royaume, et que nous ne nous souviendrons jamais aussi bien qu'à travers les mots de son ami, toi. Dans votre ombre double, nous relisons dans nos mémoires ta page magnifique sur Marilyn Monroe. Truman, toi, l'écrivain le plus vrai, tu as su comme personne ôter des scènes de tes romans ce qu'il fallait de réel pour y faire entrer plus de vérité. Salut Truman, longue mort. Douce surtout. »

Les derniers arrivés se dispersent. Tournant le dos aux stèles de Natalie Wood et Darryl F. Zanuck, la plupart regagnent leur voiture en faisant un crochet par l'aile nord-est du Westwood Memorial Park pour saluer d'un geste ou d'une pensée la plaque MARILYN MONROE. Des tombes, des noms. Bien des années après, Dean Martin, Jack Lemmon, puis Billy Wilder finirent par rejoindre Marilyn au Westwood Memorial où elle avait été enterrée – si l'on peut appeler ainsi l'enfoncement d'un cercueil de bronze dans une niche d'un mur en parpaings.

Au loin, on voit les collines en surplomb où se fondent déjà dans le smog les lettres blanches du nom HOLLYWOOD.

Beverly Hills, cabinet d'avocats de Milton Rudin, 6 août 1962

Mickey Rudin avait négocié le dernier contrat de Marilyn pour *Quelque chose doit craquer*. Arrivé sur les lieux de la mort, l'avocat accompagna la dépouille à la morgue voisine, puis contacta Joe DiMaggio pour organiser les obsèques.

Parmi les dépenses qu'il dut acquitter au nom de la succession, une dernière facture de Ralph Greenson pour 1450 dollars correspondant aux séances du mois de juillet et des quatre premiers jours d'août, et une autre de la 20th Century Fox réclamant le paiement du grand pichet de café que le studio avait offert le jour de son dernier anniversaire.

Les biens de Marilyn Monroe furent estimés à 92 781 dollars. Dans son dernier testament, outre l'argent, réparti entre sa mère, sa demi-sœur et des amis, divers objets étaient légués à Lee Strasberg pour une valeur de 3 200 dollars. Pour les droits et royalties, le légataire principal était le Centre Anna Freud de Londres, « Institut pour l'étude des effets à long terme de la psychanalyse et de la psychothérapie sur des enfants émotionnellement perturbés ». Marilyn avait fait un legs important à son ancienne analyste de New York, Marianne Kris, « pour qu'elle puisse continuer son travail dans les institutions ou les groupes psychiatriques de son choix ». Celle-ci avait choisi ensuite la Hampstead Clinic de Londres, décision qu'Elisabeth Young-Bruehl, la biographe d'Anna Freud, justifie ainsi : « Le don de Marilyn Monroe intervient au moment même où Anna s'est engagée dans un travail qui aura une grande influence – travail centré sur les souffrances des enfants qui, comme Marilyn Monroe, ont été ballottés entre plusieurs familles de placement. » Jackie Kennedy légua elle aussi 10 000 dollars à l'institution créée par Anna Freud, sans doute incitée par Marianne Kris dont elle était elle aussi la patiente.

Les fils de l'argent légué, du transfert sur le psychanalyste aimé et des relations sexuelles multipliées forment autour de la mort et du testament de Marilyn un nœud étrange. Pourtant, les relations entre elle et ses analystes successifs s'étaient tellement dégradées que l'on peut s'interroger. Son legs est-il allé à ceux qu'elle aurait désignés si le temps lui avait été laissé de modifier ses dernières volontés ? Marilyn, les derniers temps, avait manifesté l'intention de refaire son testament. Elle avait rendez-vous pour cela avec Mickey Rudin le mardi 7 août. Elle est morte dans la nuit du 4 au 5. Depuis, chaque fois qu'est montré à l'écran cette femme qu'on ne voulait pas voir jouer une patiente de Sigmund Freud, les droits de diffusion viennent enrichir l'institution qui porte aujourd'hui le nom de sa fille Anna.

Depuis la mort de l'actrice, les contrats de diffusion de ses films et de ses chansons ont rapporté annuellement environ 1,5 million de dollars, plus que Marilyn n'en gagna de toute sa vie. Des centaines de marques ont acquis le droit de se servir de son image pour la publicité ou la vente d'objets. Outre les posters et T-shirts, on retrouve le visage et le corps de Marilyn sur des cahiers d'écolier, des stores vénitiens, des bas, des queues de billard, des moules à gâteaux.

Dès le lendemain de sa mort, ce qui restait d'elle devint l'objet d'un culte. Hyman Engelberg raconte qu'il reçut des centaines d'appels téléphoniques de femmes disant que si elles avaient connu sa détresse, elles auraient cherché à l'aider. Il comprit qu'elle n'avait pas été seulement un objet fascinant pour les hommes, mais que beaucoup de femmes avaient vu en elle une petite fille perdue.

En décembre 1999, les objets légués à Strasberg furent vendus pour une valeur de 13,4 millions de dollars chez Christie's à New York. Tout ce qu'elle avait touché, tout ce qui avait touché son corps devint fétiche. Le cardigan en laine de chez Saks, porté fin juin 1962 sur les photos prises par Barris sur la plage de Santa Monica atteignit 167 500 dollars. La robe dos nu du *Milliardaire* dépassa 52 900 dollars. Le styliste Tommy Hilfiger mit une fortune dans les deux jeans des *Désaxés*. La robe fourreau de Jean Louis en mousseline incrustée de minuscules strass portée sept minutes au Madison Square Garden frôla le million de dollars. Les livres furent adjugés globalement pour 600 000 dollars. Beaucoup étaient parsemés de notes manuscrites en marge. On vendit aussi ce jour-là un bout de papier griffonné de sa main : « Il ne m'aime pas. » Un constat qui aurait pu viser beaucoup d'hommes de son vivant et bien peu aujourd'hui. Deux autres notes furent adjugées. L'une disait : « S'il faut que je me tue, je dois le faire. » L'autre était un poème plié dans un livre :

> *On dit que j'ai de la chance de vivre.*
> *Dur à croire.*
> *Tout me fait tellement mal.*

Deux ans après la mort de Marilyn, deux cinéastes, David L. Wolper et Terry Sanders, commencèrent les recherches pour faire un film sur elle, *The Legend of Marilyn Monroe*. Ils contactèrent Doc Goddard, veuf de Grace McKee. Il refusa d'être filmé, mais leur apprit que le piano blanc que Gladys Baker avait jadis acheté pour sa fille – et qui avait été revendu 235 dollars pour payer son hospitalisation quand Marilyn avait neuf ans, puis racheté – n'avait pas disparu au hasard des reventes. Il se trouvait aux entrepôts J. Santini & Bros Fireproof Warehouse, quelque part dans le New Jersey. Ils le filmèrent en contre-plongée, comme le traîneau *Rosebud* de *Citizen Kane*, avec ce commentaire : « Ce piano blanc était l'enfant qu'elle n'avait pas eu. » De près, il fallut se rendre à l'évidence, le piano n'était pas blanc d'origine, mais repeint, sans doute pour les besoins d'une comédie musicale des années trente. Le piano blanc était aussi faux que les cheveux blonds de Marilyn. Aussi faux que la cloison qui séparait à Hollywood la vie et le cinéma, la psychanalyse et la folie. Chez Christie's, le piano blanc trouva preneur pour 662 500 dollars, acheté par la chanteuse Mariah Carey.

Aujourd'hui encore dans les boutiques de cadeaux de Sunset Boulevard, on vend des plans où l'adresse de Marilyn figure parmi celles des stars vivantes. Des images prises de l'extérieur de l'hacienda furent insérées en 1980 dans une bio-fiction pour la télévision, *Marilyn : l'histoire secrète*, où une certaine Catherine Hicks joue le rôle de l'actrice. Le cinéaste David Lynch, qui songea longtemps à un film sur les derniers mois de sa vie, posséderait une sorte de relique : un morceau du tissu sur lequel elle aurait posé pour le fameux calendrier nu photographié par Tom Kelley. Cet objet a peut-être inspiré au cinéaste le thème de son film *Blue Velvet*.

Les objets vitrifiés par l'oubli, les choses remuées par la mémoire et les images arrêtées dans le deuil sont aujourd'hui les reliques d'un mythe. Mais les mots sont perdus, effacés ou altérés. Sans doute, des milliers de pages ont recouvert sa vie. Romans, essais, biographies, enquêtes, confessions. Seuls ceux qui l'ont vraiment aimée n'ont pas écrit sur elle : Joe DiMaggio, Ralph Roberts, Whitey Snyder... Lorsqu'il tomba sur *Conversations avec Marilyn Monroe*, entretiens écrits et publiés par W.J. Weatherby au milieu des années soixante-dix, Joseph Mankiewicz, cinéaste retraité, fut choqué qu'aucun critique ne demandât à l'auteur pourquoi il avait attendu quinze ans pour mettre au net ses souvenirs et en faire un livre. Pourquoi il donnait maintenant le détail de ses mots, de ses gestes, de son habillement, de ses expressions de visage notés au cours des deux dernières années de la vie de l'actrice. Pour lever le « maquillage mental » dont elle se couvrait, répondait l'auteur dans sa préface, et dévoiler « la vraie Marilyn ». Mankiewicz détestait que l'on fasse de la psychologie pour rendre compte d'un comportement dicté par l'intérêt. C'était ça, pour lui, la vraie prostitution : dire qu'on fait par amour ce qu'on fait pour l'argent.

Pour agir en société, il n'y a pas cinquante motifs : l'amour, la haine, l'intérêt, l'honneur, l'argent, la vengeance... Il n'y en a qu'un : la dissimulation de ce qu'on est, la crainte de n'être rien. L'angoisse sexuelle n'est rien comparée à l'angoisse de statut, à la peur de n'être pas reconnu par la société dans laquelle on vit, quelle qu'elle soit. C'était vrai de Marilyn, pensait Mankiewicz, c'était vrai de son psychanalyste, de ses biographes, de tous ceux qui ont écrit ou fait des films sur elle, espérant qu'un peu de poussière d'étoiles retomberait de son sillage au firmament des Sixties. Mais qu'ils ne parlent pas d'amour : ils la vendent, ils se vendent.

En fin de compte, s'il existe des centaines de livres sur cette femme et cette mort, les documents eux-mêmes ont disparu ou furent enterrés avec elle. De ses mots enregistrés, les traces ont été perdues ou effacées. Posés dans toutes les pièces de sa maison et incrustés dans ses deux téléphones, des micros avaient livré à l'enregistrement des milliers d'heures de sa voix. Après traitement par les commanditaires publics ou privés de ces écoutes, les bandes furent mises au secret ou détruites. Les deux pouvoirs, le politique et le psychanalytique, qui ont pesé sur les derniers mois de Marilyn, ont voulu effacer tout ce qui dans leurs archives la concernait. Côté cinéma, la Fox, qui lui avait annoncé que le film pourrait reprendre et lui avait proposé un nouveau et beau contrat, fit enterrer les documents relatifs à ses derniers tournages.

Santa Monica, Franklin Street,
août 1962-novembre 1979

La mort de sa patiente eut sur Ralph Greenson un effet dévastateur mais bref. Il parlait d'amour et de deuil. C'était amour-propre et mort sociale qu'il fallait entendre. « Le décès de Marilyn a été extrêmement pénible pour lui, racontera sa veuve. Non seulement parce que l'événement était public, ce qui était déjà terrible. Mais surtout parce qu'il pensait que Marilyn allait beaucoup mieux – et puis il l'a perdue. Ce fut très douloureux. » Les patients du Dr Greenson eurent la surprise de le voir à nouveau se laisser pousser la barbe. Un ami producteur lui demanda pourquoi. Il répondit qu'il voulait être quelqu'un d'autre. Lui qui n'avait jamais eu le goût d'en entreprendre, il se lança dans les thérapies d'enfants. Ses collègues constatèrent qu'il n'était plus l'animal fonceur de jadis et s'était fait la tête d'un vieil homme de pouvoir. « La flamme s'est éteinte en lui, déclara un membre de l'Institut de psychanalyse. Il a continué, mais il s'est renfermé après ça. Il est devenu un peu bizarre... » Ses photos révèlent un réel déclin physique et émotionnel. « Il a voulu changer de tête. Il a perdu son visage », dit un autre de ses collègues.

Une semaine après la mort de Marilyn, à l'instigation de sa femme, il se rendit à New York et consulta Max Schur pour lui demander de le prendre en analyse. L'amitié entre Schur et Greenson datait de leurs études à Berne et à Vienne. La première séance dura douze heures, mais l'analyste le rassura : il pourrait ensuite dépasser tout cela.

D'abord incapable de penser et d'écrire, il perçut lentement qu'une sorte de dépression fine, presque transparente, s'installait en lui. Il commença un récit de sa vie sous le titre : *Mon père le docteur.*

> Je n'ai connu que Marilyn Monroe. Dans nos séances, elle n'a prononcé ses vrais prénoms, Norma Jeane, que la première fois et lors de notre dernier entretien avant que je parte en Europe, et jamais son vrai nom, Mortenson. Jamais elle n'a dit pourquoi, comme nom d'actrice, c'était le nom de jeune fille de sa mère qu'elle avait choisi : Monroe. Je n'ai jamais fait ce rapprochement avec le fait que moi aussi j'apparais en scène, je soigne des patients, je donne des conférences, j'écris des articles, avec un nom et un prénom qui ne sont pas les miens.
>
> Roméo, ce n'était pas possible. « Le psychanalyste Roméo ». Fou de Shakespeare, mon père n'était tout de même pas obligé de nous appeler, moi Roméo et ma sœur Juliette. Je ne sais pas si Marilyn l'a dit en connaissance de cause, mais dans la dernière bande qu'elle a dictée à mon intention, elle annonçait : « J'ai un projet.

Gagner plein d'argent et prendre une année pour étudier Shakespeare avec Strasberg. Je le paierai pour l'avoir tout à moi. Puis j'irai proposer à Laurence Olivier un pont d'or pour me diriger. Avec Shakespeare, j'aurai le meilleur scénariste du monde, et gratuit. Monroe va les avoir. Tous. Je commencerai par Juliette. Avec un bon costume, un bon directeur photo et un bon maquillage, mon jeu donnera une Juliette, jeune vierge de quatorze ans, mais dont la féminité naissante est fantastiquement sexy. »

Quant à Greenschpoon, cela sentait trop son Brooklyn juif. Le nom de mon père, je ne l'ai pas renié. Mais quand je l'ai changé, c'était lié à mon abandon de la médecine. Mon père est resté médecin généraliste. De lui, je n'ai gardé que l'intérêt et le souci qu'il portait à ses patients. Mais pourquoi écrire tout cela ?

Comme Marilyn et Inger Stevens, l'actrice Janice Rule avait suivi la classe de Lee Strasberg à l'Actors Studio. Elle avait elle aussi été patiente de Greenson. Au cours des semaines qui suivirent la mort de Marilyn, elle le trouva défait, « crucifié par la presse ». Pendant une de ses séances, il lui dit quelque chose qui la bouleversa : « Je ne pourrai jamais de ma vie trouver une réponse. Mais moi, je ne compte pas. Ce qui me tracasse, c'est combien cela vous affecte, vous ma patiente. »

Marquées par de fréquentes hospitalisations, les dernières années de la vie de Ralph Greenson furent douloureuses. Janice revit son analyste à l'extrême fin de sa vie. Elle raconta ensuite la scène. Greenson lui avait permis naguère de libérer ses émotions. En ana-

lyse, elle ponctuait souvent ses séances de *fuck* retentissants et l'analyste lui dit un jour : « J'ai du mal à
mettre ensemble votre visage et ce qui sort de votre
bouche. » Greenson, vieilli et diminué après de nombreux accidents coronariens et l'implantation d'un
troisième pacemaker, devint peu à peu aphasique.
Enrageant de ne pouvoir s'exprimer, il dit à Janice :
« Vous m'avez appris que *fuck* était un très bon mot.
Quand j'ai retrouvé la parole, c'est le premier que
j'ai dit. »

Greenson luttait depuis quatre ans contre l'effon-
drement physique et intellectuel. Venue le consulter,
une patiente fut frappée par son apparence déchar-
née et sa voix haletante : « Vous ne ressemblez pas à
un psychanalyste. » Il enleva sa chemise, et dit en
montrant la cicatrice qu'avait laissée la pose d'un sti-
mulateur : « Nous sommes tous mortels ! »

Le destin joue avec les mots et les images. Comme
une monteuse folle se vengeant du metteur en scène,
il colle au hasard les séquences du film, faisant coïn-
cider des prises contradictoires et conciliant des
scènes dont le sens était opposé. Il raboute à l'envers
sur la table de montage les trente mois que, chacun
pris dans la folie de l'autre, Romi et Marilyn avaient
passés à se détruire. La fin du film inverse les plans.
Elle montre une Marilyn qui n'est plus que voix et
mots. Seules restent de ses dernières heures les
bandes dictées pour son analyste et les écoutes téléphoniques faites sur ordre des Kennedy (à moins que
ce ne soit contre eux) par Fred Otash à l'instigation

de la CIA, ou à la demande du FBI par un certain
Bernard Spindel (à moins que ce ne soit l'inverse).
On lui vole ses mots après avoir pris son image pendant trente-six ans. Greenson, lui, apparaît maintenant sur la bobine récrite en salle de montage
comme un homme que les mots n'ont pas suffi à justifier, et qui a sombré dans les images quand sa
bande-son fut effacée par le temps.

Maresfield Gardens,
1962-1982

Assez vite pourtant, Greenson réagit à sa dépression en se rapprochant de l'institution freudienne et en se remettant à la théorie psychanalytique. Il ne reprit que quelques patients et s'immergea dans l'enseignement et l'écriture. Il aborda d'abord un thème qui le tourmentait depuis trois ans, « l'alliance thérapeutique entre patient et thérapeute ». Il y affronte les thèmes de l'échec thérapeutique, de l'indication ou non du traitement dans les cas graves, des patients inanalysables ou présentant des changements brusques de pathologie. Il défend l'alliance thérapeutique comme moyen de résoudre les impasses du transfert.

Pressé par son éditeur, il décida peu après la mort de Marilyn de terminer *Technique et pratique de la psychanalyse*. Ce sera son seul livre. Dans la préface, il rend hommage à son père, et mentionne son vrai nom. Comme il l'écrivait juste avant sa rencontre de Marilyn, « la transmission d'un savoir peut être une tentative pour surmonter une position dépressive ».

Les livres sont les enfants du chagrin, et le psychanalyste, qu'on ne vit pas verser une larme sur Marilyn morte, mais qui raconta son deuil et sa peine en toute occasion, pleura sa patiente en cinq cents pages serrées de recommandations aux analystes débutants ou chevronnés. C'est sur soi d'abord qu'on pleure, toujours. C'est soi-même aussi qu'on combat en premier lorsqu'on dénonce sans merci les défauts et fautes d'autrui. Dans son bréviaire, Greenson traite avec précision du « Week-end comme abandon », de « La relation réelle entre le patient et l'analyste » et termine par « Ce que la psychanalyse exige du cadre analytique ». On trouve dans ce manuel la liste de tout ce qu'il ne faut pas faire avec un patient. À peu près tout ce qu'il avait fait avec Marilyn au cours de ses trente mois de thérapie.

Pendant quelque temps, Greenson illustrera son enseignement à l'UCLA par de nombreux exemples tirés de la cure de l'actrice, revendiquant toujours la justesse de sa démarche clinique. Deux ans après la mort de sa patiente, il donne une conférence à l'UCLA, *Les Drogues et la situation psychothérapeutique* : « Les médecins et les psychiatres doivent s'engager émotionnellement avec leurs patients dans le but d'établir une relation de confiance thérapeutique ». Se justifiant dans un entretien avec la *Medical Tribune* du 24 octobre 1973, il déclare avoir tenté pour cette patiente un mode de traitement approprié, les autres ayant échoué. Il justifie l'avoir reçue chez lui dans sa famille, avoir négocié avec les Studios, avoir été présent activement dans les différentes décisions de sa vie : « Je l'ai fait dans un but précis. Mon mode de traitement particulier pour cette femme particulière était le seul possible, croyais-je à l'époque. Mais j'ai échoué. Elle est morte. » Il ne prononce jamais le mot *suicide*.

Au milieu des années soixante-dix, le psychanalyste cessa presque toute pratique de l'analyse et renonça à son enseignement. Il écrivit cependant de nombreux articles, recueillis en 1993 sous le titre : *Loving, Hating and Living Well* (Aimer, haïr et bien vivre). S'intéressant toujours autant au cinéma, il adressait souvent à Leo Rosten des projets de scénarios infaisables et fous. Il comptait les amis perdus et les collègues disparus. En revenant d'un enterrement, il dit à sa femme : « Nous devons appendre à vivre mieux. Cela veut dire : prendre un plaisir plus intense avec les siens, rester curieux et actif, travailler, travailler encore. »

Dans un court texte, il expose son rapport à la mort : « Je suis par profession un analyste, mais aussi un juif, et c'est pourquoi je ne puis m'en remettre à quelque promesse d'un au-delà. » L'année suivante, atteint par des troubles de la parole, il aborde devant l'université de San Diego la « Révolution sexuelle » : *Au-delà de la satisfaction sexuelle... ?*

Le 18 août 1978, il écrit un dernier article inachevé sur *Les Problèmes particuliers de la psychothérapie des personnes riches et célèbres*. Sans nommer Marilyn, il expose le cas d'une actrice belle et célèbre âgée de trente-cinq ans, venue le consulter parce qu'elle ne s'aimait pas. « Les gens riches et célèbres pensent qu'une psychothérapie qui dure est une arnaque. Ils veulent que le thérapeute soit leur ami, ils veulent même que leur femme et leurs enfants deviennent des membres de la famille de leur thérapeute. Ces patients sont séducteurs. Ils ont besoin vingt-quatre heures sur vingt-quatre de leur thérapeute, ils sont insatiables. Ils sont aussi capables de vous planter là complètement et de faire avec vous ce que leurs parents ou leurs serviteurs leur ont fait. Vous êtes à leur service et vous pouvez être renvoyé à tout moment. » Le psychanalyste présentera son dernier exposé devant l'Institut psychanalytique de Californie du Sud le 6 octobre 1978 : *Les Personnes en mal de famille.*

Dans le désarroi professionnel où le plongeait la mort de sa célèbre patiente, Greenson resserra ses liens avec le freudisme institutionnel. Anna Freud lui adressa aussitôt ses condoléances : « Je suis horriblement désolée pour Marilyn Monroe. Je sais exactement ce que vous éprouvez parce qu'il m'est arrivé la même chose avec un de mes patients qui a pris du cyanure avant que je revienne des Etats-Unis il y a quelques années. On repasse tout sans arrêt dans sa tête pour trouver ce qu'on aurait pu faire mieux et cela laisse un terrible sentiment de défaite. Mais, vous savez, je pense que dans ces cas-là nous sommes vraiment vaincus par une chose plus forte que nous et contre laquelle l'analyse, malgré tous ses pouvoirs, est une arme trop faible. » Greenson répondit sans délai.

Chère, très chère Anna Freud,

C'était vraiment gentil de m'écrire avec tant de compré·
hension. Ça a été un coup terrible en beaucoup de façons.
Elle était ma patiente et j'ai pris soin d'elle. Elle était si
pathétique et a eu une si terrible vie. J'avais des espoirs
pour elle et nous pensions que nous étions en train de
progresser. Maintenant elle est morte et je réalise que tout
mon savoir, mon désir et ma détermination n'étaient pas
suffisants. Vraiment j'ai été pour elle plus qu'un thérapeute attentionné. Quoi ? Je ne sais pas. Peut-être un frère
d'armes dans un combat obscur. Peut-être aurai-je dû voir
que j'étais aussi pour elle un ennemi, et elle pour moi.
L'« alliance de travail » a des limites. Ce n'est pas ma
faute, mais je suis le dernier homme qui a laissé tomber
cette femme bizarre et malheureuse. Dieu sait que j'ai
essayé, mais je n'ai pas pu vaincre toutes les forces destructrices qui ont été mises en elle par les expériences de sa vie
passée et même de sa vie présente. Parfois je pense que le
monde voulait sa mort, ou au moins beaucoup de gens
dans le monde, particulièrement ceux qui après sa mort
se sont montrés affligés. Ça me met en colère, Mais avant
tout je me sens triste et désappointé. C'est un coup porté à
ma fierté, mais également à ma science, dont je me considère un bon représentant. Il me faudra du temps pour
dépasser cela et je sais que cela va finalement laisser une
cicatrice. De bons amis m'ont écrit de très gentilles lettres
et ça m'a aidé. Ça fait mal de se souvenir, mais c'est seulement en y repensant que je pourrai un jour l'oublier...

Quelques mois après, Greenson reprend la plume :
« Je dois rassurer mes amis et mes ennemis. Je fonc-
tionne encore ! » Anna lui répond : « Marianne Kris

487

m'a beaucoup parlé de Marilyn Monroe cet été et de ses expériences avec elle, je pense que personne n'aurait pu la retenir dans cette vie. »

Trois ans après, Greenson écrit une autre lettre qu'il n'enverra pas.

Santa Monica, septembre

Très chère Anna Freud,

Je termine mon livre. C'est le seul moyen de me sortir de la mort. Il m'est venu une étrange pensée. Jugez-en. Ecrire est au fond s'abandonner à l'enfant qui est en nous. C'est la même nécessité qui me pousse à noircir du papier que celle qui fait hurler l'enfant pour attirer l'attention. De qui ?

Votre dévoué,
Ralph Greenson

Jusqu'à sa mort, il correspondra avec Anna, qui avait joué le rôle d'analyste contrôleur dans le suivi de l'actrice. Il semble lutter contre un sentiment de culpabilité par l'invocation d'un destin de sa patiente et d'un destin de la psychanalyse. Dans ses papiers, on retrouva cette lettre inachevée et sans date.

Santa Monica

Chère Anna Freud, respectée amie,

Vous avez raison. Les destins sont écrits. Il y a des noms, des lettres, des formules gravées dans notre oubli plus profond que des épitaphes sur des pierres tombales. Je suis frappé de voir dans la vie de ma patiente le retour de certains événements. Savez-vous ce que j'ai appris ? La mère adoptive de Marilyn, celle sans qui elle ne serait pas devenue la star que nous avons connue, était comme elle alcoolique et adonnée aux médicaments. Grace McKee est morte en septembre 1953, d'une surdose d'alcool et de barbituriques. Elle fut enterrée au Westwood Memorial Park, là où nous avons accompagné Marilyn. Mais Marilyn n'avait pas assisté aux obsèques de Grace.

En 1965, la relation entre Greenson et Anna Freud prit un tour institutionnel et financier plus étroit. Devant le manque d'espace de consultation à la Hampstead Clinic, Greenson, qui avait créé un fonds pour la recherche psychanalytique à Los Angeles, trouva une solution. Sa principale donatrice, Lita Annenberg Hazen, fournit l'argent nécessaire à l'acquisition d'un nouveau local, et lorsque la maison de Freud, 14 Maresfield Gardens, fut mise en vente, la Hampstead Clinic fut en mesure de l'acheter En février 1968, après des travaux effectués sur les plans d'Ernst Freud, architecte et frère préféré d'Anna, de trois ans son aîné, la maison sera enfin prête. Au même moment Greenson le soignait d'affreuses migraines grâce à des injections de tranquillisants.

Lorsqu'en 1969 meurt son dernier analyste, Max Schur, Greenson s'adresse encore à Anna. Elle lui répond : « Je vous accorde que le deuil est un travail terrible, sûrement le plus difficile. Et il est seulement rendu supportable par les moments que vous décrivez également si bien, où on sent fugitivement que la personne perdue est entrée en nous et qu'il y a quelque part un gain qui nie la mort. » Dans la même lettre, elle répond à sa demande de l'autoriser à l'appeler par son prénom : « Je suis disposée à vous appeler Romi, et vous pouvez m'appeler Anna, à une seule condition : que vous me promettiez de ne pas vous révolter contre le destin, Dieu (?), et le monde quand viendra pour moi le jour de disparaître. Mon père appelait cela " ne pas frapper du pied ". On frappe du pied contre le destin, mais, comme vous le montrez, on ne fait du mal qu'à soi-même, et par là à ceux qui nous sont les plus proches. Je n'aimerais pas savoir qu'un jour je serai cause de cela pour vous. »

Ralph Greenson et Anna Freud échangèrent ensuite des lettres au sujet d'un film documentaire sur la Hampstead Clinic que Greenson jugeait indispensable à la collecte de fonds. Anna et Dorothy Burlingham-Tiffany finirent par accepter d'apparaître dans le film, qu'elles trouvèrent d'ailleurs très bon, et dans lequel elles placèrent beaucoup d'espoirs. Greenson mourra avant de voir se concrétiser son projet de présenter le film dans toute la Californie. Dans la dernière lettre qu'elle lui écrivit, en novembre 1978, Anna interroge le psychanalyste : « Qu'adviendra-t-il de la psychanalyse dans l'avenir ? Qu'est-ce qui en constituera la colonne vertébrale lorsque notre génération aura disparu ? »

Greenson meurt le 24 novembre 1979. Anna, qui vient elle-même cinq jours plus tôt de perdre sa compagne, Dorothy, écrit à Hildi : « Vous me demandez qui part avec moi maintenant en vacances. La réponse est simple : j'y vais toute seule, puisque je ne crois pas aux compagnes de remplacement. J'essaie d'apprendre à être seule en dehors du travail. » Hildi répond que pour elle aussi, c'est le début de la solitude : « J'éprouve cet horrible *mal du pays* pour toutes les merveilleuses années, y compris les nombreuses fois où nous étions tous les quatre ensemble. »

Lors d'une réunion psychanalytique en hommage, Anna prononce au nom de l'institution freudienne l'éloge de Ralph Greenson. « Nous faisons surgir de nouvelles générations de psychanalystes dans le monde entier. Pourtant, nous n'avons pas encore découvert le secret permettant de former les véritables successeurs de gens comme Romi Greenson, des hommes et des femmes qui utilisent la psychanalyse jusqu'à ses dernières limites : pour se comprendre eux-mêmes ; pour comprendre leurs semblables ; pour communiquer avec le monde en général. Ralph Greenson était un homme passionné, pour qui la psychanalyse constituait non une profession mais un véritable mode de vie. » Au nom de la Los Angeles Psychoanalytic Society, Albert Solnit rédige un éloge du « Capitaine Greenson, M.D. » : « C'était un scientifique, un clinicien et un romantique. De l'enfance à la vieillesse, il aima la vie sous toutes ses formes, et dans toutes ses expressions : musicale, poétique, artistique et athlétique. Il montra un souci constant pour ceux qui peinent à s'accomplir, ceux qui échouent, ceux que la vie met à mal, ceux qui souffrent et manquent. »

Un an plus tard, Marianne Kris s'éteint, à Londres, chez Anna, dans la chambre à coucher de Martha

Freud, la veuve du maître. Anna a quatre-vingts ans et
« le cœur qui fait des bêtises ». « On dirait que j'ai
essayé d'être la suivante, en ayant des problèmes de
cœur peu après la mort de Marianne », écrit-elle à
Hildi Greenson. Elle mourra en 1982.

New York,
janvier 1964

Dans la pièce d'Arthur Miller, *After the Fall* (*Après la chute*), mise en scène par Elia Kazan pour la première fois à New York en 1964, Quentin, le personnage masculin, dit à Maggie, à l'évidence une Marilyn transposée au théâtre par son ex-mari : « Un suicide tue toujours deux personnes. C'est même fait pour ça. » Lors de sa séance de psychanalyse, au lendemain de la représentation à laquelle il a assisté, Ralph Greenson dit à Max Schur :

— Miller fait dire au personnage qu'il charge de sa propre histoire d'amour : « Ce n'est plus mon amour que tu veux. C'est ma destruction. » On peut le dire de Marilyn.

— Et vous, pour elle, diriez-vous que c'était de l'amour ? demanda Schur.

— Je l'ai aimée. Je ne l'ai pas aimée. Je ne l'ai pas aimée d'amour. Je l'ai aimée comme on aime un enfant, un malade, un enfant malade. Pour ses failles, ses peurs. Sa peur me faisait peur, sa peur plus grande qu'elle, sa peur qui lui servait de refuge, sa peur que j'ai cru pouvoir accueillir, contenir, apaiser.

— Bien, nous allons nous arrêter là, conclut Schur.

Si Greenson avait choisi un analyste à New York pour l'aider à sortir du deuil de Marilyn, c'était aussi pour s'éloigner d'Hollywood, retrouver en lui-même un peu de place pour les mots, oublier le cinéma. Quand il repensait à ces années, il se disait que finalement Los Angeles avait rattrapé Marilyn et avait tué en elle la Marilyn de New York, celle qui avait fui Hollywood un beau jour pour devenir quelqu'un d'autre et qui avait donné en arrivant une conférence de presse sur le thème « La nouvelle Monroe ». Mais à la fin des années soixante-dix, dans l'histoire du cinéma, Manhattan avait vaincu Hollywood. Il n'y avait qu'à New York que Greenson pourrait faire enfin sienne cette phrase qu'il avait répétée au petit matin au sergent Clemmons tandis que les ambulanciers de la compagnie Schaefer emportaient son corps : « Nous l'avons perdue. » Il répétait souvent cette phrase devant Schur, mais ne précisait pas qui il désignait par « nous ».

Pendant la suite des séances, il se demandait ce qui l'avait amené justement chez ce psychanalyste-là. Schur avait été le médecin de Freud durant ses dernières années à Vienne, puis à Londres. Greenson visait-il un retour à Freud, dont il s'était éloigné par sa technique non orthodoxe dans la cure de Marilyn ? Il y avait sans doute entre lui et Schur une identification. Ce dernier avait été – et était resté – un médecin plus qu'un analyste. Mais quelque raison plus inconsciente avait attiré Greenson. Il ne la découvrit qu'après la mort de Schur, lorsque fut publié en 1972 le livre qu'il avait à peine eu le temps d'achever, *La Mort dans la vie de Freud*. Il interpréta après coup son choix d'un quatrième analyste comme une répétition dictée par des signes du destin.

Alors que la presse commençait à insinuer qu'il avait tué sa patiente d'une piqûre dans le cœur, Greenson lut que Schur était le médecin qui avait fait à Freud l'injection de morphine qui l'avait libéré de la souffrance et de la vie. « Le 21 septembre, tandis que j'étais assis à son chevet, Freud me prit la main et me dit : " Mon cher Schur, vous vous souvenez de notre première conversation. Vous m'avez promis alors de ne pas m'abandonner lorsque mon temps serait venu. Maintenant ce n'est plus qu'une torture et cela n'a plus de sens. " Je lui fis signe que je n'avais pas oublié ma promesse. Soulagé, il soupira et, gardant ma main dans la sienne, me dit : " Je vous remercie. " Puis il ajouta après un moment d'hésitation : " Parlez de cela à Anna. " Il n'y avait dans tout cela pas la moindre trace de sentimentalisme ou de pitié envers lui-même, rien qu'une pleine conscience de la réalité. Selon le désir de Freud, je mis Anna au courant de notre conversation. Lorsque la souffrance redevint insupportable, je lui fis une injection sous-cutanée de deux centigrammes de morphine. Il se sentit bientôt soulagé et s'endormit dans un sommeil paisible. L'expression de souffrance avait disparu de son visage. Je répétai la dose environ douze heures plus tard. Freud était manifestement à bout de forces. Il entra dans le coma et ne se réveilla plus. Il mourut le 23 septembre 1939 à trois heures du matin. »

Greenson resta sept ans en analyse avec Max Schur. Par intermittence.

Santa Monica, Franklin Street,
8 août 1962

On affirmait déjà que Marilyn Monroe avait été tuée. Dès le lendemain de sa mort avaient commencé les questions sur le rôle de son dernier psychanalyste, les insinuations d'avoir contribué au crime, les accusations de l'avoir commis. Puis, au fil des années, le portrait de Greenson noircit. Il apparaissait comme une sorte de Docteur Mabuse l'ayant manipulée jusqu'à ce que folie et mort s'ensuivent, tandis qu'Eunice était devenue la réincarnation de Mrs Danvers, l'atroce gouvernante qui terrorisait la deuxième Madame de Winter dans *Rebecca*. Les versions selon lesquelles l'analyste aurait été le commanditaire ou l'exécutant d'un meurtre furent peu nombreuses et étayées sur un ou deux témoignages peu crédibles. Les mobiles variaient : jalousie amoureuse, complicité avec les frères John et Robert Kennedy, exécution sur ordre d'un mafieux, participation à un complot communiste. Plus plausibles en revanche apparurent les scénarios qui l'accusaient d'avoir tué

sa patiente par un acte médical erroné mais involon-
taire.

John Miner voulait comprendre. La deuxième version de Greenson, qui laissait penser à un meurtre,
exonérait le psychanalyste du sentiment de culpabilité de n'avoir pas su empêcher sa patiente de mourir. Mais sa première version, celle du suicide, pouvait
aussi bien masquer sa culpabilité réelle s'il avait participé à sa mise à mort. Etait-elle morte d'une combinaison létale de Nembutal et d'Hydrate de chloral,
ou d'un mélange fatal de soin psychanalytique et de
folie amoureuse ? La principale question restait pour
Miner celle de sa participation dans un premier
temps à une mise en scène de suicide, puis au camouflage des traces d'une mort non volontaire. Ceci ne
corroborant pas nécessairement une complicité de
meurtre, sauf si l'on considère que la culpabilité
commence avec l'effacement des traces du crime,
comme l'écrit Freud dans un de ses derniers textes
que Greenson aimait à citer lorsque Miner suivait ses
cours à l'UCLA. Mais pourquoi Greenson aurait-il agi
ainsi ? Cette mort impliquait-elle un pouvoir politique auquel il était lié, un mouvement subversif dont
il était proche, un milieu qui le tenait, ou simplement
était-elle l'illustration de l'échec de la psychanalyse
qui n'avait pas pu sauver l'actrice ?

Miner appela Greenson.
— Je voudrais vous interroger, que vous me
racontiez toute l'histoire.

— Quelle histoire ? répondit l'analyste. Vous savez bien qu'il n'y a jamais une histoire. Il n'y a qu'une histoire d'histoires. Ce que je vous dirai ne sera pas l'histoire des dernières années ou des dernières heures de Marilyn, ni même cette histoire comme je l'ai vécue. Dans ce que je vous raconterai, je ne vous demanderai pas de croire que tout est vrai, mais que tout est nécessaire. Vous n'entendrez que sa voix et aussi la mienne, si je peux ajouter quelque chose à ces enregistrements qui parlent d'eux-mêmes. Ces années, les plus belles de ma vie et les plus terribles, je veux bien les revivre avec vous. Venez ce soir, à dix-sept heures, après l'enterrement.

Miner fut abrupt. À peine assis, il lança :

— Répondez-moi d'abord, pourquoi avez-vous dit d'abord : « Marilyn Monroe s'est suicidée » ?

— Ce n'est pas ce que j'ai dit quand j'ai appelé la police. J'ai dit : « Marilyn Monroe est morte d'une surdose. » Ce qui n'excluait pas qu'on la lui ait faite. Ce n'est qu'ensuite que j'ai dit qu'elle s'était donné la mort. J'aurais pu dire : « Elle s'est donné la vie. » Ils n'auraient pas compris qu'on puisse vouloir mourir parce qu'on est dégoûté non de la vie mais de la mort. De cette mort amère qu'on boit pour l'oublier, qu'on avale dans les crises d'angoisse et qui vous lève le cœur. Jamais on ne saura la vérité de cette mort, car la thèse du suicide et celle du meurtre ne s'opposent que dans les actes et les motivations conscientes. Pour l'inconscient le suicide est presque toujours un meurtre, et le meurtre parfois un suicide. Un jour Marilyn m'a dit : « Je n'ai pas peur de mourir. C'est déjà fait. » Tout le monde a peur de la mort, ai-je répondu. Nous ne savons rien d'elle. Devant cette peur présente en chacun de nous à des degrés divers, la croyance au paradis et à l'immortalité est certainement un secours. J'accepte que, désespéré et à l'agonie, on ait recours à cette idée. Mais je combats l'idée qu'on puisse vivre en escomptant cette immortalité. Nous avons tous peur de la mort, mais le meilleur moyen de l'affronter décemment est de vivre bien. Quelqu'un qui a bien vécu, qui a eu une vie riche et bonne peut affronter la mort. Il la craint, la rencontre et meurt décemment. Oui, je crois que la seule immortalité que nous puissions espérer est de vivre un temps dans le souvenir que les autres garderont de nous.

— De qui parlez-vous ? À qui ? coupa Miner, interloqué par cette évocation clinique et philosophique.

Lorsque Miner poursuivait son interrogatoire, il restait à Greenson une quinzaine d'années pour se souvenir de Marilyn et affronter sa propre mort. Lors d'un colloque organisé par l'UCLA en octobre 1971, *Les morts violentes, aperçus,* le psychanalyste donnera une conférence où il évoquera son rapport à la mort violente, donnée ou reçue. « Notre fascination pour la mort mêle des sentiments et des impulsions conscients et inconscients. Elle suscite l'effroi, le dégoût, la haine, mais elle peut aussi être séduisante, glorieuse, irrésistible. » Il cite Freud : « On ne peut se représenter la mort, la nôtre. » « C'est pour cela que les films sont pleins d'images de mort, parce qu'elle est inimaginable », ajoute-t-il.

Puis il aborde le suicide, dont il remarque l'incidence croissante, citant entre autres auteurs ceux qui avaient été chargés par le procureur de Los Angeles d'analyser la probabilité de celui de Marilyn, les Drs Robert Litman et Norman Farberow. Marilyn lui avait dit un jour : « Se tuer est une chose qui nous appartient. Un privilège, pas un péché ou un crime. Un droit, même si ça ne mène nulle part. » Greenson avait appris qu'en 1950 déjà une tentative au Nembutal s'était soldée par une note laissée à Natasha Lytess, lui léguant la seule chose de valeur que possédât Marilyn : une étole en fourrure. Il connaissait aussi la tentative en 1959 lors du tournage de *Certains l'aiment chaud,* et deux ans plus tard il s'était lui-même porté à son secours pendant *Les Désaxés,* croyant éviter de justesse un passage à l'acte.

Dans son article, citant le poète E.E. Cummings, mort la même année que Marilyn, le psychanalyste oppose mourir et être mort. Il évoque un patient qui avait tenté de se tuer pour éviter de mourir et avance que la peur de mourir peut accompagner le désir d'être mort. Il évoque aussi une patiente qui lui avait fait promettre, si elle entrait dans une maladie fatale, de rester, lui ou un autre médecin qu'elle aimait beaucoup, à son chevet, même si elle était totalement inconsciente, jusqu'à ce qu'il soit absolument certain qu'elle fût morte. Pour Marilyn aussi – il ne la cite jamais dans cet article, mais elle lui inspira peut-être ces lignes – la mort n'était qu'une forme de la solitude, un peu plus dure, un peu trop longue. Elle avait joué aux échecs contre la mort, elle avait perdu.

Ralph Greenson ne cessa ensuite de se justifier du rôle qu'il avait joué dans les derniers temps de la vie et de la mort de Marilyn, mais il semblait l'avoir oubliée, elle. À Vienne, à l'été 1971, il rencontre Paul Moor, journaliste international et musicien. Ils parlent. De musique surtout, et un peu de Marilyn. « Plus que tout, dit-il très à l'aise, elle avait besoin de cette chaleur affectueuse que notre famille lui donnait. Quelque chose qu'elle n'avait jamais connu et ne pouvait plus connaître à cause de sa célébrité » Devant la télévision allemande, il déclare peu après : « Les gens les plus beaux peuvent croire qu'on les désire, pas qu'on les aime. »

La nuit était tombée que John Miner questionnait
encore Greenson.

— Il faut me rapporter les faits. Je me charge des
interprétations, docteur, enfin, si vous permettez.

— Je vais vous raconter ce que j'ai déjà dit et
répété aux enquêteurs. Le samedi, je suis venu visiter
ma patiente vers treize heures, puis revenu reprendre
la thérapie l'après-midi de dix-sept heures à dix-
neuf heures. À minuit et demi, Eunice Murray m'a
rappelé, comme je lui avais demandé de le faire en
cas de problème. J'ai répondu après quelques sonne-
ries. « Venez de toute urgence ! » J'ai répondu que je
serais sur place dans une dizaine de minutes.

« La chambre était fermée à clef et sous la porte on
voyait que la pièce était éclairée. J'ai dû ressortir de la
maison pour regarder par la fenêtre, fermée elle
aussi. J'ai pris un tisonnier et cassé le carreau de la
fenêtre sans grille. Passant la main, j'ai tourné la poignée et me suis hissé dans la pièce. Marilyn était

allongée, nue, le visage tourné vers le drap. Les draps étaient bleus. Elle tenait encore le combiné de la main droite, ce téléphone qu'elle a souvent appelé devant moi son « meilleur allié ». J'ai ensuite ouvert la porte pour permettre à Mrs Murray de me rejoindre.

Miner s'étonna de deux détails. On ne pouvait voir la lumière allumée filtrer de la chambre car une haute moquette masquait l'espace sous la porte, et aucun verrou ne fermait la chambre : Marilyn depuis l'internement psychiatrique à New York ne l'aurait pas supporté. Il supposa que Greenson était bouleversé et se souvenait mal ou qu'il changeait les éléments de la scène qui ne cadreraient pas avec un bon scénario. Le rai de lumière inquiétant, le contournement de la chambre close par la terrasse dans l'obscurité, l'éclatement par un geste héroïque du sauveur de la baie sur laquelle l'œil de la piscine fait danser des reflets bleutés, tout cela n'était pas nécessaire pour porter secours à l'actrice morte, mais cela formait une belle séquence d'extérieur nuit. Le psychanalyste n'avait peut-être pas quelque chose à cacher. Il avait sûrement quelque chose à montrer. John Miner ne le poussa pas dans ses retranchements.

Greenson interrompit son récit. Il garda pour lui la suite de ses pensées. J'ai cassé la vitre, comme elle m'avait raconté l'avoir fait lors de son hospitalisation à New York. J'ai fait le même geste. Pourquoi avait-elle jeté cette chaise ? Pour sortir de la chambre, ou pour entrer en elle-même, pour franchir le miroir

brisé? Pourquoi ai-je cassé la fenêtre du jardin? Pour
voir enfin cette femme dont la mort me tuait, dont le
corps m'amenait à détourner le regard? Pour aller
moi aussi à l'envers des choses? Qu'est devenu notre
échiquier après sa mort? Hanté par ses souvenirs
blancs et noirs, Greenson repensait à l'échiquier de
verre. Si je racontais vraiment ce qui s'est passé, je
ferais un récit que j'appellerais *La Mort dans la vie de
Marilyn*, à la manière de Schur. Ou bien : *La Défense
Marilyn*, comme Nabokov. Ce ne serait pas une vraie
histoire, une vie racontée de l'enfance à la mort. Plutôt un ensemble de points sans ordre. Un problème
d'échecs montrant les déplacements des pièces sur
les cases. Un réseau d'actes, de réactions, de coups,
de fautes, d'erreurs, de trahisons, d'égoïsmes, de pardon impossible. Le tout sous le regard d'un dieu
improbable. Et c'est dans le silence entre les mots
que se tiendrait la vérité.

Agacé de ce silence contrit, Miner relança :
— Pourquoi avoir cherché à rencontrer le toxico-
logue R.J. Abernethy avant qu'il rédige le rapport
qu'il m'a remis le 13 août, et l'avoir immédiatement
induit vers la thèse du suicide?
— Elle n'a pas voulu mourir. Elle avait trop de
projets. Les gens qui ne se ratent pas quand ils se
tuent sont des gens au bout du rouleau.
— Qu'est-ce que c'est que cette histoire de carnet
intime qui aurait disparu dans le grand nettoyage de
sa maison après son transport à la morgue?
— Rouge. Le carnet rouge. Rouge comme moi et
mes amis crypto-communistes. Ça fait plus vrai dans

le scénario. Rouge comme le sang versé. Ça fait mieux en Technicolor.

— Si je vous dis : « Qui a tué Marilyn Monroe ? »

— Je ne sais pas. La psychanalyse a dû jouer un rôle. Elle ne l'a pas tuée, comme disent les anti-freudiens et les antisémites, mais elle ne l'a pas aidée à survivre.

Greenson ne put en dire plus à Miner, mais on retrouva dans ses papiers posthumes cette note probablement de la fin de l'été 1978.

Je n'écrirai jamais « Le cas MM ». Les mots me manquent. Comme dans certains films, quand les images sont trop fortes, je n'entends rien.

Comme on se trompe sur soi-même ! L'autoanalyse est impossible. On m'a reproché – et je me suis reproché – d'avoir pris Marilyn à l'intérieur de ma famille, d'en avoir fait une parente. Est-ce moi qui l'ai tuée ? Est-ce la psychanalyse, comme on commence à le dire ? Quand on dit qu'elle a été tuée par la trop grande emprise de ma famille sur elle, on ne voit pas qu'il s'agissait peut-être de mon autre famille, celle des psychanalystes. La famille Freud et associés.

Je cherche à comprendre les parentés, les liens au sein de la filiation dans laquelle j'ai pris Marilyn sans le savoir moi-même et sans qu'elle le sache, bien entendu. Les fautes des pères rejailliraient-elles vraiment sur les enfants ? Jusqu'à quelle génération ?

Je tenterai de décrire la famille psychanalytique dans laquelle j'ai été pris avec elle. J'ai besoin d'un graphique. Pour tenter d'y voir clair, il me faut des schémas, des dia-grammes. Un reste de formation ou de déformation scientifique. Ou bien le besoin d'explorer, de visualiser

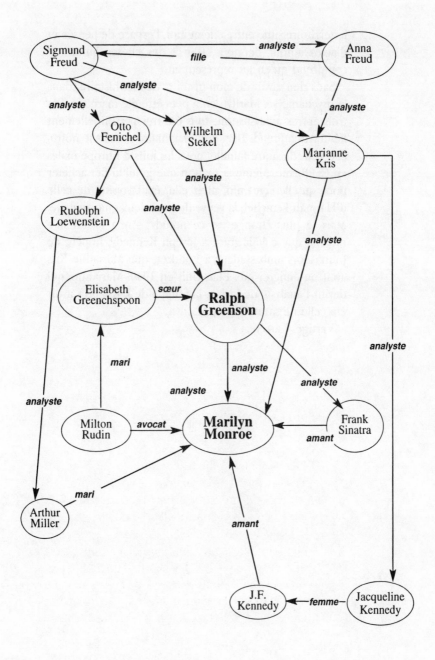

le territoire situé entre elle et moi, l'espace de pensée et d'actes autour de nous. Il y a des choses qu'on ne comprend qu'en les représentant.

Sans rien savoir de mon histoire, de mes histoires dans la psychanalyse, Marilyn en a peut-être été marquée. Ses trois autres analystes ont tous été très personnellement liés à Anna Freud. Dans son imaginaire et dans le nôtre, elle était de notre famille, nous les juifs d'Europe exilés en Californie. Même la maison que je lui ai fait acheter pour qu'elle soit enfin chez elle, était voisine de celle d'Hannah Fenichel, la veuve de mon deuxième analyste. Mais le plus étrange est ce nœud : Anna Freud m'a raconté que c'était grâce à Joseph Kennedy, le père de John, alors ambassadeur à Londres, que Marianne Kris avait pu émigrer aux Etats-Unis en 1940. Marianne, qui devint l'analyste de Jackie, la femme de JFK, après avoir été celle de sa maîtresse, Marilyn.

Vertige. J'arrête.

Beverly Hills, Roxbury Drive,
novembre 1978

— Milton, tu veux bien lire ce que j'ai commencé d'écrire sur notre star? demanda Greenson.

— Tu ne pourras rien en dire. Pas toi, surtout pas toi. Tu es encore dedans. N'espère pas t'extraire de cette histoire et en trouver la vérité. Il y avait là une constellation d'affects et d'intérêts, de personnes et de relations. Elle et toi vous vous êtes emprisonnés dans la psychanalyse.

— Pas besoin que tu me rappelles les liens, j'ai retracé moi-même les places et les figures. Tu ne sais pas tout. Regarde...

— Etrange, ta façon de parler. Un analyste dirait plutôt : « Ecoute ! » mais passons.

— Ecoute ! si tu veux, et ne m'interromps pas ! Marilyn fut analysée par Marianne Kris, qui avait auparavant été analysée par Anna Freud, qui analysa aussi Marilyn brièvement. Anna Freud avait été analysée par son père, qui avait aussi été l'analyste de Marianne Kris, d'Otto Fenichel et de Wilhelm Stekel.

Ces deux derniers ont été mes analystes et je suis donc doublement « petit-fils de Freud ». Fenichel a été l'analyste de Rudolf Löwenstein, lui-même analyste d'Arthur Miller, le troisième mari de Marilyn. Moi-même, j'étais l'analyste de Frank Sinatra, son amant. C'est dans ce milieu que Marilyn a été analysée.

— Tout cela n'est pas un milieu, coupa Wexler, c'est une structure. Je veux dire que ce ne sont pas des coïncidences sociologiques, mais des liens psychiques incestueux, qui tissent une trame, un filet, un réseau, appelle ça comme tu veux, à l'intérieur duquel la vie psychique et les cures de Marilyn se sont déroulées. La mort de ta patiente a fait éclater le système. J'ai longuement médité sur cette photo prise sur le yacht *Manitou* quatre jours après son enterrement. Le président JFK est là, son beau-frère, Peter Lawford et sa sœur, Patricia Kennedy, grande amie de Marilyn, et puis Pat Newcomb, qui à la fin s'occupait je crois de ses relations avec les médias et avait passé avec elle son dernier matin. Eh bien, si l'on regarde ces rangées de dents blanches, ces sourires de personnages posant sous la bannière étoilée des Etats-Unis, on comprend bien les choses. Un, tu n'es pas sur la photo. Deux, tu aurais pu la prendre, car c'est toi qui faisais le lien entre tous les personnages. Trois, quelque chose de tragique allait dissocier ce que Marilyn avait rapproché. Les étoiles allaient se disperser dans la mort.

Ce furent les derniers mots que Greenson entendit de Wexler. Les mois qui suivirent, il cessa de le voir et de lui parler. Il n'aurait pas su dire pourquoi.

« Le cas Marilyn », ni Greenson ni Wexler n'auraient pu le raconter, l'objectiver, le tenir pour vrai. Il n'a été, comme tous les cas relatés par des psychanalystes, qu'une fiction, une spirale d'interprétations, un parcours cent fois revisité en tous sens. Nul n'empêchera d'autres informations de remettre en cause les faits, de remêler les cartes, de fragmenter le récit en nouvelles, en opinions, en imprécisions. Une légende. Une histoire n'est vraie que lorsque quelqu'un y croit, et elle change de contenu à chaque narrateur. Un cas clinique n'est pas un roman racontant ce qui s'est passé, mais une sorte de fiction que l'analyste donne de lui-même. La vie de l'analyste n'est pas détachable du cas du patient. Elles s'entrecroisent et ce qui en est dit publiquement est tout autre que ce qui s'est passé en privé. Même lorsque ce qui restait privé devient public, on ne s'approche pas de la vérité. Ce qui était déjà connu s'altère simplement de ces nouveaux éléments et forme une nouvelle version de la légende. À la fin, ce qui se sera vraiment passé, personne n'en saura rien. La psychanalyse ne dit pas la vérité des êtres qui s'y engagent. Elle leur donne un récit vivable de ce qu'ils sont et raconte comment les choses pourraient s'être passées.

Los Angeles, Hillside Memorial Park Cemetery, novembre 1979

Face au journaliste qu'il avait chargé de rédiger avec lui ses Mémoires, Wexler commença son récit d'une voix lente.

— Avant de dépasser la ligne fatale (j'ai près de quatre-vingts ans), je regarderai dans un petit miroir ce qui s'est passé de si confus, drôle et pathétique dans les « Années Marilyn ». Vous n'avez pas idée de ce qu'était la psychanalyse à Hollywood. Quand les réalisateurs étaient sur nos divans, nous écrivions pour eux des scénarios. Freud pensait que ses histoires de cas pouvaient être lues comme des romans, Romi – Ralph Greenson – voulait que ses cures ressemblassent à des films qu'il aurait mis en scène. Moi, j'ai préféré raconter, scénariser directement, mettre un peu en scène. J'ai une dette envers lui. Je dois le dire. C'est lui qui m'a introduit dans le monde du cinéma. Souvent, le dimanche, nous allions prendre un brunch chez l'écrivain et producteur Dore Schary, où se retrouvait toute la crème de Los Angeles. Nous sommes vite devenus amis et nous avons décidé de partager les mêmes locaux professionnels. Ceci nous permettait de travailler ensemble, de comparer nos cas et parfois de signer des articles de nos deux noms. Quand Romi partait en vacances, je le remplaçais.

— Parlez-moi de lui.

— J'y venais. J'ai eu souvent envie de faire un film qui montrerait un analyste de stars dans le Hollywood que j'ai connu, au temps où la Société psychanalytique me persécutait. Je ne suis pas persuadé que ça passionnerait les foules aujourd'hui, sans parler d'un producteur. Un film ? Avec qui ? Pour qui ? Pourquoi ? Mais si je le faisais, j'ouvrirais sur un survol d'une mer de parapluies d'où émergerait un crâne chauve, le mien. Plus entêté que la pluie, je saluerais, à ciel ouvert, l'ami perdu. Enfin, ça fait longtemps qu'on s'est perdus. Ça ne date pas d'hier.

« Hier, l'enterrement de Roméo dans le Hollywood Forever Cemetery sur Santa Monica Boulevard a été une farce, comme tous les enterrements. En y assistant, j'ai pris un plaisir amer à repasser mes vieilles images, et à chercher à me ressouvenir de notre dernière rencontre. J'avoue que ma vision est brouillée. Rassurez-vous, c'est l'âge, pas les larmes. Je suis aveugle. Cliniquement, ma vision est nulle. Un psychanalyste aveugle, après tout, c'est pousser son complexe d'Œdipe jusqu'à son terme. Vous n'imaginez pas combien la vue me manque peu. Les films, je ne les regarde plus, je m'en souviens.

« Si je faisais un film sur la cérémonie d'hier, ça donnerait à peu près ça. En incrustation : NOVEMBRE 1979.

Plan général du cimetière, puis, *cut*, gros plan sur la plaque d'une tombe. RALPH GREENSON. Une voix d'homme vieillie, *off* : " On m'appelait Romi. J'ai voulu reposer là, dans le cimetière des stars. Elle, elle est à Westwood Memorial Park Cemetery. Je ne suis jamais retourné devant sa plaque. Je n'ai pas comme elle ma paume en creux sur le ciment de Hollywood Boulevard ni mon étoile de bronze scellée dans la pierre du *Walk of fame*. Je suis une étoile de deuxième grandeur, pas de celles qu'on voit longtemps après leur destruction. "

La veille, par un jour brumeux, Milton Wexler avait dit adieu à Ralph Greenson. Jusqu'au bout soucieux d'apparences, d'images et de symboles, il avait tenu à ce que le Hillside Memorial Park Cemetery abrite sa dépouille dans le mausolée, parmi d'autres célébrités du cinéma. Wexler pensait que la seule chose qu'on pouvait faire avec un ami mort, c'était le détester, lui en vouloir d'être parti, lui dire les mots méchants qu'on n'avait pu lui dire de son vivant. Lorsqu'il vit encastrer dans le mur l'urne qui contenait les cendres de Romi, il éprouva trop de haine mêlée à de la tendresse pour se dire qu'il avait perdu un ami.

Pauvre Romi, pensait-il en revenant du mausolée où l'on avait mis Greenson sous marbre noir. Il n'a pas compris grand-chose à cette histoire et nos collègues psychanalystes n'ont pas compris grand-chose à son destin. L'écho de l'hommage prononcé par Robert Stoller ne s'était pas encore éteint.

Du premier au dernier article nous retrouvons ce style original, malicieux, doux, provocant, choquant, érudit, drôle, empathique, chaleureux, puissant, indiscret, constant, modeste, décapant, exhibitionniste, timide et courageux. Même un étranger était frappé par l'incroyable présence de Greenson, car il ne pouvait penser et écrire qu'en puisant en lui-même, en recherchant dans les sources de sa vie psychique une expérience sentie et vécue. Seulement de ce puits mystérieux et abondant il pouvait tirer sa théorie.

Un jour, une catastrophe le frappa : il fit une embolie. Immédiatement se ferma en lui la capacité de communiquer avec des mots. Pendant quelques mois, il ne put parler, écrire ou lire. Le plus terrible fut qu'il perdit ce qui à ses yeux était sans prix : il ne pouvait plus rêver. Avec ses médecins, il retrouva la volonté et la vigueur. Il réapprit à lire, à parler, à écrire. Un jour en se réveillant, il se souvint d'avoir rêvé à nouveau. Après cela, il put revenir quelque temps à ce qui avait toujours été son plus grand plaisir : le travail clinique. Et son plus grand don : la pensée et l'écriture sur la nature de la psychanalyse. Mais la parole ne redevint jamais tout à fait normale, même si, non sans courage, il continua à donner quelques conférences, à discuter les articles des autres et à participer à des tables rondes.

Il fut forcé petit à petit de renoncer, car son cœur ne pouvait plus supporter cela. Finalement il ne lui resta rien. Le travail et l'amour, telle fut la devise de sa vie. Avec un addendum : pour quelqu'un qui a bien vécu sa vie, le travail est amour.

— Un travail d'amour, soit, reprit Wexler, regardant tourner le magnétophone du journaliste. L'analyse c'est un peu ça. Beaucoup ça. Mais on se demande toujours : pour qui le patient prend-il son thérapeute dans le transfert, et moins : pour qui le thérapeute se prend-il lui-même dans le contre-transfert : le père, la mère, l'enfant de son patient ? Romi n'était pas un humaniste bonasse. Un peu le contraire du portrait qu'a fait Stoller hier. Il pratiquait non la cure par la parole, mais la cure par le drame, le tragique. C'était un violent, un tigre qui aimait serrer une proie, un loup qui montrait trop ses larmes pour qu'on y croie. Il répétait souvent cette phrase étrange : « Rien n'est plus difficile que de faire croire à un sentiment que l'on éprouve vraiment. » Il ne croyait en rien. Il ne croyait qu'en sa capacité de faire croire. Rien n'était sacré pour lui, ni l'analyse, ni la psychiatrie, ni la psychologie, ni les relations sociales ordinaires. Il questionnait tout, osait tout. Il attirait par son mépris des règles et des limites. C'était un acteur, toujours en scène, qui récrivait toujours son rôle. Un joueur. Voilà ce que j'aurais dit sur sa tombe, si on m'avait demandé un discours.

— Et son analyse de Marilyn Monroe ?

— Ces derniers temps, un mot revenait souvent dans ses paroles un peu confuses : « affliction ». Il m'avait reparlé de son adaptation du *Tendre est la nuit* de F. Scott Fitzgerald au cinéma. L'histoire d'un psychanalyste et d'une femme folle, comme vous savez. Deux vies qui se détruisent l'une l'autre. En vérité, il ne comprenait pas ce qui s'était passé entre lui et sa patiente. Peut-être a-t-il été trop médecin, trop homme du corps, pour écouter la souffrance de Marilyn sans désirer y porter remède à tout prix.

Trop comédien aussi pour être jusqu'au bout psychanalyste. Mais il y a autre chose, je crois. En chacun de nous, les mots et les images sont en conflit. Peut-être Marilyn a-t-elle été à la fin libérée de son besoin de n'être qu'une image. Peut-être chez Romi les images ont-elles fini par l'emporter. Lui aussi, il aurait voulu faire ça : des films, en tant qu'auteur, artiste. Mais il n'a pas osé, ni alors ni ensuite. Il donnait ses avis depuis la coulisse, glissant une suggestion de modification du dialogue, récusant un cadrage, tentant d'imposer tout un plan, récrivant une adaptation. Les scénaristes et les réalisateurs s'irritaient mais devaient accepter ces petites incursions du « Cher docteur » dans la composition d'images dont sa patiente était l'objet plus que le sujet. Romi a été terrassé par les images. Vous savez que les mots l'avaient quitté, les derniers temps. Le destin est cruel : à lui, il a envoyé le silence, à moi la nuit. La parole et le rêve, les deux versants entre lesquels se partage et se déchire la psychanalyse nous ont appelés quand la mort s'est rapprochée. Les images l'ont pris, et à moi il ne reste que le son des voix. Ecrivez ! Ecrivez ça ! C'est bien dit, non ?

— Si vous me parliez d'elle ? interrompit le journaliste. Je crois que vous l'avez aussi soignée quelque temps.

Wexler se tut un instant, puis reprit son souffle.

— Je suis le survivant d'une sale histoire, comme toutes les histoires, faite de rêves et d'argent, de pouvoir et de mort. Pauvre Romi ! Il aurait aimé avoir le premier rôle, ou au moins le second, être le partenaire de la star. Il ne s'est pas rendu compte qu'il allait devenir un figurant dans la vie de Marilyn, seulement un figurant. De premier plan, certes : le dernier à parler avec elle de son vivant et le premier, que l'on sache, à la voir dans la mort. Second rôle, je suis injuste : avant de la prendre en analyse, il était déjà une star dans le circuit des conférences pour intellectuels et son divan s'imposait à quiconque revendiquait de faire partie de l'élite du cinéma. Mais la mort de Marilyn l'a cassé. Après, il a survécu, mais il n'a plus jamais été le même. Il y avait eu entre eux quelque chose de secret, une sorte de pacte de passion, dans lequel chacun semblait dire à l'autre. « Je ne mourrai pas tant que je resterai sous ton emprise »

Au lendemain de la mort de Greenson, son fils laissa à Milton Wexler le soin de trier ses papiers avant de les expurger et de les archiver au département de psychiatrie de l'UCLA. Wexler passa des jours à lire et relire. Dans un des classeurs recueillant soigneusement les brouillons des articles publiés ou serrant en vrac des notes éparses, parmi des notes prises sur des centaines de séances de dizaines de patients, il lut ces notes que son collègue semblait avoir prises pour se préparer à un interrogatoire.

« C'est en janvier 1960 que Marilyn Monroe est venue me consulter. Elle me dit que j'étais son quatrième analyste, mais son premier " analyste mâle ". Je ne savais pas que je serais le dernier (je ne compte pas Milton Wexler qui me remplaça auprès d'elle quelques semaines au printemps 1962). Elle se trou-

vait alors dans un état physique et psychique si délabré que je compris que la partie serait disputée et
que... »

Manquaient une ou plusieurs pages.

Wexler se souvint. Romi comparait souvent la psychanalyse au jeu d'échecs. Un jour qu'il l'ennuyait
avec ses métaphores d'ouverture, de fourchette et
autres gambits, devant l'air distrait de son collègue,
Greenson avait explosé :

— Mais tu sais, c'est Freud lui-même qui rapproche la cure d'une partie d'échecs. Tu veux que je
te lise ce qu'il écrit ?

Il fonça dans son bureau et revint quelques
minutes après, dans son poing une page froissée, sans
doute recopiée en vue d'un article. Il déclamait
presque :

— « Celui qui tente d'apprendre dans les livres le
noble jeu des échecs ne tarde pas à découvrir que
seules les manœuvres du début et de la fin per-
mettent de donner de ce jeu une description schéma-
tique complète, tandis que son immense complexité,
dès après le début de la partie, s'oppose à toute
description. Les règles auxquelles reste soumise
l'application pratique du traitement psychanalytique
comportent les mêmes restrictions. » Sigmund Freud,
1913, ponctua Greenson, très exalté, et curieuse-
ment, presque au bord des larmes.

Il poursuivit sa lecture devant un Wexler médusé :

— « Il est trop triste de savoir que la vie ressemble
à une partie d'échecs, où un coup mal joué peut

nous obliger à donner la partie pour perdue, à cette différence près qu'il n'y a pour nous aucune possibilité de seconde partie ou de revanche. » Sigmund Freud, 1915.

Wexler n'écoutait plus. Il sortit du bureau en claquant la porte.

Après des années qu'il ne voulait plus compter, devant la liasse de papier en désordre, s'arrachant à sa rêverie, Milton Wexler s'abandonna dans le noir à des idées qu'il n'avait pu formuler ni du temps de Marilyn ni devant Greenson. Il pensait au jeu d'échecs. Il voyait la démarche fringante du cavalier, bondissant au-dessus des cases qui lui sont destinées, avançant en deux mouvements, l'un vertical et l'autre horizontal, et arrivant toujours sur une couleur différente de celle de départ. Il pensait à la figure de la reine noire que Marilyn laissait entrevoir du fond de cette conscience implacable qu'elle avait de l'horreur de vivre. De sa mère, Marilyn avait reflété la quête de la perfection sexuelle, l'art d'attraper les hommes et de les jeter après usage. Et aussi l'angoisse de vieillir, l'écart entre ce qu'elle était et ce qu'elle continuait de voir au fond du miroir. Comme sa mère, elle a dû être paniquée devant la perte de la désirabilité à laquelle est condamnée la femme qui devient mère. Greenson n'avait pas pris la mesure de ces répétitions entre ce qu'elle jouait dans *Quelque chose doit craquer* et ce qu'elle avait vécu avec sa mère autrefois. Le sens des scènes à filmer faisait écho à sa vie passée mal vécue et mal oubliée. La scène du retour de la mère disparue, l'une des seules qu'elle avait tournées lorsque, abandonnée par son analyste, elle était venue consulter Wexler, était l'image inversée de cette autre scène : un jour elle avait vu sa mère, qu'elle croyait morte, revenir de l'asile où elle était internée.

Peut-être, pensait Wexler, devenir mère avait fait basculer Gladys Baker dans la folie. Peut-être, ne pas être devenue mère à trente-six ans avait rendu Marilyn Monroe folle quand elle avait dû jouer pour la première fois dans un film le rôle d'une mère ? Une mère que ses enfants ne reconnaissent pas et qui ne se fait pas reconnaître d'eux. On a dit qu'elle était enceinte au cours du tournage, et qu'elle se fit avorter après avoir été renvoyée. On a dit qu'elle ne savait pas de qui aurait été l'enfant. On a tant dit de choses, comment savoir ?

La partie d'échecs entre la star et l'analyste s'était finie sans vainqueur. Qui tua Marilyn ? Pas Romi, pensait Wexler. Trop lâche pour ça. Alors, qui ? Norma Jeane, comme on l'a dit, ou sa mère, Gladys ? L'histoire de Marilyn commence par une plaque de verre à travers laquelle une femme en regarde une autre. Petite Norma Jeane guette par une vitre sa mère venue la chercher dans la famille adoptive où elle l'a placée. Un miroir, ensuite, où la mère se regarde et interroge sa beauté, dévisageant la femme qu'elle est. Un autre, ou le même, dans lequel la petite fille qui ne sait pas de qui elle porte le nom regarde sa mère se regarder. Quand l'histoire se poursuit, des pièces en verre se déplacent en silence sur un échiquier en verre. C'est comme dans les contes de fées. Blanche Neige et sa mère.

Tout au long de la partie s'affrontent la reine des blancs (pas encore reine mais qui rêve) et la reine des noirs (pas encore dans la nuit de la folie, mais dérangée d'avoir vu les images des films sous leurs négatifs des années durant). Peut-être est-ce pour cela qu'elle voulait qu'on dise qu'elle était blond platine. Pour ne pas ressembler à Blanche Neige, peau pâle, lèvres de cerise ou de sang, sourcils et chevelure noirs ? Elle n'a pas le choix, devient une jeune femme terrifiée quand l'œil de verre de la caméra ne la désire pas et affolée lorsqu'il la fixe. Elle a comme seule ressource de se projeter sur l'écran, miroir où elle se rêve. Dans les contes, qui tue la beauté enfuie que la mauvaise femme regarde dans le visage de sa fille ? La mère, avec le peigne empoisonné, ou bien, quand elle aura l'âge, la pomme du péché qui apporte la connaissance et la sexualité, et avec eux le travail, la peine et la mort ? Qui a gagné, la reine blanche ou la noire ? Un jour, Marilyn avait noté dans son carnet : « Le blanc est la passivité, passivité de qui est regardé, de qui est piégé. Le noir est la pupille de l'œil, l'écran à la fin du film, le cœur de l'homme qui vous quitte pour dormir ou partir. »

S'arrachant à sa rêverie, Wexler revoyait Romi mourant. Parmi des murmures incompréhensibles, on l'entendit dire ces mots : « Pas la reine blanche... deux cavaliers noirs... diagonale... fou... »

Santa Monica, Franklin Street,
8 août 1962

Plus qu'en colère, devant les questions insistantes de Miner, Greenson semblait écœuré, triste, vaincu. Sans un mot, il déclencha la première bande devant l'enquêteur perplexe. « Depuis que vous m'avez accueillie chez vous et permis de rencontrer votre famille, disait la voix de Marilyn, je pense que ce serait bien d'être votre fille, au lieu de votre patiente. Je sais bien que c'est impossible pendant que je suis votre patiente, mais une fois que vous m'aurez guérie, peut-être que vous pourrez m'adopter. Du coup, j'aurais le père que j'ai toujours voulu avoir et votre femme que j'adore pourrait devenir ma mère. Non, docteur, je ne vous forcerai pas. Mais c'est beau d'y penser. J'imagine que vous savez que je pleure... » À ce passage, Miner vit que le visage du psychanalyste était couvert de larmes. Il lui proposa d'interrompre l'enregistrement. Le psychanalyste haussa les épaules.

— Vous étiez très lié à elle, docteur. Comment réagissez-vous à sa disparition ?

523

— Vous ne comprenez pas. Vous ne pouvez pas comprendre qu'elle m'a à la fois libéré et condamné. Je l'ai perdue au moment où elle m'avait presque rejoint. Le langage bougeait en elle. Elle me parlait, enfin. Après presque trois ans où elle n'avait fait que parler devant moi. Elle regardait la vie en face et non plus cette route noire en arrière d'elle-même...

— Qu'est-ce que vous gardez d'elle?

— Ce que je garde d'elle? Je vais vous dire : pas son image, dont je devais détourner les yeux et qui me faisait mal comme seule peut le faire la beauté. Non, pas son image, sa voix. Cette voix mélancolique de fantôme chantant deux refrains de *Happy Birthday, Mr President.* Je l'ai réentendue hier sur les images que toutes les télévisions ont rediffusées. Vous savez, en psychanalyse, nous n'avons affaire qu'à des voix. Ce n'est pas pour rien que Freud a inventé ce dispositif étrange qui sépare le corps du patient en deux. D'un côté son image, son volume, sa façon d'occuper l'espace, et de l'autre sa voix portée à notre oreille, et qui marque sa trace dans le temps d'autant mieux que l'image est absente. Une analyse, c'est un peu comme le cinéma d'avant le parlant : des scènes muettes suivent les intertitres sur fond noir. Les mots font naître les choses. Ce n'est pas pour rien non plus que j'ai été si réticent devant les films qui voulaient montrer la psychanalyse, donner à voir l'invisible travail des mots. Ce n'est pas pour rien non plus – le destin fait bien les choses – si nous n'avons comme traces de Freud que, d'un côté, des images sans paroles, des heures de pellicule muette, et de l'autre, des entretiens enregistrés pour la radio.

Greenson se faisait véhément :

— Ce n'est pas pour rien que ces bandes que vous venez d'écouter, Marilyn Monroe les avait enregistrées dans le noir, la nuit, et qu'elle n'avait pas utilisé sa séance pour dire ces choses tandis que je voyais sa personne. Marilyn savait ça : le réel est dans la voix quand elle se délie des images. Un jour, elle m'a dit : « Il n'y a pas besoin d'utiliser sa voix dans un mode spécial. Si vous pensez à quelque chose de sexuel, la voix suit naturellement. » Elle avait deux voix en fait, celle de ses films, apprise, conquise, ce murmure haché, ce souffle désarticulé qui franchit les lèvres comme on sort du sommeil, à bout de rêves. Et puis l'autre, qu'elle prenait hors écran, posée, plus claire. Dans ses séances, elle passait de l'une à l'autre. Vers la fin elle n'utilisait plus sa voix d'actrice. Même dans son dernier film, elle garde à l'écran sa voix de ville.

Le psychanalyste se reprit et plus calme, poursuivit son monologue.

— En elle, depuis le début s'est joué un drame entre la voix et la peau. Elle croyait que sa peau seule, vue, touchée, meurtrie, pouvait parler. Je ne sais pas. Je ne sais pas ce qui s'est passé, mais au risque de vous choquer, je crois qu'elle allait mieux, les derniers temps ; qu'elle commençait à parler. Mais je vous ennuie avec mes histoires. Je vous laisse avec elle, avec sa voix sans images. Ecoutez et réécoutez ces bandes ! Je vais retourner à mes patients. Prenez des notes si vous l'estimez utile, mais ne les emportez pas !

Sans un mot, Miner s'installa dans un fauteuil, face
à la baie vitrée qu'éclairait le couchant. Marilyn était
enfin hors de vue. On pouvait entendre ses vérités
sans les voiler par le regard que sa beauté appelait
toujours. L'enquêteur allait passer et repasser la dernière bande. Il appuya sur la touche REWIND.

Los Angeles, Downtown, West 1st Street,
avril 2006

Dans l'immeuble entièrement illuminé du *Los
Angeles Times*, Forger Backwright restait seul, assis à son
ordinateur. Après avoir réécouté l'enregistrement du
récit de John Miner, il avait décidé de publier le
contenu des dernières séances de Marilyn et de ne pas
mettre en doute la véracité de la transcription que
l'ancien adjoint au coroner disait en avoir faite. Il ne
précisa pas dans son propos liminaire que Miner
s'était affranchi envers Greenson du secret promis,
non pour réhabiliter sa mémoire, mais parce qu'il tra-
versait des difficultés financières. Backwright ne révéla
pas que le vieil homme avait négocié âprement la ces-
sion de ses souvenirs. Il ne dit pas qu'il mettait en
doute ce que ces dernières séances faisaient dire à
Marilyn, et surtout la tonalité claire et pleine d'espoir
de ses confidences à son psychanalyste. Il n'insista pas
sur leur trop grande concordance avec ce que le
Dr Greenson n'avait cessé de dire et d'écrire. En laissant entendre : « On l'a tuée », les bandes disaient

entre les lignes : « Elle ne s'est pas tuée » et entre les mots : « Je ne l'ai pas tuée. » C'était moins sur le portrait d'une Marilyn radieuse d'optimisme que le journaliste était sceptique, que sur celui, dessiné en creux, d'un Greenson indifférent à l'argent, fidèle époux, analyste engagé, père attentionné d'une petite fille perdue et retrouvée.

Sur Marilyn non plus Forger Backwright n'avait aucune certitude. Il recommença au début le visionnage du film qu'il avait réussi à télécharger sur *E-mule*, après l'avoir cherché longtemps sur *BitTorrent*. Marilyn en combinaison noire faisait des choses sales dans la lumière tremblante d'une pellicule rongée par le temps. Il pensa que c'était étrange. Si c'était elle, si cette séquence pornographique avait vraiment été tournée par Marilyn Monroe à l'époque où elle n'était que Norma Jeane Mortenson, elle faisait plus vieille sur ce film où elle n'avait pas vingt ans que sur celles où elle se dénudait devant une caméra quinze ans plus tard dans la dernière prise de *Quelque chose doit craquer*. La peau des films est comme celle des femmes : le temps l'accable l'affaisse. La mort affleurait déjà sur ces vieilles images. Mais pour dire le sexe et son malheur elles étaient décidément moins parlantes que les mots.

Devant les images qu'avaient fait surgir en lui l'écoute des bandes sur Marilyn et la lecture des milliers de pages écrites sur ses dernières années, Backwright se trouvait comme un monteur de cinéma, tentant de construire avec des bribes sans queue ni tête un récit avec un début et une fin. Il savait que la vérité ne se trouvait que dans ces contradictions entre prises différentes de la même scène, dans ces fragments de dialogues coupés, ces chutes exclues au *final cut*, ces faux raccords de plans, ces mouvements tronqués de la caméra. Il ne chercherait pas à tisser le fil interminable d'une intrigue superflue et espérait seulement que son livre pourrait se lire dans un ordre ou à rebours, en sautant des tronçons pouvant exister à part, ou dans la continuité qui leur donnerait un autre sens.

Le journal du matin était bouclé, mais ce n'était plus pour y travailler que le journaliste restait assis au cœur de la nuit devant son écran. Backwright avait décidé de garder pour lui ses questions et de leur donner la seule forme qui puisse approcher une vérité. Il relisait la première page du roman qu'après avoir étudié les souvenirs et les enregistrements confiés ou inventés par John Miner, il avait commencé huit mois plus tôt. Il allait terminer ce roman. Dérouler toute cette sombre histoire. Il n'était pas sûr du titre : MARILYN DERNIÈRES SÉANCES ? Il verrait.

Il revint à la première page du manuscrit qui s'afficha sur l'écran et relut.

Los Angeles, Downtown, West 1st Street, août 2005

Remettre la bande à zéro. Recommencer toute l'histoire. Repasser la dernière séance de Marilyn. C'est toujours par la fin que les choses commencent.

En titre, Forger Backwright ajouta : REWIND.

LECTURES

Comme la plupart des auteurs de livres sur Marilyn Monroe, l'auteur n'a pas eu accès aux sources privées pour consulter les lettres et documents concernant les deux personnages principaux de ce livre.

À la Bibliothèque du Congrès de Washington où est archivée la correspondance entre Marianne Kris et Anna Freud, toutes les lettres relatives à leur patiente commune sont « hors consultation ». À la Bibliothèque de l'University of California Los Angeles, celles échangées entre Ralph Greenson et les deux analystes précédentes ne sont pas communicables. À la Bibliothèque de la Los Angeles Psychoanalytic Society, tout ce qui concerne l'analyse de Marilyn est inaccessible.

Les mots prêtés ici à Marilyn Monroe dans et hors de ses séances ont été rapportés par différentes sources (biographies, entretiens). Ceux prononcés sur les bandes que le Dr Greenson aurait détenues sont cités d'après leur transcription dans l'ouvrage de Matthew Smith, *Victim, The secret tapes of Marilyn Monroe*, et dans l'édition du *Los Angeles Times* du 5 août 2005.

Les propos cliniques ou théoriques tenus par le Dr Greenson sont extraits de ses ouvrages publiés ou de ses archives confiées à l'University of California Los Angeles. Donald Spoto, biographe de Marilyn Monroe, a pu les consulter et elles sont ici citées d'après l'édition américaine de son ouvrage. Il en est de même de la longue lettre de Marilyn au Dr Greenson de février 1961. Tous ces textes sont ici cités dans ma traduction.

Les souvenirs de Billy Wilder ont été confiés à Cameron Crowe dans un livre d'entretiens.

Si les dialogues, propos et lettres sont parfois inventés par l'auteur de ce roman, le plus souvent ils sont retranscrits fidèlement des articles ou des livres cités dans la liste de lectures ci-dessous.

EVE ARNOLD, *Marilyn Monroe*, Editions de La Martinière.

GEORGE BARRIS, *Marilyn, Her Life in Her Own Words*, Citadel Press.

DETLEV BERTHELSEN, *La famille Freud au jour le jour, souvenirs de Paula Fichtl*, PUF

PETER HARRY BROWN, B. PATTE BARHAM, *Marilyn, Histoire d'un assassinat*, Pocket.

TRUMAN CAPOTE, *Music for Chameleons*, Random House.

SARAH CHURCHWELL, *The Many Lives of Marilyn Monroe*, Granta Books.

CAMERON CROWE, *Conversations avec Billy Wilder*, Institut Lumière/Actes Sud.

ANDRÉ DE DIENES, *Marilyn mon amour*, New York, St Martin Press.

ANDRÉ DE DIENES, *Marilyn*, Taschen.

STEPHEN FARBER, MARK GREEN, *Hollywood on the Couch*, William Morrow and Company.

LUCY FREEMAN, *Why Norma Jeane Killed Marilyn Monroe*, Hastings House.

RALPH GREENSON, *Technique et pratique de la psychanalyse*, PUF.

RALPH GREENSON, *Explorations in Psychoanalysis*, International Universities Press.

RALPH GREENSON, *On Loving, Hating and Living Well*, International Universities Press.

BARBARA LEAMING, *Marilyn Monroe*, Crown Publishers.

NORMAN MAILER, *Mémoires imaginaires de Marilyn*, 10/18.

LUCIANO MECACCI, *Il Caso Marilyn M. e altri disastri della psychoanalisi*, Editori Laterza.

MARILYN MONROE, *My Story*, Stein and Day Publishers.

JOYCE CAROL OATES, *Blonde*, Ecco Press.

NORMAN ROSTEN, *Un autre regard*, Editions Lherminier.

JEAN-PAUL SARTRE, *Le scénario Freud*, Gallimard.

MAX SCHUR, *La mort dans la vie de Freud*, Gallimard.

MATTHEW SMITH, *Victim, The secret tapes of Marilyn Monroe*, Arrow Books.

DONALD SPOTO, *Marilyn Monroe, The Biography*, Harper Collins.

ANTHONY SUMMERS, *Les vies secrètes de Marilyn Monroe*, J'ai Lu.

ADAM VICTOR, *The Marilyn Encyclopedia*, The Overlook Press.

GARY VITACCO-ROBLES, *Cursum Perficio, Marilyns Monroe's Brentwood Hacienda, The Story of Her Final Months*, Writers Club Press.

W.J. WEATHERBY, *Conversations with Marilyn*, Paragon House.

MILTON WEXLER, *A Look Through the Rearview Mirror*, Xlibris Corporation.

DON WOLFE, *Marilyn Monroe, enquête sur un assassinat*, J'ai Lu.

ELISABETH YOUNG-BRUEHL, *Anna Freud*, Payot.

MAURICE ZOLOTOV, *Marilyn Monroe*, Gallimard

REMERCIEMENTS

Ma gratitude à Martine Saada, sans qui ce livre n'aurait pas vu le jour.

Cet ouvrage a été composé et imprimé par

FIRMIN DIDOT

GROUPE CPI

Mesnil-sur-l'Estrée

pour le compte des Éditions Grasset
en novembre 2006

Imprimé en France
Première édition, dépôt légal : août 2006
Nouveau tirage, dépôt légal : novembre 2006
N° d'édition : 14655 - N° d'impression : 82347